KB077148

서원균 소설집

노인과 골목길

노인과 골목길

발　행 | 2024년 05월 28일
저　자 | 서원균
펴낸이 | 한건희
펴낸곳 | 주식회사 부크크
출판사등록 | 2014.07.15.(제2014-16호)
주　소 | 서울특별시 금천구 가산디지털1로 119 SK트윈타워 A동 305호
전　화 | 1670-8316
이메일 | info@bookk.co.kr

ISBN | 979-11-410-8483-7

노인과 골목길

서원균 지음

CONTENT

알아두기)

1)소설 속의 명칭 등은 실제이나 어디까지나 가상공간이다.

2)이 책에 잘못된 부분이 있다면 내 부족함이다.

3)이 책을 사서 읽은 당신께 깊은 감사를 드린다.

보 리 밥

  난 오늘도 어김없이 초등학교 5학년 4교시 책상에 앉아 있다. 선생님은 60년대 생활상을 설명하며 그 당시에 얼마나 먹고 살기가 힘들었는지 설명하고 있다. 난 선생님의 말씀보다 4교시가 더 길게 이어지거나, 수업 종료를 알리는 종소리가 영원히 울리지 않기만을 바라며, 책상 속에 있는 도시락을 만지작거렸다. 배가 고파서 만지작거리는 것이 아니다.

  드디어 4교시 수업이 끝나는 종이 울리고, 선생님께서 교실을 나가며 말했다.

"점심 맛있게 먹고, 교실과 복도에서는 뛰어다니지 말고."

반 친구들은 "네"라고 크게 대답했다.

난 책상 속에서 도시락을 꺼냈지만, 짝꿍이 볼까 봐 열어볼 자신이 없다. 부끄러워서 뚜껑을 열고 점심을 먹지도 못하고, 결국 다시 가방에 도시락을 넣고, 교실을 나와 화단 끝에 있는 바위에 앉았다. 시커먼 꽁당 보리밥과 도시락 끝 반찬통에는 언제나 팍 쉰 배추김치. 난 열어보지 않아도 내 도시락은 시뻘겋게 물들어 있다는 것을 알고 있었다.

나는 하굣길에 가방에서 도시락을 꺼내 논둑 도랑에 쏟아부었다. 나쁘다는 것을 알았지만, 매일 같이 도시락에 있는 보리밥을 버렸다. 며칠이 지나고서부터는 난 도시락을 들고 다니지 못했다. 내가 도시락을 안 가지고 다닌 것이 아니다. 논 주인이 멀쩡한 보리밥이 버려져 있어서 누가 버렸는지 숨어서 지켜보다가 내가 버린다는 것을 알고 아버지께 말해 혼나고 나서부터는 어머니께서 도시락을 싸 주지 않았다. 그리고 아버지께서는 하나뿐인 도시락을 찌그려서 엿장수에게 줘 싸갈 도시락도 없었다.

난 오히려 보리밥을 버리지 않아도 된다는 죄책감에서 벗어나 학교생활이 더 즐거웠다. 비록 점심시간에 수돗가에서 물배를 채웠지만, 그래도 행복했다. 그리고 얼마 지나지 않아 점심을 해결하는 방법을 알아냈다. 학교에서 신청자에 한해서 우유 급식했는데, 우유갑을 수돗가 옆 창고에 놓아두었다. 난 우유갑에 물을 조금 넣고 흔들어 마셨다. 맹물을 먹는 것보다는 좋았지만, 어떤 우유갑 안에는 소금이 많이 들어 있어서 토한 적도 있었다. 친구들이 흰 우유가 너무 비릿해서 소금을 넣어 마셔서 그렇다. 5월부터는 딸기우유와 초코우유도 급식으로 나와서 소금을 넣은 것은 없었다. 내가 우유갑에 물을 넣어 마신다는 것이 학교에 소문이 나면서 우유갑을 교무실 안에 두어 이것도 오래 하지는 못했다. 그리고 난 초등학교를 졸업할 때까지 여전히 도시락을 가지고 다니지 않았다.

  몇 년 전에 지인과 송악면 보리밥 식당에서 식사했다. 지인은 보리밥이 건강에 좋다며 무채, 상추, 나물 등을 넣고, 들기름과 고추장으로 비벼 된장찌개와 맛있게 먹었다. 나도 그와 같이 비벼서 맛있게 먹었고, 식당을 나와 커피를 마시며 이야기를 나누었다. 그와 헤어지고, 부모님 집의 담장이 넘어질 것 같아서 쇠 파이프로 보강하고 있는데, 배가 서서히 아팠다. 처음에는 대수롭지 않게 속이 얹힌 줄로만 생각했는데, 시간이 지날수록 배속은 더 부글부글하더니 창자가 끊어질 듯 아팠다. 담장 보강은 둘째이고, 배가 너무 아파서 차를 운전해 병원으로 가는데, 신작로로 나오기도 전에 차를 멈추어야만 했다. 배가 너무 아파 운전할 수가 없어서 119에 전화한다는 것이 1번을 길게 눌렀다. 집사람이 전화를 받고, 차를 운전해 병원으로 갔다. 병원에서는 급체해서 그렇다며 약을 처방해 주었다. 그런데 약을 먹어도 배속에서는 여전히 부글부글하며, 헛구역질로 속이 더 좋지 않았다. 다음날, 자주 다니는 내과병원이 있어서 그곳으로 가서 진찰받으니, 장염이라고 했다. 약국에서 약을 사흘 치를 받고, 점심때 약을 먹으니, 요란했던 배속이 잠잠해졌다. 난 이 뒤로부터는 보리밥을 먹지 않았다.
  지난여름에, 시내에서 정년퇴직한 직장 선배를 우연히 만나 커피숍에서 이야기를 나누고, 점심때라 배방읍에 유명한 보리밥 식당이 있다며 선배가 운전해서 갔다. 선배가 사 준다고 해 따라갔지만, 보리밥이 내키지 않아서 종업원에게 쌀밥이 있냐고 물으니, 종업원은 나를 외계인을 보는 듯한 표정으로 없다고 했다. 선배도 보리밥을 먹고 체한 사람도 없고, 맛집에서 너무 생색을 낸다며, 그냥 먹으라고 했다.
  선배가 보리밥과 도토리묵까지 시켜서 결국 청국장과 먹으며 이야기를 나누었다.

선배는 퇴직해서 호프집도 하고, 치킨 가게도 했지만, 코로나19로 전부 폐업했다고 한다. 작년에 신축 아파트 단지 내에 마트를 열어서 장사했지만, 적성에 맞지 않아 다른 사람에게 팔고, 충북 제천 고향으로 갈 거라고 했다. 선배는 나에게 정년퇴직하면 절대 돈을 한 번에 받지도 말고, 장사는 더더욱 하지 말라며 시골집에서 소일거리로 논, 밭일하면서 여생을 보내라고 했다.

선배와 헤어지고, 신호등에 걸려서 선배가 말한 소일거리로 농사 일한다는 것이 얼마나 터무니없는 말인지 나는 알고 있었다. 농사일은 톱니가 맞물리듯 돌아가야 한다. 고추 모종을 했다고 끝나는 것이 아니듯 작물은 계속해서 관심을 가지고 살펴야 한다. 탄저병 소독도 하고, 붉은 고추를 따서 말리고, 고춧가루로 빻고, 고춧대를 뽑고 나서 로터리를 치고, 늦가을에는 양파와 마늘도 심어야 한다. 양파와 마늘이 겨울에 냉해에 걸리지 않게 왕겨 등으로 덮어 주어야 하고…….

농사일에서 게으른 사람이 하기 좋은 농사가 논에서는 벼농사이고, 밭에서는 들깨라는 말이 있다. 그러나 이것도 옛말이다. 지금은 각종 농기계로 사용해 농사일하고, 드론까지 이용하는 시대라 조금만 게을러도 정보에 뒤처져 수매 때 큰 손해를 본다.

신호등이 파란색으로 바뀌어 차를 출발하면서 나도 몇 년 남지 않은 퇴직 후 생활에 대해 곰곰이 생각해 봐야 할 것을 느꼈다. 그리고 혹시나 해서 도로가 약국에 들러 소화제와 드링크를 사서 먹었다. 그런데 한 시간이 지나고, 하루가 지나도 배에서는 아무런 반응이 없었다.

그날 너무 맛있게 먹어서 가을에 부모님과 가족들을 데리고 배방읍. 그 보리밥 식당에 다시 갔더니 식당 주인이 동네 후배라고 어머니께서 말했다. 부모님은 식당을 옮기기 전부터 이 식당을 알고 있었다고 한다. 그리고 동네 어른들과 몇 번을 와 봤다며 속마음을 감추고 계셨다. 어머니의 얼굴에서 나를 측은하게 보는 것이 느껴졌다. 난 일부러 보리밥 대접에 각종 나물을 넣고, 고추장을 썩썩 비벼서 한입 가득 넣고 찰지게 꼭꼭 씹어 밥을 넘겼다. 그 순간에 어머니는 밝게 웃으셨고, 내 두 눈에 눈물이 그렁그렁해서 고개를 숙였다. 집사람이 어떻게 알았는지 휴지를 주면서 말했다.

"얼마나 맛있게 먹기에 어린애도 아니고 입가에 고추장을 다 묻혀."

그때 큰딸이 말했다.

"아빠는 보리밥을 싫어했잖아. 그래서 우리도 안 먹었는데."

그런데 난 집사람의 말을 듣고, 입을 다물지 못했다.

"아니, 엄마는 몇 번 먹으러 다녔는데. 그리고 할아버지와 할머니도 여기에 같이 왔었어."

집사람은 내 눈치를 보지 않고 밥을 먹었지만, 어머니는 내 눈치를 보는 것 같았다.

"아예, 이제부터는 부모님을 모시고 오겠습니다."

내 말에 어머니의 눈가로 웃음꽃이 퍼져 나갔다.

딸들도 보리밥이 이렇게 맛있는 줄 몰랐다며 다음에 다시 오자고 했다.

식당을 나와 부모님 집으로 운전하면서 집사람에게 말했다.

"태국에도 보리밥은 있겠지?"

"아니, 없어. 난 한국에 와서 보리라는 것을 처음 알았는데. 그런데 사람들은 보리보다 보리쌀이라고 하던데. 어머니도 그렇고."

나는 보리가 동남아에 없다는 것을 이날 처음 알았는데, 아버지께서는 당연하다는 듯이 말했다.

"보리는 가을에 파종해서 혹독한 겨울 추위를 이겨내고 자란 곡식이야. 쌀은 봄에 모내기해 가을에 추수하지. 그래서 늦봄에 보릿고개란 말이 생긴 거다."

나는 운전하면서 보릿고개란 말에 어린 시절 김장이 끝나면 어머니와 같이 밭에 가서 배추 꼬랭이를 캐서 뒤란에 땅을 파서 볏짚을 넣고 묻어 두었던 것이 생각나서 혼잣말했다.
"배추 꼬랭이!"

 아버지께서는 겨울 해가 뉘엿뉘엿 넘어갈 때면 부엌에서 일하시는 어머니에게 "오늘, 배추 꼬랭이 밥하지." 하면 나는 시무룩하게 마루로 나와서 부엌을 살폈다. 어머니는 어김없이 뒤란에서 배추 꼬랭이를 가지고 와 우물가에 앉아 찬물에 다듬었다. 배추 꼬랭이를 반으로 가르고, 삶은 보리쌀 위에 올려놓고, 가마솥에 밥을 했다. 보리밥이 다 될 때면 가마솥 뚜껑으로 수증기가 배출되면서 배추 꼬랭이 냄새가 부엌에서 방까지 퍼졌다. 난 그 냄새를 맡지 않으려고 했지만, 집안 가득 퍼진 그 냄새를 맡지 않을 수가 없었다.
 밥상이 차려지고, 난 먹지 않겠다고 고집을 부리지만, 아버지께서 애간장에 들기름을 넣고 비벼준 배추 꼬랭이 밥을 맛나게 먹었다.

 작은딸이 김장이 끝나면 배추 꼬랭이를 캐러 가자고 했다. 작은딸이 유튜브에서 배추 꼬랭이 된장국을 봤다며 나에게 해 준다고 했으니, 맛을 봐야겠다. 내가 배추 꼬랭이 밥도 해달라고 했더니, 이상한 밥을 먹는다며 콩나물밥은 해 줄 수 있다며 오만 원을 달라고 했다. 큰딸은 자기가 콩나물밥 양념을 해 주고, 집사람은 태국 샐러드 '솜땀'을 해 준다고 했다.
 그 당시 배추 꼬랭이밥과 무밥은 봄철 곡식이 떨어질 것을 미리 걱정하신 부모님 삶의 지혜였다.
 이제는 초등학교 교실로 가서 나 자신을 껴안아 주며 말해주고 싶다.
 "괜찮아. 다 괜찮아. 쌀밥이면 어떻고, 시커먼 보리밥이면 어때.

용기를 내서 도시락 뚜껑을 열고 친구들과 어울려서 먹어. 도시락에 보리밥을 싸 온 친구들도 많이 있어."

꿈속에서 나는 어린 시절로 달려간다.
어머니께서 보리쌀을 한 번 삶아서 가마솥에 먼저 안치고, 씻은 쌀 한 주먹을 가운데다 놓고 밥을 했다. 밥상에는 가마솥 가운데서 푼 쌀밥 그릇은 아버지의 자리에 놓여 있었고, 맨 나중에 푼 어머니의 밥은 그냥 꽁보리밥과 누룽지다. 그리고 내 밥그릇에는 셀 수 있을 만큼의 쌀이 섞여 있다. 나는 숭늉 때문에 늦게 방에 들어오시는 어머니의 밥그릇을 바꾸어 먹는데, 어머니는 한사코 내 밥그릇을 뺏으려 했지만, 난 꾸역꾸역 반찬도 없이 먹었다.
어머니가 나를 보며 말했다.
"보리밥이라도 배불리 먹을 수 있어서 좋네."

생존자

YY년 10월 20일 목요일 저녁 9시 30분.

공교롭게도 저녁부터 늦가을 쌀쌀한 날씨에 이슬비까지 보슬보슬 내리기 시작했다. S시 도로국 산하 서동 건설 사업소는 행안대교 상판 이음새에 이상을 발견했으나, 비가 내린다는 이유로 1.3m × 2m 크기 철판을 다리 이음새 부분에 깔고 있었다. 철판을 내리던 한 직원이 말했다.

"이음새 부분이 심하게 벌어져 있는데 이것으로 틈새를 덮는다고 가능하겠어요."

"야, 날이 밝으면 한다고 하잖아. 이것으로 일단 응급조치를 하면 괜찮겠지. 설마, 몇 시간 사이에 무슨 일이 생기겠어."

그들은 철판으로 틈새를 덮은 눈 가리고 아웅식 임시 조치를 끝내고 현장을 떠났다.

그 시각 공상수는 초등학교 친구인 황기선이 내일 논산훈련소에 입소한다고 해서 저녁 늦게까지 술을 마셨다. 상수도 12월에 춘천 102보충대에 입소하기에 술을 더 많이 마셨다. 동네에서 상수가 마지막으로 군대에 가기 때문에 기선이 잘 갔다가 건강하게 제대하자고 말했다. 상수도 기선에게 건강하게 제대해서 다시 만나자고 했지만 속은 더 쓰렸다. 동네 친구들은 논산훈련소에 입소해 후방으로 배치를 받았는데, 상수 혼자만 강원도 그것도 38선 근처인 춘천 102보충대로 입소하기에 답답해서 환장할 것 같았다. 3월에 군대 간 고등학교 동창인 박영수는 일병을 달고 정기휴가를 나와서 상수의 가슴을 마구 헤집어 놓았다. 영수 자신도 102보충대에 입대해 21사단으로 배치를 받고, 전방 GP 근무를 한다고 했다. 그리고 강원도 겨울은 눈이 한 번 내리기 시작하면 보통 3박 4일씩 내린다며 눈 치우는 게 강원도 군인들의 주임무라고 했다. 강원도는 봄, 가을이 없다는 영수의 말이 생각나 상수는 천장을 보며 102보 입소를 걱정했다. 상수는 다시 이불을 뒤집어쓰며 말했다.

"그래, 난 눈 치우다가 군 생활 끝낸다. 너희는 편하게 군 생활 잘해라. 이 나쁜 놈들아."

술에 취한 상수는 혼잣말로 중얼중얼하다가 서서히 잠에 빠졌다.

10월 21일 금요일 00시 20분에 S시 당직상황실 전화가 요란하게 울렸다. 당직자는 짜증을 내며 전화를 받았다.

"예, 당직실입니다."

"여기 행안대교를 지나는 길인데 다리가 이상해요."

"어떻게 이상한데요?"

"다리 중간쯤을 지나는데 차가 덜컹할 정도로 턱이 생겼어요. 충격도 심하고요."

"예, 알겠습니다. 빠른 조치를 시행하겠습니다."

그는 전화를 끊고 서동 건설에 전화해서 행안대교가 이상하다고 가보라고 했다. 서동 건설에서는 어제저녁에 조치했다고 답변했다. 그는 알았다며 졸음도 쫓을 겸 해서 자판기가 있는 곳에 갔다. 커피를 들고 당직실에 들어와 동료를 살펴보는데 모두 자기 업무에 정신이 없었다. 그도 커피잔을 내려놓고 석간신문을 펼쳐 읽기 시작했다. 또다시 전화가 울렸다. 그가 벽시계를 보니 새벽 02시 30분이었다. 동료들은 그를 쳐다보며 빨리 전화를 받으라고 눈총을 주었다. 그는 일부러 전화를 천천히 받았다.

"예, 당직실입니다."

"저, 여기 행안대교 지나는데 다리가 너무 이상해요."

"네, 저희가 이미 조치를……."

"조치가 아니라 다리 중간 부분에 틈이 벌어져 있다고요."

"네에, 그게 무슨 말도 안 되는……."

"당신이 직접 와서 보라고. 차가 달리는데 '덜컹'하는 정도가 아니라 턱을 타고 올라가는 느낌이라고."

"네? 예, 알겠습니다."

그는 다시 서동 건설에 전화해서 행안대교에 가서 확인 후 조치한 후 보고하라고 했다. 서동 건설 직원들은 졸린 눈을 비벼가며 행안대교로 갔다. 행안대교에 도착해서 확인하니 교각 10번과 11번 상부 트러스가 조금 더 벌어져 있었다. 그들은 어떻게 할 것인가를 의논했지만 결론을 낼 수가 없었다. 서동 건설 상황실에 전화하고 어떻게 해야 할지 답변을 기다렸다. 서동 건설 상황실은 S시 당직실에 전화해서 지금 시간부로 통제할 것인지, 임시로 응급조치할 것인지, 아니면 날이 밝으면 작업할 것인지를 물었다.

당직실은 현장 상황 확인도 없이 날이 밝으면 확인 후 조치하라고 했다.

06시 00분에 행안대교를 지나던 심태경은 11번 교각을 지나던 중 차에 충격이 너무 심해서 S시 당직실에 전화했다. 그는 몇 초 동안 신호가 가는데 불길한 기운이 등허리를 타고 운전대 잡은 손까지 전해졌다. 그는 차의 속도를 줄여 잠시 몸을 부르르 떨며 나쁜 기운을 떨치기 위해 운전대를 '팍'하고 세게 때렸다.

"네, 당직실입니다."

"예, 수고하십니다. 행안대교를 통과하는데 차가 덜컹할 정도로 충격이 심해서 전화했습니다."

"네, 저희도 알고 있습니다. 날이 밝는 대로 조치하도록 하겠습니다."

"아니, 다리에 자갈들이 튀……."

심태경은 알았다고 하면서 핸드폰을 접어서 끊고 조수석에 던졌다. 그가 룸미러로 행안대교를 보며 "설마 별일이야, 있겠어."라고 혼잣말하면서도 뒤끝이 개운치가 않았다.

당직자는 자정부터 받은 전화로 묘한 기분에 사로잡혀 있었다. 뭔가 큰 사건이 일어나려고 하는 듯 스멀스멀 안개가 피어오르고 있다는 것을 느끼고 있었다. 그는 자기가 퇴근할 때까지 행안대교 문제로 더 이상 전화가 오지 않기를 빌었다. 그때 또다시 전화가 울려서 깜짝 놀랐다. 그는 벨 소리가 사람의 가슴을 이렇게까지 철렁하게 하다니 하면 전화를 노려보다가 수화기를 들었다.

"네, 다…… 당직실입니다."라고 더듬거리며 말하는데 가슴이 쿵쾅거렸다.

"선배님, 저예요. 모닝커피 한 잔."

그는 일어나서 문 앞에 앉아 있는 대학교 후배인 채근덕을 쳐다보았다. 근덕은 그를 보고 손을 흔들었다. "인마, 전화 끊어." 하며, 그는 안도의 한숨을 쉬었다. 그러나 불길한 마음은 뇌리에서 쉽게 떠나지 않았다.

　상수는 자명종 소리에 아픈 머리를 잡고 일어났다. 멍하니 창문을 바라보니 밖은 아직도 어둠 속에 쌓여 있었다. 오늘따라 회사에 가기가 너무 싫었다. 입에서는 어제 마신 술 냄새가 진동했고, 배에서는 장기들끼리 서로가 부대껴서 난리를 치며 싸우고 있었고, 오줌도 빨리 밖으로 내보내달라고 난리 브루스를 쳐댔다. 상수는 방에서 나와 화장실에서 시원하게 오줌을 누고, 간단하게 세수하고 밖으로 나왔다. 주방에서는 어머니가 아침을 준비하고 계셨다. 상수는 어머니 뒤로 가서 껴안으며 말했다.

“엄마!”

“치워라. 네 입에서 술 냄새가 진동한다.”

“아니, 기선이가 오늘 군대에 간다고 해서…….”

“알았으니, 얼른 밥이나 먹어. 벌써 7시다.”

“에잇, 우리 집 뻐꾸기는 십 분이나 빠르잖아. 어? 콩나물국이네. 역시, 울 엄마가 최고.”

　상수는 웃으며 엄지척하고 콩나물국에 밥을 말아서 먹었다. 콩나물국이 배속에 들어가니 그제야 장기들이 시원하다며 아우성을 멈추었다. 식사를 마치고 이빨을 닦고 머리를 감았다. 방으로 들어가서 드라이기로 머리를 말리고, 무스를 양손 가득하게 해서 머리에 발랐다. 빗으로 폼 잡으려고 하는데 머리카락이 폼이 나질 않았다. 계속해서 하면 할수록 머리가 뻣뻣하게 일어나기만 했다. “와, 진짜 바쁘다고 했더니, 이젠 머리까지 속을 썩이네.”하며 스프레이스를 뿌리고 다시 빗질했다. 그런데 오히려 머리카락이 고슴도치 가시처럼 더 뻣뻣하게 일어서기만 했다. 상수는 화가 나서 다시 화장실에 들어가 머리를 감고 드라이기로 머리를 대충 말리고 나서 그냥 모자를 썼다. 현관을 나오려고 하는데 어머니가 차 조심하라며 어젯밤 꿈 이야기를 해 주었다.

"상수야! 글쎄, 새벽꿈에 너희 아버지가 집에 들어와서는 구명조끼를 엄마에게 주며 '이거 상수에게 꼭 전해주라고 하더니, 상수가 안 가져가면 버스 뒷문 가까이에 앉으라.'고 하더라. 그러니 버스 탈 때 뒷문에 앉아. 알았지?"

"차라리 그 구명조끼를 줘." 하며 손을 내밀었다. 어머니는 못마땅한 듯 상수의 손바닥을 탁, 하고 때렸다. 상수는 아픈척하고 손을 내저으며 흔들었다. 어머니는 현관을 나가는 상수에게 버스 뒷문에 앉으라고 몇 번이나 말했다. 상수는 현관문이 닫히기 전에 "알았어, 엄마." 하며 엘리베이터를 보니 위로 올라가고 있어서 아파트 계단을 뛰어 내려갔다. 경비아저씨가 정문 주차장을 빗자루로 쓸며 청소하는 것을 보며 "아저씨, 안녕하세요." 하며 아침 인사를 하고 버스 승강장으로 뛰어갔다. 경비원은 고개를 들고 "어? 안녕……." 하며 상수를 보았다. 그는 상수의 뒷모습을 보며 중얼거렸다.

"쟤는 항상 사람 얼굴도 안 보고 인사해. 그래도 요즘 애들과 다르게 살갑고 착실해."하며, 그는 자기가 근무하는 경비실을 보며 웃었다.

어젯밤에 꾸벅꾸벅 졸고 있는데, 누가 경비실 창문을 두드리고 있었다. 창문을 여니, 상수가 술에 취해서 작은 검은 봉투를 내밀었다. 그는 봉투를 받으며 말했다.

"오늘은 술 많이 마셨네. 부산물 잘 먹을게."

"아저씨, 부산물이 아니고 잡뼈에요. 잡뼈. 오늘 소 잡았다고요."

"아이고, 고생했네. 이렇게 잡뼈도 주고. 얼른 들어가서 쉬어."

상수는 똑바로 서더니, 경비아저씨를 보고 거수경례를 했다. 경비도 술에 취한 상수의 거수경례를 받아주었다. 상수가 웃으며 현관으로 들어가는 모습을 보며 경비는 혼잣말했다.

"그놈, 술 먹어도 인사성 하나는 짱이란 말이야. 자기 엄마는 부산물이 싫다고 하는데도 일부러 가지고 와서 우리에게 주고, 참

별난 놈이야."

상수는 승강장에서 버스가 오기를 기다렸다. 때마침 아파트에서 중학생 미현이가 헐레벌떡 뛰어오는 것이 보였다.

"어? 오빠도 안 갔네."

"미현아! 너 빨리빨리 나와라. 저번처럼 160번 버스 기사 아저씨한테 기다려 달라고 했다가 나만 엄청 지청구를 먹었잖아."

"오빠, 알았어. 어, 저기 160번 버스가 온다."

상수는 미현에게 먼저 타게 하고, 버스 맨 뒷자리로 갔다. 미현이가 따라와서 상수 앞에 앉았다. 상수는 미현에게 술 냄새가 날 것 같아서 창문을 살짝 열었다. 시원하면서도 찬바람이 상수의 얼굴을 때리니 정신이 조금 맑아지는 것 같았다. 미현이 뒤돌아 상수를 보며 말했다.

"오빠, 춥다고. 그리고 그런다고 술 냄새가 없어져. 빨리 창문이나 닫아."

상수는 왼손으로 미현의 머리를 심하게 헝클어트리고 창문을 닫았다. 그 사이 버스는 정차해서 M여자고등학교 학생들이 탔다. 학생들은 상수가 앉은 자리로 오더니 수다를 떨기 시작했다.

"야, 이번에 가요톱10 누가 일등 할 것 같니?"

"난, 김원준. 귀엽잖아. 특히 치마 패션을 입고 '너 없는 동안' 부를 땐……."

상수 옆에 앉은 여학생이 말을 가로챘다.

"미친년! 야, '짧은 다짐'이면 몰라도 8월에 1위 한 노래를 아직도. 얘가 세상 돌아가는 유행을 몰라도 너무 몰라. 난 우리들의 영웅 서태지와 아이들의 '발해를 꿈꾸며'가 1등을 할 거라고 믿어. 나의 영원한 영웅 서태지. 흐흐흐."

"미친년은 네가 미친년이다. 뭐, 발해를 꿈꾸며? 차라리 대한민국을 꿈꾸면 해라. 그럼 1등은 하겠네. 난 나의 테리우스님. 봐봐. 텔레비전이 나올 때마다 그 카리스마 넘치는 나의 테리우스님 신성우. 네가 아직 나의 테리우스님 '서시'를 못 들어봐서 그래."

상수는 술기운도 가시지 않았는데, 옆에서 떠드는 여학생들이 수다에 머리가 더 아팠다.

윤아는 어제 늦게까지 그림을 그리다가 늦잠으로 인해 아버지가 버스 승강장까지 태워주어서 고마웠다. 윤아와 아버지는 며칠 전부터 냉전 중이다. 윤아는 출근하는 아버지에게 아무 말 없이 160번 버스 탄 것을 후회했다. 윤아는 가방을 조금 열어서 어제 저녁에 적은 편지를 보았다.

"사랑하는 아빠, 보세요. 아빠, 아빠가 저를 때리셨을 때, 제 마음보다 백배 천배나 더 마음 아팠을 아빠를 생각할 때마다 눈물을 감출 수가 없었습니다. 아빠, 저를 때린 거라고, 생각하지 마세요. 제 속에 있던 나쁜 걸 때렸다고 생각하세요. 그리고 정말로 제 마음이 아픈 만큼이나 저도 정말로 아빠를 사랑해요. 아빠, 꼭 즐겁게 해드리겠어요. 아빠도 파이팅! 아빠를 사랑하는 윤아가 드려요. 19XX년 10월 20일."

윤아는 편지를 가방에 잘 넣고 버스에서 흘러나오는 라디오를 들었다. 그때 미현이 뒤돌아 상수를 보며 말했다.

"오빠, '교실 이데아'가 이상하지 않아."

"어?"

상수는 졸린 눈으로 미현을 쳐다보았다. 그러나 상수는 서태지와 아이들의 '교실 이데아'가 뭐가 이상한지를 몰랐다. 그때 한 여학생이 크게 말했다.

"어? 맞아. 중학생, 쟤도 알고 있네. 너희도 들었지? 교실 이데아를 역방향으로 들으면 악마의 음성이 들린다는 말."

"그래, 나도 우리 반 애들이 하는 이야기를 들었어. 거꾸로 들으면 음산한 음성이 들린다고. 너희는 그것 못 들어봤어?"

"난 들었는데. 그게 진짜⋯⋯."

상수 옆에 앉아 있던 여학생이 갑자기 "야아. 무섭잖아. 그만 말해.” 하며 크게 소리를 질렀다. 그 소리에 졸던 상수가 너무 놀라서 자기도 모르게 “으악, 엄마야!” 하며 소리를 질렀다. 미현도 놀라고, 여학생들도 놀라서 상수를 쳐다보았다. 버스 기사도 룸미러로 뒷좌석을 쳐다보았다. 상수는 너무 무안하고 창피해서 자리에서 일어나 뒷문 출구 앞좌석에 앉았다. 상수 뒤쪽에서 여학생들의 웃는 소리가 들렸다. 그리고 한 여학생 말은 더 정확하게 들렸다.

“아휴, 저 오빠가 없으니 술 냄새가 싹 사라졌네.”

“야, 그래도 아직 냄새가 나. 그쪽 창문 조금만 열어.”

미현도 일어나서 상수 옆으로 가 상수에게 책가방을 건네주었다. 버스는 승강장에 멈추더니 사람들이 올라타기 시작했다. 40대로 보이는 아주머니가 올라타는 것을 보고 상수가 일어나려고 했다. 아주머니는 상수를 보고 뒷문 출구 쪽에 자리가 있다며 상수에게 그냥 앉으라고 했다. 상수는 버스 창밖을 보며 전파사 가게 통창으로 보이는 160번 버스의 보라색 색상이 오늘따라 예쁘게 보였다. 그리고 색도 어제 칠한 것처럼 선명해 보인다고 느꼈다. 버스는 승객이 다 타는지 힘차게 시속 40km로 행안대교를 향해 달려가기 시작했다. 버스에서는 여학생들의 웃는 소리, 사람들의 대화, 라디오에서 나오는 마로니에의 ‘칵테일 사랑’ 노래가 경쾌하게 흘러나오면서 따라 부른 사람들로 흥겨움이 가득했다. 그 누구도 앞으로 벌어질 이를 전혀 모른 채 버스는 행안대교를 향해 달려갔다. 버스가 다리로 들어서면서 버스 기사는 저 멀리 행안대교 아스팔트 바닥에서 무엇인가 튀어 오른 것을 본듯했다. 아니, 자기가 잘못 본 것이라 생각하며, 가속페달을 서서히 밟았다. 피곤해서 버스 등받이에 등허리를 기댔던, 상수가 앞을 보는데 반대차선에서 승합차 한 대와 승용차 두 대가 달려오는데 갑자기 속도를 줄이는 것을 보았다. 그때 앞에 앉아 있던 외국인이 뭐라고 크게 소리를 질렀다. 그 외국인 목소리에 운전기사도 놀라서 급브레이크를 밟았는데, 버스 앞 유리창에 수많은 돌 조각이 튀어 오르면서 "탁탁탁" 하며 부딪치기 시작했다. 상수는 승용차가 강으로 떨어져 있는 것을 또렷하게 보았다. 마치 영화의 한 장편처럼 모든 것을 슬로우 모션으로 보였다. 상수는 그 1초도 안 되는 사이에 어머니가 말했던 뒷문 출구에 앉으라는 말이 생각났다. 그리고 기사가 급브레이크 밟아 바퀴에서 "끼이익" 하는 소리가 고막에 울렸다. 승객들이 앞으로 쏠리면서 모두가 "어?" "엄마야." 하는 와중에도 "손잡이를 잡아요." 하는 소리가 상수 귓가에 들려왔다. 외국인이 "Go. Go."라고 외치고, 사람들도 "기사 아저씨, 빨리 여기를 벗어나요." "속도를 올려요." 하는 소리가 상수를 더 두려움에 휩싸이게 했다. 버스는 다행히 멈추지 않고 앞으로 내달렸다. 상수는 달리던 르망 승용차가 아래로 떨어지는 것을 보았다. 버스는 끊어진 다리 난간에 뒷바퀴가 걸쳐 있었다. 상수는 버스 안에 있는 사람들이 일어나는 것을 보고 말하고 싶었다. '일어나지 말고 가만히 계세요. 그대로 있어요.'라고 말을 하고 싶었지만, 입만 벌리고 "어? 어? 저⋯⋯." 하는 소리만 하고 있었다. 상수는 버스가 뒤로 서서히 다리 밑을 향해 기우는 것을 느꼈다. 외국인이 자리에서 일어나는 것도 보이고, 사람들이 "엄마?" "나, 어떻게 해?" "버스가 뒤⋯⋯." 하는 소리도 들었다. 상수는 뒤를 돌아보며 강 아래로 떨어진 행안대교 바닥이 자기 눈에 정확하게 보이는 것을 보며 '아, 여기서 죽는구나.' 하며, 버스 뒷자리로 사람들이 서서히 미끄러지는 것을 보았다. 사람들은 버스가 수직으로 일어서면서 뒤로 더 빠르게 미끄러져 갔다. 버스 기사도 너무 놀라서 운전대만 꽉 잡고 있는 것도 보였다. 그때 미현이가 상수에게 팔을 뻗으며 잡아달라는 간절한 눈빛을 보았다. 버스가 강으로 떨어진다는 것을 알고, 상수는 몸과 손이 너무 떨려서 좌석 손잡이만 꽉 잡고 자기도 모르게 고개를 쑥이고 눈을 감았다. 버스는 떨어지면서 무게 중심 때문에 반 바퀴를 돌며 모든 승객이 버스 천장에 부딪치는 소리가 들렸다.

"쿵, 쿵, 쿵."

"으악악."

"살려주세요. 엄마, 살려…….."

순식간에 버스 안에서는 사람들의 비명 소리가 들렸다. 성수는 그 아비규환 속 비명 소리 가운데서 "오빠! 오빠, 나 잡……."하는 말과 엄청난 굉음을 내는 "콰쾅" 하는 소리에 정신을 잃었다.

도로 바닥과 같이 떨어진 승합차에서 내린 의경들도 버스가 서서히 뒤로 기우는 것을 보며 "어? 어? 버스, 버스가……."만 반복할 뿐이었다. 상수는 버스가 떨어지는 장면은 꿈이라고 생각했다. 상수는 그 꿈에서 버스하고 같이 날아가고 있었다. 그러다가 버스가 밑을 향해 뒤집혀 곤두박질하는 것이 보였다. 그것도 너무 선명하게.

그때 성수 귓가에 남자들의 목소리가 들렸다.

"야, 저기 르망 차에 사람이 있어."

"세피아 승용차에는 운전자가 살아있습니다."

"야, 저기 강에 빠진 엑셀 승용차를 살펴보고, 강 물살이 빠르니, 모두 옷을 벗어서 하나로 묶어. 야, 빨리빨리 서둘러. 뒤에 너희들은 뒤집힌 버스 안에 생존한 사람들이 있는지 살펴봐. 빨리."

상수는 그들의 발이 움직이며 바지와 상의를 벗는 것을 보았다. '저 의경들이 우리를 구하러 왔구나.' 하며 상수는 몸을 움직였다. 그 순간에 어떤 손이 상수의 바지를 잡았다. 상수는 손을 따라가면서 얼굴을 보았다. 그 얼굴은 사람인지 알아볼 수 없을 정도로 심한 피범벅이었다. 입이 움직이면서 입에서 피가 솟구쳐 나오며 말했다.

"오빠, 나 살려줘. 살려…….."

상수는 자기 모르게 다리를 흔들어 미현의 손을 털어냈다. 미현의 손은 힘없이 뒤집힌 버스 천장 바닥에 떨어졌다. 상수는 목을 움직이며 다치거나 아픈 곳이 있는지를 살폈다. 그리고 자기 눈앞에 심하게 파손된 신체 일부가 보였다. 상수는 놀라서 더듬거리며 "어…… 마…… 엄마, 으아악." 하고 크게 소리를 질렀다.

"여기 뒷문 쪽에 살아있는 사람이 있습니다."

"뒤쪽에 아주머니도 살아계십니다."

"버스 뒤에는 사람들의 피……."

상수는 그 소리를 듣고 정신을 잃었다.

10월 21일 오전 7시 38분에 교량과 같이 떨어진 베스타 승합차에 탑승했던 의경들 11명이 승용차에 있던 사람들을 구했다. 160번은 버스 기사 외 30명이 탑승했다. M여고 8명과 M여중 1명, 대학생 1명, 필리핀 국적의 외국인 1명 등 29명이 사망했다. 버스에서는 단 2명만이 생존했다. 의경 11명을 포함해 49명 중에 32명, 남성 19명과 여성 13명이 사망했다.

상수는 병실에서 뉴스를 보며 상실감에 빠져 있었다. 다친 곳이 없다는 것에 어머니는 "아버지가 도와주어서 그렇다."고 했지만, 상수는 세상 밖을 보는 것이 두려웠다. 세상 사람들이 "왜 너만 살았는데."라고 말하는 듯했다. 입원한 지 며칠이 지나서 상수는 몰래 병실을 빠져나와 집으로 갔다. 집에 도착하니 어머니는 놀라서 말을 잊지 못했다.

"너…… 너 괜찮아. 아니, 병원에서 퇴원하래."

상수는 어머니의 말을 들으며 말없이 자기 방으로 들어갔다. 어머니가 따라 들어오려고 하기에 방문을 잠갔다. 어머니는 방문을 두드리며 말했다.

"상수야, 나하고 얘기 좀 하자. 아니, 무슨 말이라도 해봐. 병원에서는 뭐라고 했는데."

상수는 어머니의 목소리가 듣기 싫었다. 세상 모든 소리가 듣기 싫어서 크게 소리를 질렀다.

"조용히 해요. 시끄러워서 살 수가 없잖아."

상수 어머니는 상수의 고함에 어안이 벙벙했다. 상수는 지금까지 어머니의 말을 잘 따르는 착한 아들이었다. 어머니는 방문을 가만히 쳐다보다가 안방으로 들어갔다. 상수도 자기가 왜 어머니에게 화를 냈는지 이유를 몰랐다. 다음 날 아침에 상수는 밥을 먹고, 자기 방으로 들어갔는데 오늘따라 방이 더 텁텁하게 느껴졌다. 어머니는 그런 상수를 걱정했지만, 무사하게 돌아온 것만으로 위안을 삼았다. 상수는 며칠째 잠을 잘 수가 없었다. 눈을 감으면 강물이 코와 입을 막아서 숨을 쉴 수가 없었다. 그리고 버스가 기우는 것처럼 방바닥과 침대가 뒤로 기울어지는 것을 느꼈다. 눈을 뜨면 방바닥과 침대는 언제 그런 일이 있었냐는 듯 멀쩡해져 있었다. 화장실에서 용변을 보고 물을 내리면 "쏴아아" 하는 소리가 자신을 강으로 끌고 가는 것 같은 착각으로 두려워서 용변을 제대로 보지도 못했다. 샤워도 무서워서 할 수가 없었다. 어머니는 모르지만, 상수는 밤에 방의 전등을 끌 수도 없었다. 불을 끄면 어둠이 상수를 강으로 잡아당겨서 버스 안으로 밀어 넣었다. 상수는 버스에서 벗어나려고 하면 누가 상수의 다리를 잡고 "오빠! 오빠! 오빠!"하고 불러서 너무 무섭고 두려웠다. 상수는 새벽에 일어나 창밖을 바라보고 있었다. 창문 밖에는 함박눈이 내리고 있었다. 창문을 열고 소리 없이 내리는 함박눈을 잡았다. 손안에서 함박눈이 사르르 녹았다. 다시 함박눈을 잡았다. 그 차가움이 너무 좋았다. 다시 잡고, 잡은 눈이 녹으면, 또 잡고……

상수는 청량리역에서 기차를 타고 춘천으로 갔다. 오늘 102보충대에 입소하여 군 생활을 시작한다. 그러나 상수는 두려웠다. 군대가 두려운 것이 아니었다. 누구나 편하고 안락하게 잠을 자는 그 밤이 무섭고 두려웠다. 상수는 밤에 잠을 못 자서 지금은 몸무게가 10kg이나 빠져 있었다. 보충대에서 옷과 신발을 집에 보내며 어머니에게 미안한 마음이 들었다. 어머니는 상수가 방 밖으로 나오지 않는 것과 샤워를 하지 않는 것에 잔소리가 심했다. 그러나 상수도 자기가 왜 그런지 딱히 이유를 설명할 수 없었다.

날짜가 지나면 지날수록 그날 사고가 영화를 보는 것처럼 너무나도 선명하게 느껴지고, 그 스크린 안으로 빨려 들어가는 자기 자신이 무섭고 두려워서 어떻게 홀로서기 해야 하는지와 어머니에게 도와달라는 설명, 그 자체를 말할 수가 없었다. 상수는 어머니에게 군입대 때문에 걱정하는 스트레스라고 말했을 뿐이었다. 상수는 전우들처럼 누워서 저렇게 잠을 자고 싶었다. 잠이 들까봐 취침 등만 보고 있었다. 전우들의 코 고는 소리가 들려왔다. 상수는 날이 빨리 밝기를 빌면서 자기도 모르게 잠이 들었다. 그런데 아침까지 전혀 꿈을 꾸지 않았다. 상수는 오래간만에 기분이 상쾌하고 좋았다. 두 달 만에 느껴 본 행복감이었다. 아침 점호시간에 본 눈 쌓인 강원도 산하가 마치 하얀 양탄자를 깔아 놓은 듯 아름답게 보였다. 그러나 상수는 6주 신병훈련을 마치고, 27사단 이기자 부대에서 자대 배치를 받고 나서 착각이었다는 것을 알았다. 버스라는 "괴물"과 강물이라는 "악마"는 상수를 영원히 놓아주지 않았다. 아니, 그들은 더 악착같이 상수를 잡아 버스 안과 강물 속으로 집요하게 집어넣고 있었다. 상수는 군 생활 내내 부대에서 관심 사병이었다. 소대에서도 상수와 같이 잠을 못 자겠다고 하거나 훈련을 함께 받을 수 없다는 여론으로 들끓었다. 소대장과 선임하사가 상담했지만, 상수는 행안대교 붕괴 사고 생존자라고 말하지 않았다. 그냥 자기 가슴에 묻어두고, 세월이 약이다, 는 말로 군 생활이 하루빨리 끝나기를 빌 뿐이었다.

오늘은 상수의 중대에서 사격장으로 사격훈련을 위해 이동 중이었다. 상수는 어깨에 멘 M16 소총의 무게를 느끼며 생각했다.

'더 이상 힘들어서 살 수가 없다. 엄마에게도 미안하고, 전우들에게도 미안하고, 행안대교 희생자들에게도 미안해서 더 이상 살 수가 없다. 오늘 이 총으로 내 생을 마감하는 것이 그들에게 덜 미안할 것이다. 특히, 손을 잡아주지 않은 미현에게도.'

상수는 사격장에서 탄피조가 준 탄창을 받았다. 앞 전우가 사용했던 판초 우의를 정리하지도 않고, 그냥 엎드려 자세를 취했다. 그런 공상수 이병을 의심에 눈빛으로 김지성 병장은 가만히 보고 있었다. 상수는 탄창을 소총에 끼웠다. 김 병장은 탄피를 받으며 상수의 행동을 주의 깊게 살폈다. 엎드려 쏴가 끝나서 통제실에서 소총을 놓고 일어나라는 명령이 떨어졌다. 김 병장은 뒤로 물러나면서 상수를 잡아당겼다. 상수는 깜짝 놀라서 김 병장을 보았다. "정신 차려, 인마!" 하며, 김 병장은 상수의 어깨를 꽉 잡아서 움직이지 못하게 했다. 김 병장도 긴장하고 있었다. 아니, 상수가 너무 이상했고, 상수의 눈빛은 무엇인가를 크게 결심한 듯 보였다. 김 병장에게 이 짧은 몇 초가 몇 시간이 흐른 듯 등허리가 축축해졌다. 통제실에서 소총을 잡고 전진무의탁 사격 자세를 잡으라는 명령이 떨어졌다. 김 병장은 상수가 소총을 잡으러 가는 자세와 손동작을 보고 있었다. 김 병장은 상수가 소총을 잡는 것을 보고 직감으로 알았다. '저놈, 자살하려고 하는구나.'라고 확신했다. 보통 사격장에서 놓았던 M16 소총을 다시 잡으면 총열 덮개를 잡고 총구가 앞으로 향해야 하는데, 상수는 총 손잡이를 잡고 방아쇠에 검지손가락을 넣고 총을 세운 것이다. 그 짧은 순간에 상수는 무릎을 꿇고 소총의 소염기를 자기 턱 밑에 대었다. 상수가 검지손가락으로 방아쇠를 당기면 모든 것이 끝나는 것이다. 상수는 눈을 감으며 행복하게 웃고, 방아쇠를 당기며 혼잣말했다.

"제가 미안했어요. 바보 같이 살아서 정말 미안했어요. 미현아! 너의 손을 잡아주지 못해서 미안했다. 나를 용서해 줘."

"탕" 하는 소리가 사격장에 울려 퍼졌다. 통제실에서는 사격하라는 명령을 내리지 않았는데 누가 사격을 했는지 살펴보았다. 위에서도 사격훈련을 시키던 소대장들이 사격호로 뛰어왔다. 그들은 김 병장이 M16 소총을 발로 찼는지 2m 전방에 떨어져 있었고, 공 이병은 쓰러져 있었다. 통제실에서 통제관 소리가 들렸다.

"지금 즉시 인원 유무를 확인하고, 3소대장은 공 이병을 살펴봐라."

3소대장이 사격호로 와서 김 병장에게 상황을 설명하라고 했다. "이 새끼가 자살하려고 소총을 턱에 겨누고 있기에 제가 발로 찼습니다. 저와 공 이병은 무사합니다."

3소대장은 공 이병을 데리고 사격호에서 나와 위로 올라갔다. 김 병장은 소총을 들어서 탄창을 제거하고 노리쇠를 2회 후퇴전진 한 후 방아쇠를 당기고 사격호에서 나왔다. 통제관이 사격을 중지시키고 모두 위로 올라오도록 했다. 통제관은 모두가 무사한 것을 보고 공 이병에게로 갔다. 사격 연습하던 사병들은 공 이병이 자살하려고 했다는 말을 듣고 고개만 끄덕일 뿐이었다.

"내가 저놈 저렇게 할 줄 알았어. 군대에 적응도 못하는 미련한 사이코 곰팡이 새끼."

"자식, 죽으려면 혼자 죽을 일이지. 왜 사격장에서 자살하려고 지랄이야. 지랄은."

소대장과 중대장은 상수를 달래서 원인을 파악하려고 했다. 상수는 대답은 안 하고 울기만 했다. 중대장은 모두 중대로 복귀하라고 명령했다. 중대장은 공 이병을 따로 분리시키고, 소대장에게 구타나 가혹행위가 있었는지 물어보라고 했다. 중대장은 중대원을 모아 놓고 구타나 가혹행위가 있었는지 확인한다며, 병장들을 1소대로 모이게 하고, 상병들은 2소대에 모이게 했다. 중대장은 이병들과 일병들의 몸을 검사했다. 그리고 인사계에게 받은 '소원 수리' 용지를 나누어 주었다. 이때부터 일병들과 상병들은 그 전보다 더 상수를 원망하고 미워하기 시작했다. '소원 수리'에서는 특이한 점을 찾을 수 없었다. 구타와 가혹행위도 없었다. 소대장이 중대장에게 공상수 이병에 대해 보고하는데, 아무 말 없이 바닥만 보고 있다고 말했다. 중대장은 일단 알겠다, 며 오늘 일어난 사고를 대대에 어떻게 보고해야 하는지 걱정만 앞설 뿐이었다.

상수는 정기휴가를 나와 사창리 시외버스터미널에서 서울행 버스표를 샀다. 상수는 대합실에 가만히 앉아 서울행 버스 다섯 대를 그냥 보냈다. 상수는 서울행 버스가 다시 들어오자, 어떤 결심을 한 듯 일어나 터미널 대합실을 빠져나왔다. 상수는 구멍가게에서 소주를 사고, 그릇 파는 가게에서 큰 접시를 사서 춘천 여인숙에 들어갔다. 여인숙 주인은 상수를 한 번 쳐다보고 첫 번째 방을 주었으나, 상수가 끝 방을 달라고 해서 알았다, 며 키를 주었다. 상수는 끝 방에 들어가 소주를 마셔가며 창문과 방문 틈에 테이프를 꼼꼼하게 붙였다. 상수는 접시에 번개탄 두 개를 피우고, 소주병을 들고 남은 소주를 다 마셨다. 상수는 방바닥에 누워서 천장을 보고 울며 말했다.

"미안해요. 정말 미안해요. 손도 잡아주지 않아서 미안하고, 저 혼자 잘 먹고, 잘 살아서 미안해요. 이제 여러분 곁으로 가서 무릎을 꿇고 용서를……콜록, 콜록."

상수는 그날 희생자들에게 큰 죄책감을 느꼈다. 상수는 서서히 술에 취해 죽음을 향해 달려가고 있었다. 춘천 여인숙 주인은 상수가 이상해서 조용히 문 앞에서 동태를 살폈다. 방안에서 기침 소리가 들리고 우는 소리가 들리더니 조용했다. 주인이 문을 당겼지만 잠겨서 열리지 않았다. 주인아주머니는 "일병! 이봐, 일병!" 하며 계급을 물렀지만, 안에서는 대답이 없었다. 주인아주머니는 놀라서 밖으로 뛰어나가 삼거리 헌병 초소로 갔다. 헌병에게 자초지종을 말하고 같이 끝 방에 도착해서 문을 강제로 열고 보니 방안에는 벌써 연탄가스가 가득했고, 상수는 반듯하게 누워 있었다. 헌병들은 방으로 들어가서 상수를 업어서 의무대대에 인계했다. 부대에서 소대장하고 인사계가 의무대대에 방문하여 상수의 상태를 보니, 다행히 연탄가스에 중독은 되지 않았다. 이 사건으로 27사 헌병대에서 가혹행위, 구타 등을 대대적인 조사를 시작했다. 대대장, 중대장, 소대장은 다른 곳으로 발령이 났고, 이후부터 상수는 휴가를 나가지 않았다. 상수는 군대에서 점점 더 자기도 모르는 사이에 심신이 황폐해져만 갔다.

그래도 상수는 30개월 만기제대를 했다. 제대한 상수는 세상 모든 것이 위험하고 두려운 존재로만 보였다. 그렇게 느끼다 보니 어느새 세상을 등진 채 방 안에서만 지내게 되었다. 어두운 방 안에 꼭 숨어 지내고 있으니, 어머니는 더 짜증과 잔소리만 늘어갔다. 상수는 세상을 향해 도움을 요청하고 싶었지만, 사람들은 행안대교 붕괴 사고를 잊은 듯 이해해 주는 곳이 단 한 곳도 없었다. 상수는 견딜 수 없을 만큼 삶이 지긋지긋했다. 그런 자신을 발견했을 땐 생존한 패배자였다. 상수에게 행안대교를 떠올리는 것만으로도 큰 트라우마였다. 상수는 미현을 만나서 미안하다고 사과하기로 결심했다.

상수는 6월 말 초여름 더위로 아스팔트에 작렬한 태양 아래 정처 없이 걸으며, 다다른 곳이 아직 개통하지 않은 행안대교였다. 상수는 행안대교 중간에서 강물을 내려다보았다. 강은 그날의 아픔을 잊은 듯 푸르름을 자랑하며 힘차게 서해안으로 흘러가고 있었다.

상수는 강을 보며 말했다.

"미안해요. 저만 살아서 정말 미안해요. 미현아, 미안해. 네 손을 잡아주지 못한 내 마음은 평생 그 괴로움을 안고 산다는 것에 자신이 없어. 그리고 나를 용서하지 마."

상수는 난간을 잡고 올라섰다. 그리고 한 발짝만 더 내디디면 되었다. 그러면 미안한 것도 없는 아무런 감정이 남아 있지 않은 그곳에 갈 수 있었다.

그때 푸르름이 상수에게 말하고 있었다. 아니, 미현이 말했다.

"상수 오빠! 인생이라는 파도에 맞서지 말고, 인생을 적으로 만들지도 말고, 잠시 인생의 파도에 몸을 맡기고 잔잔하기를 기다려. 인생이 아름답고 평화롭기를 바라는 마음으로 손에 쥐고 있는 것을 잠시 놓아주는 용기로 삶과 악수 나누길 저는 원해요. 오빠의 잘못이 아니잖아요. 오빠에겐 잘못이 없어요. 오빠의 인생은 오빠가 하기 나름이에요. 한 번뿐인 인생, 제 몫까지 살아주세요. 오빠는 아무런, 아니 오빠에게는 전혀 잘못이 없어요."

상수는 행안대교 난간을 잡고 큰소리로 울었다. 세상이 원망하는 것이 아니라 자기 자신을 다독이며 울었다. 성수는 강과 미현 그리고 희생자들에게 약속했다.

"저, 다시는 울지 않고, 나쁜 생각도 하지 않고, 병원에 가서 치료받을 거예요. 그러니 저 도와주세요. 슬프고 아픈 기억과 미안함을 없애주세요. 저에게 삶에 대한 작은 불씨를 켜주어서 빛을 낼 수 있도록 도와주세요."

상수는 세상을 향해 한 걸음씩, 한 걸음씩 걸어가겠다는 목표를 세우며, 행안대교 끝을 향해 걸어가고 있었다. 강의 푸르름이 그런 상수를 보고 웃으며 응원을 보냈다.

행안대교 붕괴 사고 2년 8개월이 지난 7월 3일 오전 10시.

S시 조순수 시장과 종교계 인사, 유족, 시민 등 100여 명이 참석하여 모두가 행안대교 희생자들의 넋을 기리며 '안전 불감증'을 추방하자는 결의를 다졌다. 시민들은 행안대교를 걸어서 건너며 다시는 이 같은 비극이 발생하지 않기를 빌었다.

희생자의 아버지 한 분이 국화꽃을 강에 내려놓고 오열하며 말했다.

"앞으로 이런 일이 얼마든지 올 수 있어! 올 수 없다고 장담 못해요! 미리미리 방지를 해줬으면, 이런 일이 없잖냐, 이거야……."

공상수도 참석하여 10번 교각에서 국화꽃을 강에 살며시 놓았다. 국화꽃은 바람이 손으로 잡은 듯 살포시 강에 떨어지면서 잔잔한 출렁임과 함께 서해안으로 흘러갔다. 상수는 행안대교를 걸어서 나오다가 멈추고 뒤돌아 10번과 11번 교각을 바라보며 혼잣말했다.

"잊지 않겠습니다. 당신들의 희생을 절대 잊지 않을 것이니, 부

디 편히 잠드소서. 당신들을 지키지 못한 내 마음은 평생 제 가
슴속에 영원히 잊지 않고 기억하겠습니다. 모든 장면을 선명하게
기억하고 있겠습니다. 그리고 진심으로 미안합니다."
 공상수와 희생자의 가족들은 행안대교를 뒤로하고 각자의 집으
로 향했다.1)

---

1)이 소설은 SBS '꼬리에 꼬리를 무는 그날 이야기'에서 일부분 인용과 '1994년
  성수대교 나무위키'에서 영향을 받았음을 밝힌다.

어제의 용사들

날씨가 끄물끄물하더니 소나기가 내리기 시작했다. 이종하는 인도에 튀는 빗방울을 보며 오늘도 손님이 오기는 힘들다고 생각했다. 벌써 일주일째 손님이 한 명도 오지 않았다. 5월이면 주부들이 가구를 바꾼다든지, 아니면 새 가구가 들어왔나, 하고 구경이라도 오는데 지금까지 전화 한 통도 없었다. 불경기도 이런 불경기가 없었다. 코로나19 때도 이 정도는 아니었다. 종하는 인도와 도로에 떨어지는 빗방울만 망연자실 지켜보았다. 도로에도 비가 내려서 그런지 오가는 차도 없었다. 그때 가게 전화가 요란하게 울렸다. 종하는 전화벨 소리에 깜짝 놀라면서도 손님의 전화기를 바라며 목소리를 가다듬고 수화기를 들며 말했다.

"네, 고티카 가구점입니다."

그런데 손님의 전화가 아니었다.

나세화는 남편 종하의 다정다감한 목소리가 수화기를 타고 귀에 들려올 때 오늘도 손님이 한 명도 방문하지 않았다는 것을 알았다. 이렇게 되면 이달 치 월세 내기도 힘들고, 아이들 학원비도 빠듯하다는 것에 한숨이 절로 나왔다.

"여보, 나야. 점심은 어떻게 할 거야."

종하는 아내의 목소리를 듣고 온몸에서 기운이 빠져나간 듯 말했다.

"뭐, 그냥 컵라면으로 때우지."

"내가 도시락 해서 갈게."

"아냐, 오지 마. 괜찮아."

종하는 아내의 얼굴을 보는 것이 미안했다. 작년 말부터 가게에 손님이 줄어서 보험도 해약하고, 딸 수정의 학원도 세 군데에서 한 군데로 줄여서 가장으로서 면목이 서지가 않았다. 그리고 4월 5일 아내의 생일날에 레스토랑이 아닌 집에서 삼겹살과 케이크도 사만 원대도 아닌 만 원하는 작은 케이크에 초 46개를 켰을 때 아내의 얼굴에 실망한 표정을 보고 마음이 아팠다. 그래서 밤에 대리운전이라도 하려고 했는데 딸 수정이 알고 학원에 다니지 않겠다고 했다. 종하가 겨우 달래서 지금은 학원에 다니지만, 고등학교 2학년 학원비가 만만치가 않아서 걱정이었다.

"밥이라도 든든하게 먹어야지."

종하가 대답하려고 하는데 우산을 쓴 여자가 가게 안으로 들어오고 있었다. 종하는 "여보, 손님이 왔어. 전화 끊어." 하며 수화기를 내려놓으며 말했다.

"어서 오세요. 가구 보시려고요."

그녀는 잠시 멈칫하더니 말했다.

"가구는 아니고요. 식탁 의자인데. 그게······."

종하는 그녀가 식탁은 사지 않고, 의자만 사려고 하는 것을 알고 대답했다.

"의자만도 팔아요. 저 뒤쪽에 있으니, 색상과 디자인을 구경하면서 고르세요."

종하가 색상을 먼저 말한 것은 그녀의 집에 식탁이 어떤 종류인지 몰라서 강조하듯이 말한 것이다. 종하는 그녀를 앞질러 뒤쪽 창고로 가면서 말했다.

"여름을 재촉하는 비라 그런지 후덥지근하네요."

"네? 전 모내기하라고 내리는 비라서 좋은데요."

종하는 그녀의 말을 듣고, 그녀가 농사일한다는 것을 알았다. 그리고 그녀가 30대 초반이라 남편이 영농후계자이고, 벼농사도 몇백 마지기는 할 것으로 생각했다. 종하는 그녀가 식탁 의자를 잘 볼 수 있도록 조명 스위치를 켰다. 종하가 설명하는 것보다 그녀가 색상을 고를 수 있게 따라만 다녔다. 그녀가 색상보다는 디자인에 관심을 보여서 식탁이 비싸다는 것을 알았다. 그리고 일반 식탁이나 원목이 아닌 대리석 식탁 의자를 보는 것을 보고 말했다.

"집에 있는 대리석 식탁 디자인이 어떤 모양이세요?"

"네?"

"식탁을 보시면 이렇게 다리가 네 개인 것도 있고, 저쪽에 있는 것처럼 가운데만 있지만 원형과 사각, 중간을 길게 한 것도 있어요. 그리고 대리석의 색깔도 호박, 그린, 화이트 등 여러 가지이고요."

"우리 집에는 지층 모양, 아니 줄무늬인데요."

종하는 그녀가 지층이라고 말한 순간 어떤 회사 것인지 알았다. 그리고 의자도 천연가죽이지만, 아이들 때문에 의자가 망가지거나 그림을 그릴 수 있는 밝은 색상이라 낙서한 것도 알았다. 그녀가 원하는 것은 아이들이 낙서해도 무난한 것과 튼튼해야 한다는 것을 알고 종하는 그녀의 뒤편에 있는 식탁으로 갔다. 종하가 그녀의 옆을 지나 한 식탁으로 가자 놀라며 말했다.

"어머, 저희 것하고 똑같아요."

종하는 미소를 지으며 그 식탁에 있는 의자가 아닌 격자무늬 대리석 식탁 의자를 가리키며 말했다.

"자녀가 어려서 낙서를 많이 할 거예요. 이 의자가 천연가죽에 약간 어두운 색이라 낙서해도 괜찮고, 의자에 올라가서 뛰어도 튼튼해요."

"어머, 사장님. 어떻게 그리 잘 아세요. 완전 점쟁이다."

"가구점만 20년을 넘게 했어요. 손님의 얼굴만 봐도 무엇을 원하는지 알지요."

그녀는 의자를 살펴보고 오늘 배달을 할 수 있는지 물었다. 종하는 지금 입고 된 의자가 없어서 공장에 주문해야 한다고 말했다. 그녀는 잠시 생각하더니 이 의자라도 보낼 줄 수 없냐고 말해서 종하는 전시된 상품은 흠집이 있을 수가 있다고 말했다. 그녀는 흠집이 크지 않으면 괜찮다고 하면서 의자를 꼼꼼하게 살폈다.

"흠집이 없는데요."

"그럼, 이것으로 하시고, 대신에 전시 상품이라 만 원씩 할인해서 계산하지만, 흠집이 있더라도 말씀하시면 안 돼요. 가죽은 A/S 가능하고요."

종하의 말을 들은 그녀가 카드를 건네주었다. 종하는 카드 결제를 끝내고 영수증을 주며 말했다.

"지금이 11시이니, 비가 그치는 대로 댁에 배달할게요. 여기 주소와 전화번호를 적어주세요."

종하는 그녀가 적어준 쪽지를 받으며 인사했다. 그녀가 가게를 나가는 것을 보며 환하게 웃었다. 이렇게 웃는 것이 며칠 만에 웃어보는지 기억도 가물가물하면서 내일도 모레도 웃을 수 있을지 걱정이었다.

종하는 휴대전화로 아내에게 전화해 의자 네 개를 팔았다며 점심은 된장찌개를 먹고 싶다고 말했다. 하늘을 보고 가게 앞에 주차한 트럭을 운전해 뒤편으로 가서 의자를 실었다. 밧줄로 의자를 단단히 매고, 가게 안으로 들어오니 아내가 바구니에서 도시락을 꺼내고 있었다. 아내는 휴대용 가스레인지에 냄비를 올리고 점화 버튼을 돌렸다. 종하는 아내가 하는 것을 보며 안쓰러움과 미안함이 교차했다. 아내가 인기척을 느꼈는지 뒤를 돌아보며 말했다.

"조금만 기다려. 된장찌개만 끓으면 돼."

가스레인지 불 열기로 찌개 냄비에서 김이 나며 된장찌개 냄새가 정겨움보다는 사랑의 향기로 다가왔다. 종하는 모처럼 팔아서 아내와 먹는 점심이 맛있었다. 식사를 끝내고, 종하는 아내에게 가게를 맡기고 배달을 나갔다. 종하가 배달 간 집은 예상했던 대로 의자에 낙서와 칼로 가죽이 심하게 훼손되어 있었다. 의자를 식탁에 배치해 주고, 사용할 수 없는 의자는 트럭에 실어서 소파 재생 공장에 주었다.

종하가 가게에 오니, 아내는 시장 상인연합회에서 일요일에 단합대회 겸 꽃구경을 간다고 했다. 종하는 그 말을 듣고 며칠 전 상인회장에게 일요일에 바쁜 곳이 가구점인데 어떻게 갈 수 있냐고 하면서 반대 의사를 전했다. 그러나 상인회장은 코로나19 때문에 삼 년 만에 가는 것이라며 부부가 안 되면 한 사람만이라도 가면 된다며 화를 내며 돌아갔다. 종하는 자기가 없는 사이에 상인회장이 다시 와서 아내에게 말했구나, 하면 아내에게 당신이라도 가라고 했다.

"점심은 어떻게 하고."

"참말로 걱정도 팔자다. 굶지는 않을 테니 삼 년 만에 스트레스나 풀고 오셔."

　종하는 아내의 웃는 모습을 보며 더 나이가 들기 전에 장사가 잘되어서 가까운 대만이라도 부부 동반 해외여행을 갈 수 있다며 좋겠다고 생각했다.

　종하는 일요일 아침에 아내가 김밥을 준비한다고 해서 하지 말고 빨리 여행이나 가라며 떠밀어 보냈다. 아내가 관광버스에 탑승한 것을 보고 가구점으로 와 문을 열었다. 전등 스위치를 올리면서 오늘은 한 개라도 팔리기만을 바랬다. 한 시간이 지나고, 두 시간이 지나도 손님은 들어오지도 않았다. 인도를 걷는 사람들을 잡고선 싸게라도 줄 테니 사라고 말하고 싶었다. 차라리 가게 문을 닫고 아내와 같이 관광버스를 탈 것을 후회도 했다. 전기세라도 벌어야 하는데 손님이 들어오지 않으니 애꿎은 담배만 피웠더니, 벌써 한 갑을 다 피웠다. 담뱃갑을 쓰레기통에 버리고 가게를 나와 몸튼튼 약국 옆 슈퍼로 갔다. 슈퍼에 들어가니 한건주가 꾸벅꾸벅 졸고 있었다. 종하는 건주 옆으로 가 크게 손뼉을 치며 노래를 불렀다.

　"작년에 왔던 각설이가 죽지도 않고……."

　건주는 깜짝 놀라며 일어나서 주변을 두리번거렸다. 그리고 자기 가게란 것을 알고 옆에서 웃고 있는 종하를 발로 걷어차며 말했다.

　"야, 이 자식아. 애 떨어지는 줄 알았잖아."

　"아이고, 엉덩이야. 형은 애가 아니라 뱃살이라고. 그 맹꽁이 뱃살."

　"인마, 이것은 뱃살이 아니고 인격이라고. 내 인격. 뭐 사러 왔는데."

　"담배. 형도 안 갔어."

　건주는 뒤에서 담배를 꺼내며 한숨을 쉬며 말했다.

　"마누라만 보냈다. 이 시국에 나마저 쉬면 밥벌이는 누가 하냐."

종하는 건주의 말을 듣고 슈퍼도 예전 같지 않다고 느꼈다. 느낀 것보다는 건주의 슈퍼 길 건너에 편의점이 있어서 하루의 매상은 뻔했다. 종하는 담뱃값을 계산하고 나오려고 하는데 건주가 말했다.

"아침에 보니 제수씨도 놀러 가던데 나하고 점심이나 같이해."

"나도 어떻게 할지 생각했는데 마침 잘 되었네."

종하가 12시에 오겠다고 하니 건주가 중앙식당에서 김치찌개를 시켰다며 정각 12시에서 일 분이라도 넘으면 계산하라고 했다. 종하가 알겠다고 대답하고 가구점으로 걸어가며 담배를 피웠다. 건주가 시간을 어기면 계산하라고 했지만, 그 말속에 정이 묻어나 있었다. 건주는 집이 멀어서 중앙식당에서 주문해 점심과 저녁을 해결한다. 일찍 오라고 한 것은 건주 가게와 중앙식당은 걸어서 5분 거리라 찌개가 식을까 봐 그런 것이다. 종하는 가게에 도착해서 텔레비전을 켰지만, 눈에도 귀에도 들어오지 않았다. 텔레비전은 지 혼자서 떠들고 웃고 하는 것을 들으며 손님이 들어오기를 기다렸다. 12시가 다 되도록 손님 그림자조차 가게로 들어오지 않았다. 의자에서 일어나 가게 문 손잡이에 휴대전화 번호 푯말을 걸고 슈퍼로 갔다. 슈퍼에 도착하니, 때마침 건주가 쟁반에서 신문지를 걷고 있었다.

"아주 밥때를 알고 오는구나. 너 장사는 안 하고 가게 문 열어놓고 우리 가게만 지켜보고 있었지."

"내가 형같이 한가하게 노는 줄 아나 봐."

"인마, 나는 시장 상가들 CCTV라고. 누가 나오고, 누가 늦게 문 여닫는지 알아야 하는 시장통 CCTV. 알았냐."

"예, 우리 시장상인회 시통령님! 식기 전에 얼른 드세요."

종하는 쟁반에서 숟가락과 젓가락을 챙겨서 건주에게 주었다. 건주는 찌개 국물 한 숟가락을 떠서 먹으며 "어, 시원하다." 하며 자리에서 일어나 냉장고에서 소주 꺼내 종이컵에 소주를 따르고 종하에게 하나를 주었다. 종하는 종이컵을 받아 건주에 건배했다. 둘은 앞으로 장사가 더욱 힘들 것 같다고 하며 식사했다. 식사가 끝나고 종하가 신문지를 쟁반에 덮고, 슈퍼 문 앞에 놓고, 다시 신문지를 집어 들고 읽었다. 종하가 인상을 쓰며 신문 읽는 것을 보고 건주가 말했다.

"신문에 뭐가 났어?"

"어? 아니. 형 있잖아. 그게 어, 그게…….."

"뭐여, 인마. 그 말투가 왜 그래. 나라에 심각한 일이 터졌어."

"어엉, 진짜 심각하네. 우…… 우리 부대가 없어졌어."

"부대? 부대라면 군인들이…….."

"그래. 우리 부대가, 아니 27사가 없어졌어."

종하는 휴대전화를 꺼내 화면에서 무엇인가를 열심히 찾고 있었다. 그런 모습을 걱정하며 건주가 말했다.

"27사면 이기자 아녀. 거 강원도 춘천인가에 있다는…….."

"춘천이 아니고 화천. 더 정확히는 화천군 사내면 사창리."

종하는 휴대전화에서 찾던 것을 찾았는지 터치하더니 휴대전화를 귀에 대었다. 건주도 종하의 휴대전화에서 연결음이 가는 것을 듣고 있었다. 상대방이 전화를 받지 않는지 연결음만 계속해서 들렸다. 건주는 종하가 쥐고 있는 신문지를 빼앗아 읽으려 했는데 신문지는 군데군데 김치찌개 국물과 반찬이 묻어있었다.

신문에는 큼지막하게 "이기자 부대 해체"라고 쓰여 있었다.

상대가 전화를 받았는지 종하가 말했다.

"여보세요. 박기선 중사니?"

휴대전화 통화 소리가 얼마나 큰지 건주도 들을 수가 있었다.

- 야, 이종하. 죽지 않고 살아 있었네.

"그래, 나 살아있다. 너도 잘 지내지."

- 잘 지내긴 힘들다. 여기 완전 폐허다.

건주가 종하와 군대 동기인 박기선 중사라는 사람과 통화하는 것을 들으며 종하의 눈에 눈물이 고인 것을 보았다. 종하가 하는 말은 약간 울먹인 듯한 목소리였다. 건주는 그런 종하를 이해할 수가 없었다. 건주는 남자에게 멀리하면 할수록 좋은 것이 세 가지가 있다는 것이 생각났다. 하나는 처가고, 또 하나는 기생집이고, 마지막으로 자기가 제대한 군대. 즉 분홍빛 청춘을 보낸 군대였다. 그래서 제대할 때 누구든지 자기의 분홍빛 청춘 30개월이 머물렀던 부대 방향으로 오줌도 싸지 않겠다고 하지 않는가. 그런데 종하는 자기가 제대한 27사단이 없어졌다며 눈에서 닭똥 같은 눈물이 두 볼을 타고 흘러내리고 있었다. 건주가 고개를 절레절레 흔드는 것을 보고 종하는 슈퍼를 나와 가구점으로 갔다. 건주는 종하가 힘없이 걸어가는 것을 보며 혼잣말했다.

"저놈은 진짜 알다가도 모를 놈이네. 아니, 군대에서 얼마나 편하게 지냈기에 아직도 군대에 미련이 남았어. 근데 저놈이 하사관 출신이었어. 그것도 육군 중사?"

종하는 가구점에 도착해 전화를 끊고, 한참을 멍하니 앉아 있었다. 그러다가 벌떡 일어나 왔다갔다 하더니, 결심한 듯 텔레비전 옆에 있는 키를 들고 밖으로 나와 가구점 문을 닫았다. 그러다 다시 문을 열고 안으로 들어가 전등 스위치를 모두 내렸다. 트럭에 올라 시동을 켜고 출발했다. 집에 도착해 거실 창고 책장에서 전역 앨범을 찾아 하나씩 넘기며 추억에 잠겼다. 그리고 한 사진에 멈추고 한참을 보다가 웃기 시작했다. 종하가 웃음을 참지 못하고 계속해서 웃으니, 방에서 공부하던 수정이 나와서 쳐다보았다. 놀란 수정이 쳐다보는 것을 알고 있는데도 웃음을 참을 수가 없었다.

"수정아. 하하하."

수정은 휴대전화에서 엄마의 전화번호를 찾았다.

"엄마, 아빠가 이상해. 마치 미친 사람처럼 계속해서 웃기만 해. ……. 몰라, 가게 문 닫았는지 내가 어떻게 알아. ……. 봐봐. 안 들려." 하며 수정은 휴대전화를 웃음소리가 잘 들리도록 종하의 옆으로 왔다.

"엄마, 들리지. ……. 몰라. 나도 모른다고. 하여튼 빨리 와."

수정이 전화를 끊었는데도 종하는 그때까지도 웃고 있었다. 얼마나 웃었는지 눈에서 눈물이 고여서 눈가로 흘러내렸다. 종하는 손짓으로 수정을 불렀다. 수정은 의아해하면 말했다.

"아빠 괜찮지. 미친 거 아니지."

종하는 전역 앨범을 당기고 수정에게 말했다.

"아빠, 괜찮아. 이리 와서 이놈 볼래."

수정은 종하가 펼친 사진을 보았다. 사진을 보니 젊은 군인의 얼굴은 검게 칠해져 있었고, 이마에는 빨간 띠를 두르고 빨간 띠에는 "무적 이기자"라고 쓰여 있었다. 그리고 어떤 자세를 잡고 있는데 그 자세가 무엇인지 알지 못했다. 종하는 수정이 뚱한 표정으로 보는 것을 보며 말했다.

"이놈 별명이 곰팡이라고 하는데……."

이기자 부대는 훈련을 끝내고 부대로 복귀해서 일주일째 정비를 하고 있었다. 선임하사인 이종하는 일직사관이라 중대원들에게 오후에는 자유시간과 PX에서 술을 사다 마실 수 있게 하겠다며 개인 정비를 철저하게 하라고 지시했다. 그런데 점심시간이 끝나가는 오후 1시 무렵에 3중대 3소대에서 사고가 일어났다. 3소대하고 PX는 걸어서 일 분 거리도 안 된 것이 문제였다. 보통 때 같으며 3소대 후문을 잠가 놓아 행정반을 통해 오가는데, 소대 물청소하다가 열어놓은 것이 사고로 이어진 것이다. 3소대 일병 한 명이 점심시간에 PX에 가서 소주를 사 와 화장실 뒤에서 몰래 마셨다. 그 일병이 한 병만 마셨으면 괜찮은데 안주도 없이 소주 두 병을 마셨다. 그는 두 병을 다 마시고 화장실 옆 돌담에 앉아서 담배 한 대를 피울 때까지 그 누구도 그가 술을 마신 것을 몰랐다. 그가 화장실에서 걸어서 천천히 내무반으로 가는 것을 그의 중대원들이 보았지만, 특별한 것은 없었다. 그가 족구장에서 하늘을 보고 그 자리에 앉을 때까지 그 누구도 다음 행동을 전혀 예측하지도 못했다. 그가 자리에 쪼그리고 앉은 것을 3소대원이 보고 괜찮으냐고 물었을 때만 해도 멀쩡했다. 그런데 그의 눈에 면회 와서 PX로 가는 자기 소대 이등병을 본 것이다. 갑자기 그가 일어나 소리를 마구 지르며 전투복을 벗기 시작했다. 전투복을 벗고 속옷까지 벗더니 PX로 달려가기 시작했다. 중대원들도 처음에는 쟤가 왜 저러나 하며 가만히 쳐다보다가 세면장에서 나오던 3소대 화기 분대장이 그 광경을 보고 심상치 않다는 것을 알고 그를 잡기 위해 뛰어갔다. 그러나 그는 PX 앞에 면회 온 가족들 앞을 지나 연병장으로 달리기 시작했다. 가족들도 처음에는 무슨 퍼포먼스인 줄 알고 보다가 그가 나체란 것을 알고 기겁하며 눈을 가렸다. 그 일병 뒤를 따라 뛰는 군인이 "야, 전 일병! 정신 차려. 맹식아, 정신 차리라고." 말하니 면회 온 모든 가족이 더 궁금해서 PX에서 나와 연병장을 뛰는 두 사람을 지켜보았다. 한 군인은 옷을 다 벗고 뛰고, 뒤를 쫓아 뛰는 군인이 "야, 새끼야! 정신 차려." 하며 뛰니 전 부대원들이 연병장을 향해 그 광경을 지켜보았다. 식사를 끝내고 오던 대대장도 그 광경을 본부중대 사열대에서 멍하니 지켜보고만 있었다. 이때까지 대대장은 자기에게 또다시 닥칠 일을 몰랐다. 다행히 3중대원들이 나서서 그를 잡아서 사건은 거기서 마무리가 되었다. 그러나 대대장이 보았으니, 대대는 그 시간부로 금주령이 내려졌다. 이종하는 일직사령으로부터 외출 시에 술을 마시고 부대로 복귀한 부대원이 있거나 PX에서도 술을 사서 마신 부대원이 있으면 산타클로스를 한다는 명령을 받았다. 산타클로스는 판초 우의에 군에서 받은 모든 것을 싸서 어깨에 메고, 방독면을 쓰고, 연병장을 도는 것을 말하는 것이다.

종하가 당직을 서는 오후까지는 아무 일 없이 지나갔다. 저녁 식사 시간을 몇 분을 앞둔 2중대 화학 소대에 있던 위종진 분대장은 금주라는 말에 화가 나서 3중대로 뛰어가 그 미친 일병 놈을 패주고 싶었다. 그 일병 놈을 생각하면 생각할수록 술 생각은 더 간절해졌다. 위 분대장은 소대원들을 유심히 살피다가 곰팡이가 눈에 띄었다. 곰팡이는 KBS 2TV에서 방영하는 '동작 그만'에서 나오는 이봉원과 똑같은 럭비공이었다. 위 분대장은 손짓으로 곰팡이를 불렀다. 곰팡이는 선임 분대장이 자기를 부르는 것을 보고 침상을 뛰어넘어 위 분대장 앞에 앉았다.

"어이, 곰팡이. 아니 한경남 일병."

"일병, 한경남."

위 분대장은 그윽한 눈으로 한 일병을 쳐다보았다. 한 일병도 정겨운 웃음으로 위 분대장을 쳐다보았다. 위 분대장은 관물대에서 지갑을 꺼내 오천 원을 주었다.

"한 일병! 적진에 침투 시에는 그 누구도 작전을 몰라야 한다. 알지?"

"일병, 한경남. 잘 알고 있습니다."

"그래. 내 분대원이라 확실하군. 고참은 누구와 동격인가?"

"네. 고참님은 하느님과 동격입니다."

"그래. 좋아, 아주 좋아. 즉시 사서 원두막으로 올 것."

한 일병은 위종진 분대장이 부대 근처 가게에 가서 막걸리 한 되를 사 오라는 명령에 부대 담장 넘어 산길을 이용해 가게로 내려갔다. 가게에 도착해 가게 문을 열고 앞에 서 있는 남자를 옆으로 확 밀며 말했다.

"누나, 우리 분대장님이 막걸리 사 오라고 했어. 주전자는 나중에 줄 테니 얼른 줘."

그때 왜 가게 누나가 눈을 동그랗게 뜨고 있는지를 곰팡이는 몰랐다. 오직 하느님과 동기동창인 고참의 명령을 받들기에도 정신이 없었다. 가게 누나가 눈짓으로 옆을 가리켰지만, 곰팡이는 누나가 윙크를 보내는 것으로 알고 말했다.

"걱정 마, 누나. 절대 말 안 할게. 그 대신 여기서 초코파이 먹고 있을 테니, 막걸리나 빨리 줘."

누나는 너무 떨려서 말은 못 하고 손짓으로만 쓰레기통 쪽을 가리켰다. 곰팡이에게 떠밀린 사람은 다름 아닌 대대장이었다. 대대장이 쓰레기통에 처박혀 있었던 것이었다. 이날 곰팡이와 위종진 분대장은 사이좋은 형제처럼 크리스마스 캐럴 "울면 안 돼"를 부르며 전투복, 전투화, 방독면을 착용하고 산타클로스로 연병장을 돌았다.

종하의 이야기를 들은 수정도 배가 아플 정도로 웃었다. 그리고 그 사진을 다시 보니 얼굴의 생김새가 진짜 어디로 튈지 모르는 럭비공 같은 고문관처럼 보였다. 종하는 수정에게 앨범을 보여주며 사진 속의 사병들에 대해 말해주었다. 수정은 종하가 사병들 한 사람씩 가리키며 특징과 추억 이야기를 들으며 의문이 생겼다.

"아빠, 그런데 왜 갑자기 군대 사진을 꺼내서 보는 거야?"

종하도 자기가 왜 가구점 문까지 닫아가면서 군 추억록을 꺼내 보게 되었는지 의아했다. 하사관으로 4년 6개월을 근무하고 제대하던 날 부대 위병소를 나서며 사내면에 다시는 오지 않겠다고 결심했다. 초등학교 동창들이 화악산으로 등산 갈 때도 가구점 핑계로 가지 않았다. 군 동기인 박기선의 두 아들 돌잔치 때도 안 가려고 했다가 춘천에서 한다고 해 참석했다. 종하는 320고지에서 부대를 배경으로 찍은 사진을 보며 말했다.

"그때는 부대를 하루라도 빨리 벗어나고 싶었지. 국방부 시계는 왜 그렇게 느린지 훈련을 나갔다가 와도 겨우 한 달이 지났어. 5분대기조라도 걸리면 한 달 내내 씻지도 못하고, 공수 훈련을 받기 위해 천리 행군해서 지옥 같은 5주 교육받고, 점프하면서도 국방부 시계만 쳐다보았거든. 그런데 그 보기도 싫은 부대가 아니, 27사단이 없어진다고 하니, 아빠의 인생에서 5년도 사라진 것 같잖아. 아빠뿐일까? 아닐 거야. 지금까지 27사 이기자 부대를 제대한 사람들도 이십 대 청춘이 송두리째 사라졌다고 느낄 거야. 그곳에는 우리 분홍빛 청춘들의 흘린 땀이 스며있으니까."

종하의 이야기를 들은 수정은 이해가 가지 않는지 고개를 살짝 좌우로 흔들더니 공부한다며 방으로 들어갔다. 종하는 수정이 방문을 닫는 것을 보고 웃으며 추억록을 넘기며 다시 보았다.

저녁에 아내가 와서 종하는 내일 화천에 다녀올 테니 가구점을 대신 열어달라고 했다. 종하의 말을 듣고 군대 친구인 박기선을 만나러 가냐고 물으려다가 며칠 동안 손님이 없어서 속상했던 것이 생각나 고개만 끄덕였다.

종하는 다음날 일찍 트럭을 운전해 화천으로 출발했다. 20년 전 상봉터미널에서 버스 타고 가는 것처럼 일동을 지나 36개의 꼬불꼬불한 백운산 정상에서 사내면을 내려다보았다. 종하는 부대가 없어졌다는 것에, 그것은 자기 인생에서 가장 아름다운 날들을 잘라내는 것이라도 했다. 차를 천천히 운전해 내려와 사내면 광덕초등학교에 도착했다. 초등학교를 지나면서 시속 30km보다 더 느린 속도로 운전했다. 뒤에 "빵"하는 소리에 우측 방향지시등을 켜주어 먼저 지나가도록 했다. 부대로 올라가는 삼거리에서 좌측 방향지시등을 켜는데 그 옛날 구멍가게가 있던 자리는 이층 가정집으로 변해 있었다. 집을 지나 일명 할딱 고개라는 길을 트럭으로 올라가는데 감회가 새로웠다. 트럭은 종하의 마음을 아는 것처럼 시동이 꺼질듯하면서 할딱 고개를 올라갔다. 위병소가 보이기에 속력을 내려고 하는데 길 가운데에는 더 이상 올라가지 못하도록 바리케이드를 막아 놓았다. 종하는 바리케이드 앞에 트럭을 주차하고 걸어서 올라갔다. 위병소는 그 누구도 들어가지 못하게 막아 놓았다. 아쉬운 마음에 종하는 320고지로 올라가서 부대 안을 보았다. 그런데 종하는 놀라서 입을 다물지 못했다. 종하가 군 생활

했던 시절에 있던 아니, 어제 본 추억록 속의 부대가 아니었다. 1중대, 2중대, 본부중대, 3중대 순서로 있어야 할 부대가 최신식 건물로 바뀌어 있었다. 그리고 원두막에서 부대를 내려다보던 그 자리도 건물이 들어서 있었다. 연병장을 바라보며 소대원들과 축구했던 것이 그리웠다. 눈에 고인 눈물 때문에, 연병장에 서 있는 나무들이 마친 화학 소대원들처럼 종하를 보고 반갑게 손을 흔드는 것 같았다. 종하는 연병장을 한참을 바라보고 있다가 트럭을 운전해 사창리로 갔다. 사창리도 몰라보게 변해 있었다. 종하는 기선이 사창리 버스터미널에서 식당을 한 것이 생각나 회전교차로를 지나갔는데 그곳에 있어야 할 버스터미널이 없어졌다. 약국 앞에 트럭을 주차해 기선에게 전화했다. 신호음이 가고 기선이가 전화를 받았다.

"어? 네가 웬일이냐. 어제도 전화하고 오늘도 하고."

"나 지금 사창리에 왔거든. 그런데⋯⋯."

"뭐 사창리? 설마 사내면 사창리를 말하는 거야."

기선은 정말 놀랐는지 근처에 간판을 말하라고 했다. 종하가 보이는 간판을 전부 말하니 "하, 진짜네." 하며 앞으로 100m만 더 오면 새마을금고가 있다며 오라고 했다. 종하는 트럭을 운전해 새마을금고 앞에 가니 삼거리 앞에 기선이가 나와 있었다. 종하가 작게 "빵"하고 알려주니 기선은 길가에 차를 주차하라고 손짓했다. 트럭을 주차하고 내려서 종하가 기선을 껴안았다. 종하와 기선은 사 년 만에 만나는 것이었다. 기선이 종하의 가슴을 살짝 밀고 악수하며 말했다.

"몇 년 만이냐, 이게. 아마 19년 여름에 만나고 처음이지?"

"그래. 가을에 대전에서 모임 할 때는 네가 안 왔잖아."

종하의 말에 기선이 다시 악수하면 말했다.

"맞네. 하여튼 잘 왔다. 난 솔직히 네가 여기에 올 줄은 몰랐어. 사창리라고 했을 때 얼마나 놀랐는지. 하여튼 점심때고 하니 식당으로 가자."

기선은 종하를 데리고 골목으로 들어가 한 식당으로 들어갔다. 기선이 닭도리탕을 시켰다. 밑반찬이 식탁에 차려지는데 종하의 휴대전화가 울렸다. 종하가 주머니에서 휴대전화를 꺼내 확인하니, 아내였다.

"왜, 여보."

"기선 씨는 만났어."

종하가 방금 만나서 식당으로 들어왔다고 말하니 기선이 바꾸어 달라고 했다. 몇 마디 나누고 기선이 휴대전화를 다시 건네주었다. 종하가 전화를 받으며 기선이 따라주는 소주를 받았다. 종하가 소주잔을 내려놓기도 전에 아내가 말했다.

"주니어 장하고 TV 거실 장을 팔았는데 오늘 배달을 해 달래."

"오늘? 내일 하면 안 돼."

"그렇지 않아도 말했는데, 거실 장을 버렸다고 오늘 해 달라네."

종하는 어떻게 해야 할지 난감했다. 다른 때 갔으면 용달차를 불러서 하겠지만, 지금은 불경기라 한 푼도 아까웠다. 종하가 고민하는 사이 아내가 이어서 말했다.

"어떻게 하지. 오늘 안 되면 다른 가구점으로 간데."

"손님이 옆에 있어?"

"응. 아직 계산 안 했어."

종하는 점심을 먹고 출발하면 저녁에는 배달할 수가 있었다. 그러나 모처럼 만난 군대 동기라 금방 헤어진다는 것이 아쉬웠다. 종하의 표정을 본 기선이 말했다.

"오늘 해. 나중에 다시 만나면 되지. 뭘, 그래."

기선의 말에 용기를 얻어서 저녁에 배달한다고 했다. 종하는 소주잔을 옆으로 밀어놓고 닭도리탕을 먹었다. 소주는 기선만 마셨다. 기선도 두 잔을 마시고 더 이상 마시지 않고 식사했다. 식사가 끝나고 종하와 잠시 실랑이가 있었지만, 기선이가 커피를 사라고 해서 밥값은 기선이 계산했다. 식당을 나와 근처 커피숍으로 이동했다. 커피를 주문하고 자리에 앉아 지나온 이야기를 나누었다. 그런데 기선도 이기자가 부대가 없어지면서 사병들이 다른 사단으로 이동해 식당을 폐업했다고 했다. 그래서 기선의 아내가 바리스타 자격증을 따서 아산으로 갔다고 했다. 종하는 기선이 식당을 폐업한 것도 놀랐지만, 기선의 아내가 친정인 아산으로 갔다는 것에 더 놀라서 더듬거리며 말했다.

"너, 그…… 그럼 이, 이혼했어?"

기선의 고향은 강원도 철원이다. 기선도 하사관 교육을 받고 종하와 같은 부대로 배치를 받았다. 기선이 선임하사로 있던 소대에 한 사병의 가족들이 면회를 왔다가 기선을 보고 반한 여자가 있었다. 그 사병의 친누나였는데, 그녀가 이지영이다. 지영은 동생 이민상에게 편지를 보내 기선에게 사진을 전해주었다. 그리고 주말마다 찾아와서 면회도 신청했다. 얼마나 악착같이 따라다녔는지 부대에서 모르는 군인이 없을 정도였다. 전투 훈련장에도 찾아오고, 경기도 공수 훈련장에도 찾아와서 면회할 정도였다. 여름에 대대장이 나서서 기선과 지영을 맺어준 사건이 일어났다.

화천 파로호에서 전투 수영 훈련 3주 차에 지영이 또 면회를 왔다. 그런데 지영이 혼자서 온 것이 아니라 트럭과 같이 왔다. 대대장도 여간하면 나서지 않는데, 훈련장까지 와서 면회를 신청하니 그것도 한, 두 번은 가능했다. 그러나 1년째 이러니 대대장이 직접 나서서 지영과 면담하려고 했다. 지영은 민간인 신분이라 숙영지 안으로 들어올 수가 없어서 대대장이 경계초소로 갔다. 대대장을 본 지영이 먼저 허리를 숙여 인사했다. 대대장도 얼떨결에 인사를 받고 말했다.

"아니, 하계훈련장까지 오면……."

"죄송해요. 그래서 제가 저기 트럭에 수박을 사 왔어요. 같이 드셨으면 감사하겠습니다. 저는 이만 갈 볼게요."

대대장이 트럭을 보니 짐칸에 수박이 산처럼 쌓여 있었다. 대대장은 할 말을 잃고 걸어가는 지영의 뒷모습만 멍하니 보고만 있었다. 정신을 차리고 대대장이 지연을 불러 세웠다.

"이거 받을 수 없습니다. 아니 이것을……."

그 말을 들은 지영이 돌아서면 말했다.

"대대장님! 저도 수박을 가지고 갈 수도 없어요. 여기 화천에 산 것이에요. 이 트럭 아저씨도 화천분이고요."

지영의 말을 들은 트럭 기사가 말했다.

"화천 시내에 수박을 팔려고 왔는데 이 아가씨가 전부 샀어요. 그리고 계산도 끝나서 여기에 배달하면 전 끝입니다."

대대장은 지연에게 다시 가져가라고 할 수도 그렇다고 트럭 기사에게 가지고 가라고 할 수도 없는 상황이라 부대에서 받기로 했다. 그리고 대대장은 자기 지프차에 기선과 지연을 태워서 지연을 화천 터미널이 아닌 춘천 터미널까지 보내주었다. 훈련이 끝나고 기선과 지연은 가을에 결혼했다. 지연이 음식솜씨가 좋아서 사창리에 충청식당을 차렸다. 그래서 사병들이 휴가, 외출, 외박하면 충청식당을 단골로 찾아가서 매상을 올려주었다. 장사가 잘되어서 기선도 4년 6개월 끝으로 전역했다.

"이혼? 아니. 장사 안돼서 집사람이 춘천에 나가 자격증 따고 여기에 차리려고 했다가 부대가 없어져서 고민했거든. 그런데 민성이가 아산에서 커피숍을 하는데 장사가 잘된다며 오라고 해서 집사람하고 작은애가 먼저 갔어. 작은애는 거기서 학교에 다니고."

"그럼, 너는?"

"나도 다음 주에 가. 며칠 전에 집이 팔려거든."

그들은 커피는 마시지도 않고 이야기만 나누었다.

"작년 11월에 부대를 바리케이드로 막는데 어찌나 눈물이 나는

지. 여기 상인들이 국방부도 찾아가고 화천, 춘천도 찾아가서 안 된다고 했지만, 사병들이 60트럭을 타고 떠나는데 나도 울고, 집 사람 울었다. 그때부터 여기는 썰렁해졌잖아. 작년 겨울에 화악산에서 불어오는 바람이 어찌나 매서운지 너는 모를 거다. 길거리에 군인이 없으니 어찌나 삭막하던지. 그때 가게를 접고 간 사람들이 가끔 찾아와서 활성 방안이 있는지 물어보는데 딱히 방법이 없더라고. 그래서 이참에 우리……."

"오다가 우리 부대에 가 봤어. 막사도 바뀌고, 연병장도 바뀌었더라고."

"세월이 그만큼 흐른 거지."

종하와 기선은 통유리 보이는 도로를 보며 앞으로 어떻게 살아가야 할지 막막했다. 종하도 가구점이 불경기라 걱정이었고, 기선은 고향인 철원을 떠나 제2의 고향 사창리에 정착했는데, 이제는 사창리를 떠나 낯설고 물설은 충청도에 정착할 생각으로 걱정이었다. 기선의 아내 지영은 그래도 친정이라 어느 정도 아산에 익숙하겠지만, 기선에게 아산은 처가일 뿐이었다. 지금에 와서 철원으로 가자고 한다며 아산에 투자한 모든 재산을 정리할 지영이가 아니었다. 사창리도 전방이라고 몇 년 전부터 큰아들이 있는 수원으로 나가길 원했는데, 지금은 아산에서 물 만난 물고기처럼 커피숍에 모든 것을 쏟아붓고 있었다. 종하가 커피 홀더를 챙겨서 종업원에 주었다. 둘은 커피숍을 나와 트럭이 있는 곳까지 걸어가며 말이 없었다. 종하가 트럭의 문을 열며 기선을 보았다. 기선이 웃으며 종하의 어깨를 툭하고 쳤다.

"잘 가. 그리고 여름에 아산에서 모이자. 수민도, 승찬도, 현길이도 불러서 사 년 동안 못 만난 한을 풀자고."

"아산 말고, 파로호에서 낚시해 매운탕과 소주잔으로 우리의 청춘을 추억하는 게 좋을 것 같다."

"파로호? 거 좋지. 내가 아는 분이 거기서 펜션 하거든. 매운탕은 내가 할게."

종하는 차의 시동을 켜고 운전석 차창을 열고 기선의 손을 잡았다. 잡았던 손을 놓아주고 종하는 차를 운전해 사창리를 벗어나며 룸미러로 기선을 보았다. 기선도 트럭을 쳐다보았다. 종하가 차창 밖으로 손을 내밀고 손을 흔들었다. 기선도 종하가 차 밖으로 내민 손을 보았는지 흔들었다. 종하는 골목에서 나오는 차 때문에 운전대를 두 손으로 잡았는데도 기선은 계속해서 손을 흔들고 있었다. 종하는 기선이 지금에 이 난관들을 잘 헤쳐 나갈 것이라는 알고 있었다. 그리고 종하는 처음 임관해 자대 배치받고 애면글면 하던 그 시절이 그리웠다.

종하가 광덕초등학교에서 오른쪽 사이드미러로 보이는 부대 앞 320고지를 보며 혼잣말했다.

"사는 게 별거냐. 가구점 평상에 앉아 집사람과 노을을 바라보며 커피 마시는 게 그게 행복이지. 그래, 집에 도착하면 신축 아파트에 입주하는 주민들이 잘 볼 수 있게 현수막을 걸어야겠다. 난 어제의 용사이니깐. 절대 쓰러지지 않는다."

종하가 화악산의 신선한 바람을 맞이하기 위해 운전석 차창을 내리는데 뒤에서 우렁차고 힘찬 군가가 들려왔다.

"우리는 대한의 용사다.
삼천리강산을 지키는 강철의 용사.
일곱 번 쓰러져도 여덟 번 일어나고
일 보 후퇴해도 이 보 전진하는
아아, 우리는 무적의 이기자 용사."

모내기

일요일 오후부터 내리기 시작한 비가 월요일 아침까지 내리고 있었다. 아버지는 모처럼 기분이 좋으신지 삽을 들고 논으로 가셨다. 난 아침을 먹고 초등학교에 가려고 가방을 챙기는데 논에 갔다 오신 아버지께서 토요일에는 학교에 가지 말고 논에 같이 가자고 했다. 나는 학교에 가지 말라는 그 말에 기분이 좋아서 "네"라고 크게 대답했다.

학교 가는 길에 논을 보니 어른들이 바쁘게 움직이고 있었다. 아랫마을 친구들을 만나 주말에 잘 지냈는지 물으니 다들 이번

주 금, 토요일에 결석할 것이라고 했다. 또 다른 친구는 다음 주수, 목요일에 학교에 가지 않고 자기 집에서 모내기하는데 도와주어야 한다며 한숨을 크게 쉬었다. 이 친구네는 논이 많아서 이틀만에 모내기는 힘들다. 옆에서 듣고 있던 친구는 일요일에 극장에서 만화영화를 보기로 다른 반 친구와 약속했는데 외지에 나간 삼촌과 고모네가 주말에 와서 모내기할 것 같다며 추적추적 내리는 비를 원망했다.

학교에 도착해서 교실에서 친구들과 떠들고 있는데 담임선생님이 들어왔다. 선생님은 조회하기 전에 이번 주하고 다음 주에 모내기 하는 사람은 손을 들으라고 했다. 선생님은 일일이 한 명씩 묻고, 언제 결석할 것인지 수첩에 적고 있었다. 여자 친구들도 모내기를 도와주거나 어머니를 도와주어야 한다며 선생님에게 말했다. 선생님은 알겠다며 여자 친구들도 모내기 날짜에 이름을 적었다. 선생님이 친구들을 일일이 호명하면서 날짜를 다시 확인했다. 선생님은 깊은 한숨을 쉬며 이번 금, 토요일과 다음 주 월, 화, 수요일에 반 친구들 네댓 명씩 모내기 때문에 결석한다며 반장에게 칠판에 적어 놓으라고 했다. 선생님이 조회를 끝내고 나가니 친구들은 신나서 떠들었다.

나는 창문에 부딪치는 비를 보며 걱정이 앞섰다. 내일과 모레는 경운기로 논을 쓸어야 하는데 우리 동네에는 경운기가 한 대라 우리 집 차례까지 오려면 이번 주에 모내기는 힘들었다. 아버지는 결국 소를 이용해 쓸어야 하는데, 지게에 써레를 지고 논을 돌아다니며 논바닥을 판판하게 골라야 했다. 그런데 우리 소저씨는 한 번도 써레질을 안 해봐서 걱정이었다. 다행히 올봄 밭에서 쟁기질할 때 속을 썩이지 않았다. 써레질할 때도 속을 안 썩여야 하는데 저녁에 여물 줄 때 쓰다듬어 주며 말해야겠다고 생각하며 수업 준비했다.

나는 학교가 끝나기 무섭게 집에 도착해서 리어카를 끌고 나와 풀을 베기 시작했다. 리어카에 풀을 가득 베어 싣고 집에 와서 소저씨에게 주며 말했다.

"소저씨! 너 내일부터 우리 논에 써레질해야 하는데 아버지 속 썩이지 말고 잘해. 그러면 내가 매일 싱싱한 풀을 베어다 줄게. 알았지?" 하며 나는 소저씨의 얼굴을 쓰다듬어 주었다.

저녁에 아버지는 창고에서 써레를 꺼내 확인하고 부러지거나 망 가진 곳이 없다며 지게에 올려놓았다. 그리고 마대 자루에서 뱀을 꺼냈다. 내가 보니 독사였다. 아버지는 내가 해온 풀에 독사를 숨 겨서 소저씨에게 주었다. 그렇지만 소저씨는 내가 준 여물 때문에 먹지 않으려고 했다. 아버지가 다시 소저씨의 입에 풀을 대니 마 지못해서 풀과 독사를 씹어서 먹기 시작했다. 조금 기다렸다가 아 버지는 한 번 더 독사 한 마리를 소저씨에게 주었다. 소저씨는 풀 속에 살아있는 독사가 있는 줄도 모르고 맛있게 혀를 놀려 가 면서 먹었다. 그리고 소저씨는 자리에 앉아서 되새김질하기 시작 했다.

아버지는 소저씨가 되새김질하는 것을 보며 말했다.

"내일부터 바쁘게 일을 해야 해. 네가 잘 도와주어야 올해 풍년 이 되어서 겨우내 볏짚과 쌀겨를 섞은 소죽을 먹을 수가 있어."

소저씨는 아버지의 이야기를 알아들었는지 크게 "음메."라고 대 답했다.

나는 다시 소저씨의 얼굴을 쓰다듬어 주고 방으로 들어가 학교 숙제를 했다.

다음날에 아버지가 지게에 써레를 단단히 조이고 있는 것을 보 며, 내가 학교 가는 길에 소저씨를 끌고 숫골까지 같이 가도 되 냐고 물었다. 아버지는 그렇게 하라고 하기에 나는 방으로 들어가 가방을 메고 외양간으로 갔다. 소저씨는 앉아서 되새김질하다가 나를 보며 일어났다. 나는 외양간에서 소저씨를 꺼내 소의 입마개 인 부리망을 씌웠다. 이 부리망은 아버지의 친구분이 볏짚을 꼬아 새끼줄로 만들어서 작년에 주신 거였다. 소저씨는 혀로 부리망을 핥으며 나를 보았다.

나는 고삐를 살짝 당기며 말했다.

"논으로 가다가 새로 돋아난 연한 풀을 뜯어 먹다 보면 아버지가 이 고삐로 네 배를 때린다, 말이야. 그럼 아프잖아. 이 부리망을 쓰고 오늘만은 풀 먹을 생각일랑 단념하고 열심히 일해."

소저씨는 나를 쳐다보며 "음메, 음메." 했다. 나는 소저씨의 음메 소리가 "너, 너무 한다. 먹을 생각은 체념하고 논에서 꾸역꾸역 일만 하라는 거잖아. 그리고 너, 이 멍에가 얼마나 성가신지 알기나 해."라고 말하는 것 같았다.

그래도 다행히 소저씨는 내가 고삐를 당기지 않아도 마당으로 어슬렁거리며 나갔다. 아버지는 지게를 지고 논으로 먼저 가고 있었다.

나는 소저씨와 나란히 걸으며 허리를 쓰다듬어 주며 말했다.

"너 오늘 논일 잘하면 내가 겨울에 네가 입을 가마니 옷을 만들어 줄게. 아버지의 친구분이 볏짚으로 만드는 것 무엇이든 잘 하거든. 네 부리망도 그분이 만들어 주신 거야. 내가 아버지한테 말해서 꼭 가마니 옷을 해 줄게. 알았지?"

소저씨는 내 말뜻을 알아들은 것처럼 고개를 끄덕이며 우리 논으로 걸어갔다. 숫골로 가는 길목에서 나는 아버지에게 소저씨의 고삐를 넘겨주었다. 나는 숫골 언덕길을 걸어 올라가는 아버지와 소저씨를 마냥 지켜보았다. 소저씨는 뒤를 한 번도 돌아보지 않고 논으로 갔고, 나도 학교로 향했다. 학교로 가는 길에 논 여기저기서 경운기로 논을 쓸고 있는 어른들과 우리 집처럼 경운기가 없어서 소로 논을 쓸고 있는 어른들을 보며 가슴이 찡했다.

우리 논은 여기저기에 흩어져 있어서 아버지는 지게에 써레를 지고 논마다 돌아다니며 쓸기를 반복하며 논일해야만 했다.

저녁 식사를 하면서 소저씨가 써레질과 나래질을 너무 잘해서 좋았다고 아버지가 말했다. 어머니도 소저씨가 기특하다며 농번기에는 작대기도 자기 몫은 한다며 나에게 토요일에 말썽부리지 말고 잘하라고 했다. 나는 알았다고 대답하고 외양간으로 갔다. 그리고 소저씨에게 등긁개로 긁어주며 말했다.

"너 오늘 일 잘했다며. 써레질도 잘하고, 나래질은 더 잘해서 아버지께서 좋아하셨어. 내가 아버지한테 말해서 너 뱀 많이 먹여줄게. 그리고 그 작은 코뚜레도 바꿔 달라고 말할 거야. 나 약속은 꼭 지킨다. 네 가마니 옷도."

소저씨는 등긁개로 긁어주니 시원한지 혀로 내 얼굴을 핥았다. 소저씨의 혀는 거칠면서도 촉감이 좋았다.

금요일에 학교 수업이 끝나고 집에 오니, 맛있는 냄새가 코를 벌름거리게 했다. 난 속으로 오늘 저녁부터 반찬이 푸짐하겠구나, 하며 기분이 좋았다. 토요일 식전부터 아버지와 나는 논으로 갔다. 모내기하기 위해선 먼저 할 일은 모를 뽑아서 한 묶음씩 짚으로 엮어 매는 일을 해야 했다. 나는 먼저 비닐을 벗겨내고 버팀 대나무를 뽑아내는 일을 했다. 아버지는 며칠 전부터 모내기 위해 쓸어 놓은 논을 살피고 미꾸라지와 뱀장어가 논둑에 구멍을 뚫지 않았는지도 살펴보았다. 허리를 펴고 등허리를 두드리고 있는데 저 멀리 할머니께서 머리에 소쿠리를 이고 오는 것이 보였다. 아버지도 그 모습을 보시고 흐르는 개울물에 손을 닦으며 나에게 할머니를 도와주라고 말했다. 나는 할머니 손에 들려있는 막걸리 주전자를 받아 논에 도착해서 짚단을 의자 삼아 아침을 먹었다. 아침을 먹고 나니 동네 어른들이 한, 두 명씩 우리 논으로 오는 게 보였다. 이제 모를 뽑아서 모내기하기 위해 한 묶음씩 준비해야 했다.

작년에는 하지가 다가올 때까지도 비가 내리지 않아서 아버지, 아니 온 마을 사람들이 하늘이 무너져라 한 숨을 내쉬며 하루하루를 보냈다.

어른들은 대통령이 나서서 기우제라도 지내야 한다고 했고, 우리에게 집에서 세숫물도 아껴서 쓰라고 하거나 천방지축 산과 들로 뛰어다니며 지신을 놀라게 하지 말라고 말했다.

하지를 며칠 앞둔 날부터 비가 억수로 내리기 시작했다. 온 마을 사람들이 밭으로, 논으로 나가서 물꼬를 막느라 정신이 없었다. 한 바가지의 물이라도 더 가두어 놓기 위해 개울로 내려가는 빗물 때문에 싸우는 일도 있었다. 아침에 물꼬를 닫아서 아래 논에 내려가지 못하게 했는데 밤에 개울을 막은 돌을 치워 자기 논에 물을 댄 사람도 있었고, 밤에 윗 논에 둑을 열어놔 아래 자기 논에 물을 댄 사람도 있었다. 이 일로 윗 논과 아랫 논 사람끼리 욕하고 삽을 집어 던져가며 싸웠지만, 병원에 입원한 사람은 없었다. 언제나 그렇듯 모내기가 시작되면 언제 서로가 싸운 적이 있었나 할 정도로 친해져 서로 품앗이해 주었다.

그리고 중학교 때 이야기지만, 추수가 끝나고부터 논마다 농업용 관정을 파기 시작했다. 아침에 자전거를 타고 학교 가는 길에 보며 논에서 관정을 파는 기계가 서너 개씩 있었다. 또 논에 전봇대를 실은 트럭들이 전봇대를 내리는 장면도 많이 보았다. 그리고 그다음 해부터는 하늘에서 내리는 비를 기다리는 것이 아니라 논마다 모터 돌아가는 소리가 개구리 우는 소리보다 더 크게 들렸다.

학교 끝나고 집에 오는 데 논마다 소를 몰고 논바닥을 써레질과 나래질로 아버지들의 "이랴, 쩌쩌, 워워."하는 소리가 힘차게 논에 울려 퍼졌다. 그런데 날짜가 하지다 보니 논을 쓸고 나서 모내기를 서로 먼저 하려고 자식들을 학교에 보내지 않았다. 읍내에서 사람을 사서 모내기를 하려고 해도 작년보다 인건비를 두, 세 배를 더 달라고 했다. 두, 세배를 주고도 모내기를 한 집도 있었지만, 대부분 집에서는 일꾼을 사는 것을 포기했다. 결국 초등학교,

중학교는 물론 고등학교 학생들까지 학교에 가질 않으니, 학교에는 논농사하지 않은 학생만 등교하는 일이 발생했다. 그래서 각 학교 교장 선생님들이 나서서 동네 이장들을 만나 학생들을 대민지원을 동원하겠다고 약속했다. 가족과 친척들까지 모내기한다고 하더라도 하루, 이틀에 끝나는 것이 아니었기에 이장들도 응쾌히 승낙했다. 이장들은 이장단에서 정한 모내기 순서에 따라 마을마다 간식을 준비해 제공하기로 했다. 오전에는 학교 수업을 하고, 오후에는 싸 온 도시락으로 점심 식사 후에 초등학교 4학년들은 리어카로 모를 나르고, 5, 6학년과 중학교 1, 2학년은 모내기에 동원되었다. 초등학교 저학년과 중학교 3학년과 고등학생들은 학교에서 오전과 오후 수업을 전부 받았다. 고등학생 형과 누나들이 아침에 버스를 타며 우리들을 부러워했다.

그러나 모내기가 생각보다 늦어지니 동네 이장들이 초등학교를 찾아와 7월이 오기 전에 모내기를 마쳐야 한다며 아우성이었다. 결국 교장단 회의에서 중학생들은 오후에만 하고, 초등학교 고학년은 일 교시만 수업하고, 대민지원에 동원되었다. 그래서 우리 마을은 7월을 삼사일 앞둔 날에 모내기하게 되었다.

나는 초등학교 5학년이라 모내기할 수가 있었다. 논에서는 초등학교 4학년들이 벌써 모를 여기저기에 뿌려 놓았다. 우리는 반별로 나누어 모내기했다. 나는 우리 동네 새마을지도자의 논에서 모내기했다. 대신 우리 논은 6학년 2반 선배들이 했다.

모내기를 하는데 한 친구가 모를 보며 말했다.

"그런데 왜 모 전부를 낫으로 쳤을까?"

옆에 있던 친구가 말했다.

"야, 그동안 비가 안 내려서 모내기를 못해 모가 크게 자랐잖아. 모가 크며 모내기할 때 모가 매가리 없어."

"이렇게 자르면 벼가 여물기는 여물어?"

나는 내 자리에 모내기를 끝내고 허리를 펴면 크게 "못줄 넘기고."라고 말하고 나서, 그 친구에게 대답했다.

"올해는 쭉정이만 많겠지. 그래도 할 수 없잖아. 어떻게든 모내기는 해야 하니깐."

못줄을 잡은 교감 선생님이 우리에게 조용히 모내기나 잘하라며 지청구했다. 여자 친구들도 며칠 동안 모내기를 하다 보니 이젠 거머리를 봐도 신경을 쓰지 않았다. 오히려 집에서 입지 않은 윗옷의 소매를 잘라서 종아리와 팔을 보호했다.

점심도 되기 전에 새마을지도자 논에 모내기를 끝내고 이동하려고 하는데 논으로 리어카 다섯 대가 오는 것이 보였다. 리어카는 논둑을 따라 뿔뿔이 흩어지는데, 정말 장관이었다. 리어카 한 대가 우리 앞에 도착해서 밥과 반찬을 내리는데 내려도 내려도 끝이 없을 것 같았다. 동네 아주머니 세 분이 밥과 반찬을 배식하는데 그 많던 쌀밥과 반찬이 동이 났다. 우리가 얼마나 배불리 먹었는지 모두가 트림을 크게 하고 배를 두드리며 다음 논으로 모내기하기 위해 이동했다.

원래 빵과 음료수를 주기로 했었다. 그런데 우리 동네 이장이 "다 먹고 살자고 하는 일이고, 쇳덩어리를 먹어도 소화 시킬 나이 애들에게 빵이 뭐냐?"며 집마다 점심을 장만한 것이다. 이날부터 며칠간 마을마다 밥을 해서 주었다. 빵과 음료수를 준비하려고 했던 삼거리 가게에서는 불만이 이만저만이 아니었다. 한동안 그 가게에서는 우리 동네 어른들에게 막걸리를 팔지 않았다고 한다. 우리는 2주 동안 모내기를 모두 끝내고 학교로 돌아갔다.

나는 주말에 아버지와 같이 뜬 모를 했다. 초등학생이 하다 보니 뜬 모가 많았다. 한 발짝만 옆으로 옮겨도 뜬 모가 있었다. 어머니가 소쿠리에 점심을 이고 와서 같이 먹었다. 그리고 어머니도 뜬 모했다. 앞을 보니 한참을 한 것 같은데, 제자리에서만 뜬 모하고 있었다. 진도를 빨리 나가야 한다며 할머니도 오후에 합세해 뜬 모했다. 뜬 모로 주말을 보내고, 2주 후에는 논에 비료를 주어야 한다며 리어카에 20kg 비료를 싣고 논둑 여기저기에 놓았다. 아버지는 말 통에 비료를 넣고 논에 뿌렸다. 다시 리어카를 끌고 다른 곳에 있는 논으로 가서 똑같이 비료를 뿌렸다. 그리고 그다음 주에는 가장 힘든 농약 살포였다. 리어카에 대형 플라스틱 통을 싣고, 농약살포기도 싣고, 가족 모두가 논으로 이동했다. 리어카에서 통을 내리면 어머니께서 통에 개울물을 채웠다. 나는 돌멩이가 매달린 호스를 통에 넣고, 소독용 노란 호스를 최대한 길게 빼놓고 나서 미리 팔과 어깨를 주물렀다. 아버지가 농약을 뿌리기 위해 노란 호스에 살포기를 연결하면 그때부터 나는 농약살포기의 내 키만큼 기다란 쇠막대기 손잡이를 잡고 앞으로, 뒤로 쉼 없이 밀고, 당기고 움직여야만 한다. 내가 하는 이 장면을 처음 보는 사람들은 힘들지 않을 것 같이 보이겠지만, 열 번 정도만 앞뒤로 밀고, 당기고, 밀고 하다 보면 하늘이 노랗게 보인다. 그리고 등허리에서는 한여름 푸른 논의 땡볕이라 땀이 비 오듯 한다. 빨리빨리 당기고 밀고해야 하고, 자주 농약 줄도 당겨주고, 감아도 주고, 다시 길게 빼서 아버지가 벼에 농약을 골고루 뿌릴 수 있도록 도와주어야 한다. 이때 조금만 늦게 줄을 풀어주거나 빠르게 줄을 당겨 감으면 아버지와 어머니는 서로 싸웠다. 여름 날씨라 조금만 움직여도 더위로 인한 짜증에 불쾌지수까지 올라가서 신경이 날카로웠다. 그래서 다른 집도 마찬가지이지만 농약살포기 줄을 제때 빼주지 않으면 아버지가 한쪽 어깨에 호스를 감고 앞으로 가다가 뒤로 넘어지기도 한다. 그리고 아버지가 움직이는 방향에 따라 제때 옮겨주지 않으면 줄의 무게 때문에 농약을 제대로 뿌리지 못해서 언제나 소독할 때는 논에서 고함 소리와 욕이 난무했다. 나도 힘들어서 농약살포기의 손잡이를 깔짝거리기만 하고 크게 움직이지 않으면 살포기에 압력이 약해져 농약이 나오지 않으면 아버지로부터 욕을 수없이 먹었다. 벼에 농약 살포가 끝나면 플라스틱 통에 든 농약 물이 다 없어진 대신에 아버지한테 들은 욕으로 가득 차 있었다. 그리고 할머니한테 들은 지청구는 노란 호스에 주렁주렁 매달려 있고, 어머니한테 들은 꾸지람과 안쓰러움으로 내 얼굴과 팔은 시뻘게져 있었다. 또한 내 팔은 덜덜 떨려서 내 팔인지, 다른 사람의 팔인지 모를 정도로 리어카를 끌고 집으로 가는 길은 험난하다 못해 차라리 리어카를 버리고 싶었던 적이 여러 번이었다. 그리고 농약 냄새의 지독함은 뜨거운 태양열을 받아 퍼지거나 바람에 날려 나에게도 뿌려졌고, 팔은 벼 줄기에 쓸려서 아픈 것보다 땀방울에 쓰라려서 미칠 것 같았고, 얼굴에 흐르는 땀을 닦으면 햇볕에 탄 얼굴이 환장할 정도 따끔거리며 욱신거렸다. 이 재래식 농약살포기를 이용해 앞으로 두, 세 번은 더 소독해야만 한다. 그리고 여름방학이 끝나기 2, 3일 전에는 반드시 벼와 고추에 농약을 살포했다.

주말에 친구들도 농약을 뿌렸는지를 얼굴과 냄새로 알 수가 있었다. 주말에 농약을 살포한 친구들은 얼굴이 새까맣게 타 있었고, 몸에서 풍기는 농약 냄새가 교실에 둥둥 떠다녔다.

한 번은 아버지에게 경운기를 사서 농사를 짓자고 했다가 꾸지람만 들었다. 경운기 가격이 쌀 몇십 가마니를 해서 우리 집 형편으로는 살 수가 없었다. 그 대신에 아버지는 다른 사람이 버린 달구지를 가지고 와 고쳤다. 그리고 싼전 우시장에서 송아지를 사왔다. 나는 송아지에게 달구지를 끌 수 있게 훈련을 시켰다. 송아지를 데리고 논둑, 밭둑을 따라 우리 논에도 가고, 밭에도 몰고 다녔다. 몇 번을 그렇게 하니 송아지가 알아서 논에도 가고, 밭에도 갔다. 그리고 논에서 고삐를 놓고 "집에 가자."라고 했더니 송아지가 알아서 논둑과 2차선 신작로를 건너 우리 집에 도착해 "음메" 하고 울었다. 나는 송아지에게 등긁개로 긁어주며 "너 진짜 똑똑하다. 다음에는 네가 알아서 논에 가고, 밭에도 가야 해." 하며 목부터 엉덩이까지 시원하게 긁어주었다.

며칠이 지나 나는 송아지에게 말했다.

"너 있잖아. 음……. 많이, 많이 아플 거야. 피도 많이 나고. 내가 다른 집에서 하는 송아지를 봤는데 눈에 눈물이 그렁그렁하며 울더라. 넌 울지 마. 알았지."

송아지는 내 말뜻을 알고나 있는 듯 혀로 내 얼굴을 핥아주었다. 나는 아버지가 봄에 노간주나무를 둥글게 만들어 놓은 것을 송아지에게 보여주며 다시 말했다.

"네가 이 코뚜레를 해야 어른 소가 될 수가 있어. 그리고 많이 아플 거야."

송아지는 여전히 혀로 내 얼굴을 핥아주었다.

주말에 동네 어른들 세분이 우리 집으로 오셨다. 외양간에서 송아지를 끌어내 마당에 있는 아름드리나무에 묶었다. 송아지는 벌써 겁을 먹고 있었다. 나는 등긁개로 계속해서 등허리와 배를 긁어주었다. 드디어 친구의 아버지가 코 뚫는 나무 송곳을 손에 들고 우리 송아지에게 다가갔다. 저 코 뚫는 나무 송곳이 100년도 넘었다고 동네 사람들은 알고 있었다. 친구의 아버지는 우리 동네뿐만 아니라 다른 동네에도 다시면서 저 코 뚫는 나무로 소의 코를 뚫어 주고 돈을 받았다. 저 코 뚫는 나무에 얼마나 많은 소가 뚫렸는지 모르지만, 친구 아버지가 코 뚫은 날 약주에 취하면 늘 하는 말이 있었다.

"이게 말이야. 우리 집 가보 중에 제일 오래된 가보야. 증조할아버지, 할아버지, 아버지, 나까지 해서 이걸로 소의 코를 뚫은 것이 천 마리도 넘어. 읍내에서 우시장 열리는 날에 이놈만 들고 가도 소들이 설설 긴다고. 이게 그 정도로 값진 거야."

나는 이 말을 듣고 친구에게 말했다.

"너 앞으로 직장은 제대로 구했다. 너도 저것으로 가업으로 삼아라."

내 말에 친구는 화를 내며 말했다.

"인마, 난 안 해. 한 번 더 그 말만 하면 너 저거로 네 코를 확

뚫어버린다."

친구의 아버지가 송아지 목덜미를 잡고, 아버지와 어른들도 송아지가 움직이지 못하게 했다. 그리고 송아지의 코청을 살살 만지다가 한 번에 꿰뚫어서 코뚜레를 해 주었다. 송아지는 아픈지 왕방울 같은 눈에서 눈물이 뚝뚝 흘러내렸다. 다행히 피도 조금 밖에 나오지 않았다. 아버지는 굵은 줄로 송아지에게 굴레를 해 주었다. 이마의 굴레는 빨간 줄과 파란 줄로 엮어서 해 주었다. 나는 송아지에게 다가가서 머리를 쓰다듬어 주며 말했다.

"너는 얌전한데 코뚜레를 해서 이해가 안 되지. 그런데 이것을 해야 천방지축 날뛰지도 않고, 아버지의 의지대로 네가 움직일 수가 있어. 내가 너에게 아버지가 하는 언어를 가르쳐 줄게. 그리고 이제 네 이름을 '송돌이'에서 코뚜레를 했으니, '소저씨'라고 부를게. 그리고 이것은 내 선물."

나는 소저씨가 어른이 된 기념으로 워낭을 달아주었다. 소저씨는 좋은지 워낭을 좌우로 흔들어서 "딸랑딸랑"거리게 했다. 나도 워낭소리가 좋아서 소저씨의 워낭을 건드렸더니 소저씨는 자기 것이라며 워낭을 건드리지 못하게 얼굴을 옆으로 돌렸다. 그리고 소저씨는 새벽에 일어나서 나에게 빨리 나오라며 워낭을 계속해서 흔들었다. 할머니는 저 송아지가 미쳐서 밤새 시끄럽게 워낭을 흔들었다며 워낭을 떼라고 했다. 나는 아침 먹기도 전에 소 굴레에 고삐를 연결해 밖으로 데리고 나갔다. 소저씨는 밖으로 나와서 우리 논으로 가고 있었다. 그리고 코뚜레를 하기 전에는 목에다가 고삐만을 해서 길가에 신선한 풀을 마음껏 뜯어 먹으며 이동했다. 소저씨는 이번에도 아침 이슬을 맞은 신선한 풀을 뜯고 있었다. 나는 고삐로 소의 배를 살짝 탁하고 쳤다. 다른 때 같으면 계속해서 풀을 뜯어 먹으며 때리던지 말던지 신경을 쓰지 않았겠지만, 코뚜레를 해서 그런지 바로 멈칫했다. 그래서 나는 고삐로 다시 배를 "찰싹"하고 때렸더니 워낭도 "딸랑딸랑"거리며 소리가 났다.

소저씨는 코뚜레 때문에 코가 아픈지 움직이기 시작했다. 그리고 다시 풀을 뜯으려고 하면 고삐로 배를 때렸다. 그리고 소저씨에게 "이랴, 이랴." 하며 우리 논을 돌아 집으로 오는 길에 소저씨 워낭 소리가 청명하게 아침을 깨웠다.

며칠이 지나서 아버지는 소저씨에게 한태와 멍에를 해서 달구지를 끌고 정미소에 가서 쌀을 찧어서 가지고 왔다. 아버지는 왕겨도 가지고 와서 소저씨가 편하게 누울 수 있도록 외양간에 뿌려 놓았다. 소저씨는 기분이 좋은지 워낭을 흔들어서 자기감정을 표현했다. 겨울에는 달구지에 나무도 해오고, 장작도 해 왔다. 그리고 소저씨는 자기가 먹을 볏단도 달구지로 날랐다. 나는 작두로 볏단을 잘게 썰어서 쌀겨를 섞어 여물을 만들었다. 가마솥에서 볏짚 여물이 익어가는 냄새를 소저씨도 맡았는지 "음메" 하며 빨리 달라고 울었다. 나는 가마솥을 열어서 김이 모락모락 피어나는 여물을 여물통에 부었다. 소저씨는 혀로 뜨거운 여물도 스스럼없이 잘도 먹었다.

늦겨울 찬바람이 기승을 부리던 어느 날.

동네 젖소 목장에서 우유 값 파동으로 젖소에게 하루 동안 먹이를 주지 않았다. 젖소는 다음 날 새벽부터 "음메, 음메, 음메." 하며 울기 시작했다. 젖소 농장 주인인 아저씨 내외는 시내에 나갔는지 집에 아무도 없었다. 젖소는 계속해서 먹을 것을 달라고 "음메, 음메, 음메." 하며 울었다. 그런데 이 소리를 잘 들으며 소가 "밥 줘, 밥 줘, 밥 줘." 하며 우는 것처럼 들렸다. 할머니가 젖소 목장에 갔다 와서는 젖소의 큰 눈망울에서 눈물이 뚝뚝 떨어지며 배고파 울고 있다며 말했다.

"사람은 굶어도 괜찮지만, 말도 못 하는 짐승을 저렇게 굶기면 천벌을 받는다." 며 아버지에게 볏단이라도 갔다가 주고 오라고 했다. 나는 진짜 젖소가 우는지 목장에 가보았다. 그런데 젖소가 내 발소리를 듣고 더 처량하게 "음으메, 음메, 음메." 하며 울었다.

마치 그 소리가 "어메, 밥 줘. 밥 줘."하는 소리로 들려서 나도 모르게 사료 포대를 뜯어서 젖소 여물통에 쏟았다. 그리고 옆에 있는 볏단도 통째로 울타리 안에 던져 놓았다. 젖소들은 진짜 미친 듯이 볏단과 사료를 먹기 시작했다. 그런데 그때 농장으로 차가 들어오는 소리를 듣고 가슴이 철렁했다. 울타리에서 차를 보니 1톤 트럭이었다. 피하기도 전에 트럭은 내 앞에 와서 멈추었다. 나는 그냥 멍하니 차에서 내리는 아저씨와 아주머니를 보고만 있었다. 그리고 속으로 '오늘 엄청 혼나고, 우리 집에 가서 부모님과 싸우겠구나.' 하며 쥐구멍이라도 숨고 싶었다. 아저씨는 나를 한참 보더니 아무 말 없이 사료를 더 쏟았다. 아주머니는 내 옆에 서서 아저씨가 하는 것을 지켜보았다. 그리고 나는 아저씨와 아주머니가 울고 있다는 것을 알았다. 나는 조용히 뒤를 돌아 집으로 가는데, 아주머니가 말했다.

"세, 세종아, 고생했어. 그리고 고마워."

아주머니의 목소리에서 젖소에 대한 미안함과 나에게 고마움이 가득하다는 것을 느꼈다.

나는 집으로 걸어가면서 할머니가 했던 말을 중얼거렸다.

"사람은 굶어도 집에서 키우는 말 못 하는 짐승은 굶기면 안 된다."

나는 묶은 모을 리어카를 이용해 우리 논으로 나르고, 논 여기저기에 모를 던졌다. 올해 고등학교를 졸업한 봉남영 형이 모를 지게에 지고 와서 나에게 너무 촘촘하게 던진다며 말했지만, 그 소리가 잔소리가 아닌 정겨운 소리로 들렸다. 형은 나에게 비닐을 주며 비닐에 모를 몇 개만 올려놓으라고 했다. 그 말에 "올해는 모내기는 못 하고, 뒤에서 모를 나르는 허드렛일만 하구나."라고 중얼거렸다. 형은 나에게 못줄을 주며 건너편으로 가서 둑에 꽂으라고 했다. 우리 집의 벼농사는 도지까지 포함해서 열여섯 마지기

이다. 열여섯 마지기 중에 지금 모내기 하는 논이 일곱 마지기로 제일 컸다. 나머지 논들은 뿔뿔이 흩어져 있어서 형이 지게로 모를 나르고 뿌려 놓는다고 했다. 어른들이 모내기하면서 서로가 작년에 모내기했던 이야기하는데, 그 모습에서 안타까움이 짙게 묻어났다. 제철 곡식은 제 날짜에 파종하고, 수확해야 한다. 작년에 워낙이 가물어서 쭉쟁이 벼가 많아서 흉년이었다. 나는 한 아저씨가 뒤로 던져 놓은 모를 최대한 멀리 던져 놓았다. 그리고 어른들이 못줄을 두 칸씩 하기 때문에 빨리빨리 움직여서 모가 없는 곳에 모를 놔주고, 모가 많은 곳은 빨리 뒤로 던져야만 했다. 이것이 보기에는 쉽지만, 막상 해보면 아니다. 논이 일곱 마지기 크기이다 보니 이쪽저쪽으로 왔다갔다 하다 보면 얼굴과 옷에는 진흙이 덕지덕지 묻어있고, 양쪽 발이 제대로 움직여지지 않아서 가다가 넘어지면 논바닥에 얼굴을 박거나 뒤로 엉덩방아를 찍으며 속옷까지 젖어서 그다음부터 더 힘들게 일을 해야 했다. 마음이 급하다 보면 앞에서는 모내기하는데 뒤에서 혼자 이리 뛰고 저리 뛰고 쌩쇼하는 경우가 있다. 그것이 바로 거머리와 사생결단. 거머리는 어른들보다 신선한 내 피를 좋아하는 것처럼 나에게만 온다. 하긴 어른들은 술과 담배에 찌들었지만, 나는 신선한 초등학생의 피. 거머리를 잡아서 다른 논에 던져도 또 금방 나타나서 내 종아리에서 피를 빨아먹었다. 그놈을 떼어내려면 논둑으로 나가야만 한다. 논둑에서 그놈을 떼어내고 논둑에 손가락으로 구멍을 내 그 속에 넣고 흙을 덮어 놓고 발로 밟아서 마무리한다. 그리고 논으로 들어가려고 하면 종아리에서 시뻘건 피가 줄줄 흘러내린다. 이때부터 신선한 피 냄새를 맡은 거머리들이 나에게로 오는 것이 흙탕물 속에서도 선명하게 보인다. 나는 두 손을 모아서 물과 같이 떠서 비닐에 던져 놓는다. 이렇게 몇 번을 하다 보면 바로 아버지한테 지청구를 먹는 것이다. 아버지는 일은 안 하고 장난만 친다고 화를 내면, 나는 거머리 때문에 그렇다고 말하지만, 어른들은 거머리가 곪은 데는 특효약이라며 괜찮다고 한다. 나는 "곪은 데도 없는데 그렇게 좋으면 아저씨가 피를 주세요."라고 작게 혼잣말했다. 점심을 먹을 때보면 종아리에 대여섯 방은 물려서 피가 줄줄 흘러내린 자국도 있었다. 그리고 그때까지 몰랐다가 어머니가 내 종아리 뒤에 거머리가 있다고 알려주면 그놈의 거머리의 배는 빵빵하게 내 피를 빨아서 죽이고 싶었지만, 그냥 떼어내서 모내기 한 다른 논에 던져버리며 말했다.

"자식아! 너 내년에는 나 만나지 마라. 그때는 진짜 게임 아웃이다."

점심 식사가 끝나면 이때부터는 정신이 없다. 해가 떨어지기 전에 나머지 논까지 모내기를 끝내야만 한다. 논 일곱 마지기 모내기가 끝나면 다섯 마지기와 두 마지기는 바로 옆에 있어서 일하기는 편하다. 문제는 마지막 남은 두 마지기 논이다. 이 논은 우리 집에서 3km, 일곱 마지기 논에서 2km 떨어진 산골짜기 천수답이다. 바로 이 논이 도지다. 진짜 이 논은 구경삼아 갔다가 오면 똑같은 크기의 다른 논에서는 모내기가 끝내고 있을 정도로 멀리 있었다. 어른들이 도지 논에 가니, 봉남영 형이 혼자서 모내기하고 있었다. 형은 지게로 모를 나르고 점심은 우리와 같이 먹었다. 일곱 마지기 논에서 모내기했기에 형은 다섯 마지기와 도지 논에만 모를 나르면 되었다. 형은 미리 혼자서 도지 논에서 모내기한 것이다. 봉남영 형 덕분에 도지 논의 모내기는 쉽게 끝났다.

모내기를 끝내고 저녁에 우리 집에서 동네 어른들이 식사하는데 내일은 누구네 논으로 가고, 모레는 누구네 집으로 모내기를 가야 한다며 서로 품앗이에 대해 말했다. 아버지도 오늘 품앗이 온 아저씨들의 논에서 모내기해야 했다.

봉남영 형은 품삯을 받아 가며 다른 동네까지 모내기 다녔다. 형은 모내기가 끝나면 품삯으로 받은 돈으로 서해안으로 해 남해, 동해안 강릉까지 여행을 갔다가 서울에서 직장을 찾겠다고 나에게만 말했다. 그리고 형은 내일 만기듬 동네로 모내기를 가야 한다며 일찍 집으로 갔다.

나하고 할머니와 어머니는 일주일 후에 뜬 모해야 한다. 뜬 모하고 나며 또다시 비료와 농약과 힘겨운 여름 나기를 치루 것이다. 그리고 나는 아버지에게 욕을 먹으며 하루가 다르게 커갈 것이다.

어른들이 막걸리 몇 잔에 피로를 푸는 동안 나는 밤하늘 별과 은하수를 보며 올해는 풍년이 된다는 것을 알았다.

은하수가 밝고 선명하게 가까이 보여서 마치 내 두 손으로 잡을 수가 있을 것 같았기 때문이었다.

골리앗, 일어서다.

 아침에 일어나니, 날씨는 화창해서 좋았지만 출근하기가 귀찮았다. 집사람이 차려 준 아침을 먹고 회사 출근 버스에 몸을 실었다. 평소처럼 자리에 앉자마자 잠을 자려고 하는데 버스 안의 분위가 어제와 사뭇 달랐다. 모두 긴장한 듯 서로가 말도 없었다. 모두가 자기의 핸드폰만 보고 있었다. 나는 옆에 앉아 있는 동료에게 물어보니 그도 잘 모르겠다고 말했다. 회사에 도착해 버스에서 내렸는데 공장이 너무 조용했다. 보통 같으면 이곳저곳에서 망치 소리, 용접하는 소리, 기계의 소음과 트럭의 엔진 소리로 시끄럽다 못해 정신이 없어야 정상이었다. 오늘은 달라도 너무 달라서 탈의실로 가는 데 야간근무 했던 반대 B조 사람들이 테이블에 앉아 시무룩한 표정으로 있었다.

"퇴근들 안 하세요?"

"퇴근?" 하며 기호 형이 나를 한심한 듯 쳐다보았다. 그리고 기호 형이 말했다.

"현중아, 넌 뉴스도 안 보냐?"

나는 그제야 테이블 위에 있는 종이를 보았다. 종이에는 "오늘부로 폐업"이라는 글자가 선명하게 보였다. 난 탈의실 계단에 망연자실 앉아 있었다. 조금 후에 반장이 오더니 회사 소식을 전달했다.

"오늘부로 일감이 없어서 더 이상 회사를 운영할 수 없다고 합니다. 그래서 각자 집……."

다음에 하는 말은 귀에 들어오지 않았다. 내 눈에서는 하염없이 눈물이 볼을 타고 흘러내렸다. 현대중공업 군산공장에 취직했다고 기뻐했던 10년 전이 빠르게 스쳐 갔다. 현대중공업에 취직해서 1년 뒤에 친구 소개로 만난 여성 김현숙과 결혼을 했던 날. 1년 뒤에 귀여운 딸 수정이가 태어나고, 듬직한 아들 정재가 태어나 백일잔치와 돌잔치 돌잡이에서 양손에 주사기와 판사 봉을 잡아 행복했던 일. 수정이 처음으로 유치원 가방을 메고 가던 날. 정재가 초등학교에 입학하던 엊그제. 그리고 1년 전에 신축 아파트 분양권 당첨.

나는 정신을 차리고 앞을 보니 어느새 회사 정문에 서 있었다. 많은 동료가 붉은 띠를 머리에 묶고 있었다. 난 동료들을 피해 저벅저벅 걸어서 버스 정류장에서 집으로 가는 버스를 탔다. 집에 도착해 집사람에게 회사가 폐업했다고 말하니, 집사람은 안방으로 들어가 서럽게 울기 시작했다. 나도 막막해서 울고 싶었지만, 가장인 나마저 쓰러져 운다면 아이들이 힘들어 할 것 같아서 정신을 차리고 일자리를 빨리 찾아야 했다. 당장 급한 것이 아파트 분양 때문에 전세에서 월세로 돌려서 집주인에게 월세 오십만 원을 주어야만 했다. 이때까지만 해도 난 몰랐다. 우리가 분양받은 아파트에서 산다는 것이 몇 년이 걸릴 줄은.

이곳저곳에 전화해서 편의점 아르바이트 자리라도 구해야 했다. 다행히 대리운전하던 친구에게 연락이 닿아 야간 대리운전을 할 수가 있었다. 몇 달 동안 대리운전하니, 고정 고객도 생겼다. 하루는 초저녁에 호출이 들어와 갔다. 호출한 사람은 낮에 골프 치고, 친구들과 술 한잔했다며 금호 아파트로 가자고 했다. 나는 외제 차라 조심하면서 운전한다고 했는데, 나운 사거리에서 신호 대기 중이던 차와 접촉 사고를 냈다. 나는 대리운전 보험 가입을 안 해서 서 있던 차와 대리운전을 했던 외제 차를 내 돈으로 수리해 주었다. 이 사고로 대리운전을 그만두었다.

며칠이 지나 일자리를 아는 분이 해 주었다. 새벽 1시에 5톤 트럭에서 우유를 받아 1톤 트럭에 싣고, 각 지점에 배달하는 일이었다. 새벽 1시에 일을 시작하다 보니 초저녁에 잠을 잤다. 새벽에 우유를 받아 배달하고 나면 어느새 오전 8시였다. 처음에는 새벽 1시에 일하는 것에 적응하기가 힘들었는데 며칠을 지나서는 낮에 할 일을 찾을 정도로 한가했다. 그래서 군산시에서 운영하는 시립도서관에 책 정리하는 알바도 하게 되었다. 새벽에 우유 배달을 마치고, 낮에는 도서관에 반납한 책을 정리하고, 저녁 6시에 끝나면 집에 와 바로 잠을 잤다. 생활 패턴을 잃지 않기 위해 틈틈이 걷기 운동도 했다. 그런데 두 달이 지나고 그만 또 사고를 냈다. 내가 우유를 받고 잠시 차에 앉아 있다는 것이 깜박 잠을 잔 것이다. 그것도 차에 시동을 끄고, 더군다나 냉동 스위치까지 꺼두고 잔 것이다. 이 일로 우유 배달도 못 하게 되었다.

나는 며칠 동안 군산 시내에서 일자리를 찾기 시작했다. 그러나 그 어디에도 일자리가 없었다. 모든 동료와 하청업체 사람들도 일자리를 찾고 있었으니 그 많은 사람을 위한 자리가 있을리가 난무했다. 집사람은 하나로 마트에 취직했다. 어느 날 오후에 최기호 형으로부터 전화가 걸려 와 자기와 같이 막노동하자고 했다. 그는 아산시에서 일주일 전부터 막노동하고 있다고 했다.

나는 저녁에 가족들에게 말했다.

"당신과 전수정, 전정재. 나 아산시 탕정에 가서 막노동하기로 했어. 거기는 사람이 많이 필요하다고 해. 딱 1년만 우리 고생하자."

내 말에 집사람도, 아이들도 두 눈에 눈물이 가득했다. 다음날 나는 탕정에 도착했다. 먼저 와서 일하는 최기호 형에게 전화했다. 그는 나를 현장사무실로 데리고 갔다. 나의 긴 막노동 생활이 이렇게 시작되었다. 처음에는 단순한 것부터 배우며 시작했다. 철근을 나르거나 모래, 시멘트를 옮겼다. 하루 일을 끝내고 나니 온몸이 아프기 시작했다. 팔은 움직일 수가 없었고, 다리는 내 다리가 아닌 것 같았고, 허리는 누가 몽둥이로 때린 것처럼 아팠다. 다음날 어떻게 일어났는지도 모르게 현장에서 일하고 있었다. 기호 형과 점심을 먹는데 팔이 덜덜 떨려서 제대로 먹을 수가 없었다. 기호 형이 내 모습을 보고 웃으며 말했다.

"며칠은 아플 거야. 그래도 사람 사는 세상에서 이런 막노동도 해보고 좋잖아. 쉬는 날에 나와 같이 아산 시내 목욕탕에 가서 뜨거운 온천수에 몸을 푹 담그자고. 그러면 괜찮아져."

일주일이 지나고 나니 일하는 방법도 알고 현장이 어떻게 돌아가는지도 알게 되었다. 크레인으로 내린 자재를 빠르게 옮겨서 목수가 자재를 사용할 수 있도록 데모도인 나는 땀이 나도록 뛰어다녔다. 매일 이렇게 하다 보니 하루는 작업반장이 나를 불러서 생수병을 주며 말했다.

"더운데 물 마셔가며 해. 그리고 적당히 눈치 봐 가면서 하라고."

"네? 네."

"무슨 막노동을 뛰어다니면서 하나. 그러다 다친다고. 다치면 자네만 손해야."

나는 그가 준 생수를 벌컥벌컥 들이켰다. 물맛이 시원해서 좋았다.

"반장님은 막노동을 얼마나 하신 거예요?"

"나. 음…… 벌써 35년이 넘었네. 그러고 보니 세월이 참 빨라. 하여튼 쉬엄쉬엄 일해. 잘못하면 골병들어."

반장은 내 어깨를 두드려 주고 다른 곳으로 갔다. 난 반장이 35년 넘게 막노동했다는 것을 그의 팔뚝에 근육을 보고 진짜라는 것을 알았다. 반장은 어디가 위험하고, 어디에 무엇이 필요하고, 누가 어떤 공구를 사용하고, 누가 무슨 일을 다 마쳤는지를 정확하게 알고 있었다. 그는 진정한 막노동의 프로페셔널이었다.

나는 막노동하면서 술과 담배를 끊었다. 그리고 한 달에 오만 원으로 생활했다. 아니, 버텼다. 월급을 받는 즉시 집으로 송금했다. 동료들은 나에게 지독하다고 했지만, 그들은 모르고 있었다.

처음으로 신축 아파트 분양에 당첨이 되어서 집사람을 껴안고 기뻐서 울었다. 그러나 그 아파트 사전 점검 날 둘러보지 않고 거실에 앉아서 울던 나와 집사람. 일어나서 하자가 있는 곳에 포스트 잇을 붙여가며 체크 리스트에 적고 나서 현관문을 닫지 못하고 한참을 서 있다가 뒤돌아서는 순간에 흐르던 눈물. 단 하루도 살아보지도 못하고 전세로 돌려야 했던 나와 가족들의 아픔을.

나는 한 달 용돈 오만 원 중의 몇천 원이라도 남으면 그 돈도 집으로 송금했다. 쉬는 날에는 숙소 밖으로 나가지도 않았다. 마트에서 라면과 햇반을 사 와 먹었다. 구정과 추석에는 시골집에 갔지만, 가족들의 생일에는 선물만 보냈다. 이렇게 생활하면 2, 3년 안에 모든 빚을 다 갚을 줄 알았다. 그러나 행운의 여신은 나를 가만두지 않았다. 아버지가 농사일하다가 쓰러져 허리 수술했고, 어머니께서 다리가 아프다고 해서 병원에 갔더니 무릎 연골이

닳아서 수술했다. 현기 형은 사업을 하다가 사기를 당했는데, 오히려 공금횡령으로 감옥에 갔다. 형수는 이 일로 형과 이혼하고, 중학생과 고등학생 두 조카들을 시골 부모님에게 맡기고, 형과 살았던 집을 팔고 사라졌다. 시골집에는 형이 사업으로 진 빚 독촉장이 날아오면서 부모님은 걱정으로 세월을 보내고 계셨다. 그리고 부모님께서 나에게 조카들을 부탁하면서 생활은 더 궁핍해져만 갔다.

2019년 말에 집사람도 마트보다 시간당 몇백 원을 더 준다는 식당에서 참모로 오전 10시부터 밤 9시까지 일했다. 그런데 코로나19로 식당이 폐업했다. 결국 집사람도 코로나19 확산으로 일자리를 찾지 못하다가 집 근처 마트에 일자리가 나서 출근할 수 있다며 전화가 왔다. 나는 집사람이 기뻐하는 웃음소리에 미안한 마음이 들었다.

나도 아산시 탕정에서 평택시 고덕으로 일자리를 옮겼다. 고덕에서는 탕정에서보다 더 자린고비로 생활했다. 이제는 막노동도 몸에 이골이 나서 괜찮았지만 그래도 쉬는 날에는 허리와 어깨가 아팠다. 그래서 내 건강을 위해 숙소 근처를 산책하거나 가볍게 5km를 달렸다. 혼자서 이렇게 지내다 보니 이제 내 친구는 언제나 물파스였다.

2023년 구정에 시골집에서 차례를 지내고, 모처럼 가족들과 새만금 수산물 시장에 가 외식했다. 집사람은 못마땅한 표정을 지었지만, 수정과 정재가 신선한 회를 맛있게 먹으니 그제야 웃었다. 정재가 초등학교 입학하던 날에 회사 폐업으로 그만두었다. 그리고 올해 정재는 중학생이 되었다. 수정도 내년에 고등학교에 입학하고 나도 사십 줄에 들어선다. 언제까지 떠돌이 생활을 계속할는지는 지금으로서는 알 수가 없었다. 집 가까운 데서 생활하려고 군산고용복지센터를 통해 생산직을 검색해서 이력서를 보냈지만, 연락이 오는 곳이 없었다. 우리 아파트도 몇 년째 전세로 있던 사람이 새 아파트를 분양받아서 나갔다. 다시 전세를 놓기도 뭐해 2월에 장판과 도배를 새로 해서 우리 가족이 들어가 살기로 했다. 장판과 도배지를 고르며 행복하게 웃던 집사람과 아이들. 커튼을 고르며 아이들이 서로 티격태격하는 모습에 이것이 행복이구나, 를 나는 느꼈다.

목요일 저녁에 평택시 고덕에 도착했다. 다음날 아침 일찍 숙소에 나와 일을 시작했다. 다른 날보다 일에 집중할 수가 없었다. 구정 후유증으로 더 그런 것 같았다. 며칠이 지나 점심을 먹고 건물 작업장에서 쉬고 있었다. 그때 핸드폰에서 문자가 왔다는 알림이 울렸다. 나는 문자를 확인하는데 눈물 때문에 제대로 볼 수가 없었다. 손등으로 눈물을 닦아도 눈물이 계속해서 흘러내렸다. 다행히 내 옆에는 아무도 없었다. 다시 문자를 확인했다.

"전현중 씨, 물량 증가로 3월부터 당사에 출근할 수 있으면 연락……."

나는 너무 기뻐서 더 이상 읽을 수가 없었다. 이 기쁜 소식을 집사람에게 전화해서 알려주었다. 그리고 현장사무실에 가서 오늘까지만 일한다고 크게 말했다.

나는 집에 도착해 기다리고 있는 집사람에게 말했다.

"나 그동안 쌓인 모든 스트레스를 풀고 싶어. 아니, 영원히 잊고 싶어. 그러니 내 마음을 다잡을 수 있는 이벤트도 하고 싶은데 당신이 도와주었으면 좋겠어."

집사람은 나를 껴안으며 "알았어. 진짜 그동안 외지에서 고생 많았어."라고 대답했다.

그래서 우리는 스카이 집라인을 타기 위해 선유도로 갔다. 주차장에 주차하고 집라인을 타기 위해 12층에 올라갔다. 그곳에서 선유도 해수욕장을 보았다. 나는 집라인용 하네스 장비와 헬멧을 쓰고 안전요원 지시에 바로 뛰어내렸다. 푸르게 빛나는 서해안을 보며 나는 크게 외쳤다.

"난 쓰러지지 않았다. 난 열심히 살았다. 난 울지 않았다. 난, 난……."

나는 솔섬에 닿기도 전에 눈에서 눈물이 흘러내렸다. 안전요원이 보기 전에 고개를 숙이고 바로 선유도 해수욕장을 걸었다. 그리고 다시 바다를 보며 기도했다.

"아무리 힘들어도 당신이 옆에 있다는 것을 알았습니다. 제가 하느님과 부처님을 믿지 않지만 앞으로 월급에 1%는 어려운 이웃을 위해 쓰고, 한 달에 하루는 가족과 함께 어려운 이웃에게 봉사하겠습니다. 저와 가족들에게 힘을 주십시오."

기도를 끝내고 앞을 보니 저 멀리서 집사람이 해맑게 웃으며 걸어오고 있었다.

3월 2일에 나는 집사람이 운전하는 차를 타고 출근했다. 정문 근처에서 내려서 씩씩하게 정문을 걸어 들어가서 출입증을 내밀었다. 그리고 저 멀리 우뚝 서 있는 골리앗을 바라보며 나는 두 손을 높이 쳐들고 크게 외쳤다.

"골리앗이여! 우리 다시 한번 뛰어보자. 나, 전현중이 세상에 굴하지 않고, 오늘 당당하게 여기에 서 있다."

그럼에도 불구하고

최태진은 1남 2녀 중 막내다. 태진은 군대에 갔다 와서 아산에서 주간만 하는 택시 기사를 시작했다. 쉬는 날에는 고향 집인 선장면 죽산리에서 부모님이 하시는 벼농사를 도와주었다.

최태진은 며칠째 공쳤는데, 오늘도 공치게 생겼다. 세 시간을 넘게 택시 운전했지만, 손님을 단 한 명도 태우지 못했다. 오늘마저도 사납금을 내지 못하면 월급에서 제하기 때문에 이번 달은 무일푼으로 지내야만 했다. 아산터미널에서 나오는 사람들을 보니 택시를 타겠다는 사람들이 없는 것 같았다. 온양온천역으로 이동하는데 중앙시장 앞에서 건강미가 넘치는 젊은 여자가 손을 들었다. 태진은 도롯가에 차를 세웠다. 여자가 조수석 문을 열고 트렁크를 열어달라고 했다. 태진은 트렁크를 열어주고 조수석 사이드 미러로 여자를 보았다. 여자가 큰 종이상자를 들어서 넣으려고 하는데 무거운지 힘들어했다. 태진은 택시에서 나와 여자 대신에 상자를 트렁크에 넣고 쿵, 하고 닫았다. 운전하면서 여자에게 어디로 가는지,를 물었다. 여자는 송악면 마곡리 가자고 했다. 태진은 룸미러로 뒷좌석에 앉아 있는 여자를 흘긋흘긋 쳐다보았다. 여자도 태진이가 자기를 보는 것을 알고 있는지 자세를 똑바로 했다. 태진이 여자 손님에게 말했다.

"열무를 많이 샀는데 식당을 하나 봐요?"

"네? 아니에요. 집에서 먹으려고 샀는데요."

태진은 트렁크에 든 열무를 생각했을 때 김치냉장고 절반은 채울 수 있는 양이었다. 택시는 오미니 고개를 내려가다가 좌회전했다. 마곡리 회관 앞 공터에서 택시를 멈추었다. 태진은 트렁크에서 열무가 든 상자를 꺼내주었다. 여자가 상자를 들고 가려고 했지만, 무거운지 열무 한 단씩 양손에 들고 나르려고 했다. 태진은 택시의 시동을 끄고 상자를 들며 말했다.

"집이 어디?"

"네? 저 앞에 파란 지붕이에요."

태진이 상자를 들고 앞서 걸어갔다. 파란 지붕 집에 도착하니 여자가 대문을 열며 먼저 들어갔다. 태진은 상자를 수돗가에 놓고 나오려는데 여자가 말했다.

"이렇게까지 도와주어서 고마워요. 열무김치를 담으면 드릴 테니 내일 오실 수 있으세요."

태진은 고개를 끄덕이고 택시를 운전해 아산 시내로 나오며 중얼거렸다.

"그럼, 저 두 상자를 들고 나른 것이 아니라, 열무 단을 하나씩 나른 거야. 참, 대단한 여자네."

 다음날, 태진은 그녀의 집에 가서 열무김치를 받고, 속삭이듯 그녀와 사귀게 되었다. 그녀의 이름은 오혜선이고, 3남 4녀 중 장녀이고, 태진보다 한 살 어린 스물다섯이었다. 태진과 혜선은 몇 개월이 지나 일가친척들 앞에서 조촐하게 결혼식을 올렸다. 태진은 온아연립에 신혼집을 차렸다. 태진이 택시 운전으로 버는 돈으로는 월세도 내기가 힘들었다. 혜선의 고등학교 선배인 박상아의 소개로 한라아파트 상가에서 세를 얻어서 과일 장사를 시작했다. 처음 몇 달간은 장사가 잘되었다. 태진도 쉬는 날에는 혜선의 가게로 나와 과일을 아파트 단지로 배달도 하고, 상아의 가게에 가서 과일상자를 받아오기도 했다. 어느 날부터는 상아가 과일을 넘기지 않고, 자기 가게 문도 닫아버렸다. 혜선은 다른 가게로 알아보았지만, 도매상들은 약속이나 한 듯이 거래를 거절해서 과일을 받을 수가 없었다. 혜선은 결국 1년 만에 문을 닫았다. 가게 문을 닫고 보증금도 돌려받지를 못했다. 보증금에, 간판 비용까지 해서 3천만 원 빚만 떠안았다. 혜선이 낙심해서 있는데, 상아가 그 과일 가게를 인수해서 자기 동생에게 주었다는 것을 나중에 알게되었다. 혜선이 상아가 했던 과일 도매상가에 갔더니 그곳은 신발가게로 바뀌어 있었다. 여러 사람을 통해서 들으니, 상아가 배방읍에 크게 마트를 열었다고 했다. 혜선이 찾아가서 상아에게 따졌지만, 오히려 혜선에게 멍청하고 무능해서 가게를 날렸다며 욕을했다. 혜선은 집에 와서 속상해 울고 있는데, "따르릉, 따르릉."하고 전화벨이 울렸다. 혜선이 전화를 받으니 태진이었다. 태진은 교통사고가 나서 아산경찰서에 있다고 했다. 태진은 아산충무병원에 가서 차에 치인 남자의 상태를 살펴보고, 택시 회사에서 어떻게 해 줄 것인지 알아보라고 했다. 혜선은 옷을 대충 입고 병원으로 갔다. 병원에 도착해서 남자를 보니 40대 초반으로 보였다. 남자의 상태를 살펴보니 다리에 깁스하고 있었다. 그 환자에게서 사고가 일어난 경위를 듣게 되었다. 환자가 오전 8시에 용화동 주공2단지 아파트에서 걸어 나오는데 택시가 달려오더니 자기를 치었다고 했다. 혜선은 환자에게 무조건 죄송하다고 말하고, 간호사에게 가면서 손목시계를 보니 오후 2시였다. 간호사에게 환자의 상태를 알아보니 왼쪽 다리가 부러져서 4주 진단이 나왔다고 했다. 혜선은 택시 회사에 찾아가 태진은 사고 소식을 전했다. 회사에서는 태진이나 환자를 걱정하는 것이 아니라 택시가 얼마나 부서졌는지에만 관심을 보였다. 사고 수습하는 직원이 오더니 사장에게 택시는 부서진 곳이 없고, 앞 범퍼가 조금 깨졌다고 했다. 그리고 환자는 왼쪽 발목이 부러져 4주 진단이 나왔다고 말했다. 사장이 그 직원을 보며 크게 화를 내었다.

"야, 이놈아. 범퍼가 깨졌는데, 부서진 곳이 없다고. 엉! 엉! 너, 미친놈 아니야."

"네? 그게⋯⋯."

"그리고 사고가 아파트 단지 내에서 났으면 운전자가 잘못한 거지. 안 그래. 그 애한테 사고 처리하라고 해. 단지 내에서는 보험도 안 돼."

혜선은 사장의 말을 듣고 사장에게 따졌다. 그러나 사장은 단지 내에서 일어난 전방 부주의로 인한 사고라며 보험처리도 불가능하고, 택시 수리비도 청구하라고 지시했다. 혜선이 다시 따지려고 했는데, 사장이 여직원에게 안전사고 발생 이유로 태진을 오늘 자로 해고하라고 했다. 사장은 혜선도 보지 않고 사장실로 들어가 버렸다. 혜선은 문 앞에서 "사장님."하고 불렀지만, 오히려 시끄럽다며 쫓겨났다. 혜선은 다른 택시 기사들에게 도움을 요청했지만, 그들도 태진이 잘못한 것이 맞다, 며 빨리 합의 보라고 했다. 혜선은 다시 병원에 도착해서 환자에게 합의해 달라고 했다. 환자는 직장에 출근하지 못하는 것하고, 후유증 등을 말하며 천만 원을 요구했다. 혜선은 말없이 병원을 나와 경찰서로 가려고 하다가 집으로 걸어왔다. 혜선은 집에 도착해서 음식을 만들어 도시락에 담아 경찰서에 갔다. 경찰서에서 태진에게 도시락을 건네주며, 환자가 천만 원을 합의금으로 요구했다고 말했다. 태진은 먹던 숟가락을 놓으며 한숨을 쉬었다. 태진은 자기가 나가서 직접 해결하고 싶었지만, 경찰서에서는 나갈 수 없다고 했다. 할 수 없이 혜선이 나서서 합의해야만 했다. 혜선은 큰 시누이에게 도움을 요청했더니, 태진의 안부보다는 다시는 전화하지 말라며 화를 내며 끊었다. 혜선은 속도 상하고 해서 마곡리 친정집에 갔더니, 부모님께서는 오히려 동생들의 중, 고등학교 수업료를 대신 내줄 수 없느냐는 부탁만 듣고 집으로 왔다. 집에서 대충 저녁을 해결하고 다음 날 택시 회사에 갔다. 사장을 만나고 싶었지만, 사장은 출장을 갔다고 했다. 경리는 태진의 월급봉투를 주며 서명하라고 했다. 혜선이 보니 서명하라고 한 종이는 어제 자로 태진이 회사를 그만두었다는 사직서였다. 혜선이 화를 내고 사무실에 나와서 월급봉투를 확인하니, 만 원도 아닌 달랑 천 원짜리 한 장만이 들어 있었다. 다시 사무실에 들어가서 경리에게 따졌더니, 차 범퍼 값을 제하고 남은 돈이라고 했다. 범퍼 교체 비용 내역서는 월급봉투 안에 있다고 했다. 혜선은 더 이상 경리에게 따질 힘도 없었다. 회사 정문을 나서며 정나미가 떨어져서 침을 뱉었다. 병원에 도착해서 환자에게 집안 사정을 말하고, 태진이 처한 상황도 설명했다. 그러나 환자는 천만 원에서 한 푼도 깎을 수 없다고 했다. 혜선은 매일 아침, 점심, 저녁에 밑반찬을 해서 환자에게 전해주며 어떻게든 합의금을 깎아서 합의하려고 했다. 일주일이 지나고 환자가 혜선에게 말했다.

"아주머니가 하도 고생해서 말하는데 병원비를 빼고 오백만 원에 합의합시다."

"저, 아저씨! 저희한테 그렇게 큰돈이 없어요. 제가 과일 장사하다가 망해서 빚만 남았어요."

환자는 혜선을 쳐다보고 한숨을 쉬는데 같은 병실에 있던 다른 환자들이 불쌍하다며 합의금을 조금 더 내리라고 말했다. 환자는 혜선의 눈만 보고 있다가 말했다.

"나도 회사에 못 나갔어요. 그리고 후유증도……. 아주머니, 삼백만 원에 합의합시다. 그리고 나도 이제 더 이상은 안 돼요."

혜선도 더 이상 요구하는 것은 무리라고 생각하고 병원을 나와 은행으로 갔다. 은행에서는 보증금 없이 마이너스 대출이 가능하다며 신분증과 통장을 가지고 오라고 했다. 혜선은 마이너스 대출 오백만 원을 받아서 병원비와 합의금을 주고, 합의서를 들고 경찰서에 제출했다. 태진은 경찰서에서 나오며 다시는 못 올 곳이 경찰서라고 생각했다. 태진이 집에 도착해서 혜선에게 택시 회사 해고와 범퍼값을 물어주었다는 것과 큰누나에게서 모진 말만 들었다는 것을 알고 자기 신세를 한탄했다. 며칠이 지나서 태진은 벼룩시장 구인 광고를 통해 득산농공단지에 있는 건설기계부품회사에 취직했다. 태진은 어떻게든 은행 빚을 갚기 위해 먹지도, 입지도 않고, 근검절약하면서 빚을 갚아 나갔다. 빚 갚는 것을 낙으로 알며 살다가 은경과 수현이 태어나 건강하게 커가는 것이 큰 행복이란 것을 알았다. 은경과 수현은 아픈 곳도 없이 무럭무럭 자라면서 은경은 태진을 닮았고, 수현은 혜선을 닮았다. 은경은 태진을 닮은 것이 못마땅했지만, 그래도 귀엽고 애교가 많아서 친구들에게 인기도 많았다. 수현은 초등학교 때부터 우등상을 받으며 다녀서 태진 부부에게는 든든한 버팀목이 되어 주었다. 수현이 초등학교 6학년에 올라가면서 학원비 때문에 부부는 걱정이 많았다. 하루는 태진이 다니는 회사 동료 김선용이 말했다.

"내가 분양받아서 다음 달에 입주하는 월드컵아파트 상가에서 편의점을 임대한다고 하는데, 집사람이 강하게 반대해서 미치겠네. 우리 아파트 주변에는 다른 아파트도 많고, 사거리 앞이라 편의점을 하면 딱 좋은데. 편의점은 24시간을 해야 한다며 심하게 반대를 해. 진짜, 미치겠어."

태진은 그 말을 듣고 저녁에 혜선에게 말했다. 혜선은 다음날 월드컵아파트에 가서 주변을 살펴보았다. 태진의 회사 동료가 말한 대로 주변에 아파트도 많았고, 월드컵아파트로 들어가는 사거리에 상가 건물이 있어서 편의점을 하면 대박이 날 것 같았다. 그리고 사거리에 아산세무서도 있어서 유동 인구가 많았다. 혜선은 앞뒤 볼 것 없이 분양 사무실에 가서 소장과 계약했다. 계약하면서 약간 미심쩍은 것이 있어서 서류를 두 번, 세 번 확인했는데도 딱히 뭐가 찜찜한지를 몰랐다. 분양 사무실 소장은 편의점을 하려면 지금 해야 한다고 했다.

"사모님! 지금 서울 U편의점 본사에서 사람이 내려왔어요. 그 사람하고 인테리어 계약을 해야 하는데 만나 보실래요."

혜선은 잠시 머뭇거렸다. 소장은 그런 혜선을 보며 쇠뿔도 단김에 빼랬다, 는 말이 있듯 본사에서 내려온 사람이 다른 곳에 가기 전에 계약하라고 했다. 혜선은 일단 그 사람을 만나고 나서 결정해도 되겠다고 생각해서 그 남자를 만나기로 했다. 혜선은 소장과 같이 이디아 커피숍에서 그 남자를 만났다. 남자는 서울 U편의점 본사 인테리어 팀장이라며 팜플렛을 보여주었다. 그는 인테리어를 어떻게 할 것인지는 본사에서 결정한다며 편의점 상가를 보자고 했다. 혜선은 소장과 같이 편의점 상가로 갔다. 월드컵아파트 상가 건물을 보며 돈복이 넝쿨째 들어오는 최상의 입지 조건이라며 본사 팀장은 편의점을 하려고 한 것을 잘했다며 계약서를 내밀며 서명을 요구했다. 혜선은 지금 당장 돈이 없다고 하니, 팀장은 대출받아서 하면 된다고 했다. 본사에서 보증서고, 혜선네 집을 담보로 대출을 신청하면 된다고 했다. 그래도 혜선이 머뭇거리니, 팀장은 본사 보증서를 보여주었다. 그는 내일부터 당장 인테리어 공사를 진행하고, 인테리어 공사가 80% 정도가 진행되면 아산 시내 편의점에서 일주일간 현장실습 교육도 받을 것이라며 안심시켰다. 혜선은 실습 교육까지 본사에서 직접 관리한다고 해서 안심하고 서명해 집 등기를 가지고 와서 은행에서 대출 일억 원을 받았다. 저녁에 퇴근한 태진에게 계약한 서류와 팀장과 나눈 이야기를 했다. 태진이 서류를 보고 혜선의 말을 들으니 밥을 먹지도 않았는데 배가 불렀다. 그리고 혜선이 또 다른 서류를 내밀었다. 태진이 종이를 보니 로또판매점 모집 공고였다. 태진은 혜선을 힘주어 껴안았다. 그날 둘은 뜨거운 밤을 보냈다. 다음날 혜선이 상가에 갔는데 옆 상가에서 미용실 인테리어 공사를 시작하고 있었다. 혜선은 편의점 상가를 들어가서 한 바퀴를 둘러보고 인테리어 업자들이 오기를 기다렸다. 점심시간을 지나 시간은 저녁을 향해 달려가고 있었다. 혜선은 시계를 보며 불안해지기 시작했다. 미용실 인테리어 공사 소리가 불안을 더 가중시키고 있었다. 혜선은 상가를 나와 분양 사무실로 갔다. 사무실에 들어가니 어제는 못 보았던 경리가 있었다. 혜선은 그녀에게 소장을 만나러 왔다고 하니, 소장은 다른 지역으로 출장 갔다고 했다.

"저, 소장 이름이 장동욱 씨 맞지요?"

"네. 그런데 왜 그러세요?"

"아니, 내가 상가를 계약해서요."

그녀는 고개를 끄덕이더니 업무를 보았다. 그녀에게 더 물어보고 싶은 것이 있었지만, 머리를 숙이고 업무를 보는 사람에게서 당신과 더 이상 대화하기 싫다는 감정이 엿보여 밖으로 나왔다. 핸드폰으로 본사로 전화하려고 하는데, 때마침 소장이 혜선을 보고 놀라서 다급하게 걸어오고 있었다. 소장이 혜선을 보더니 말했다.

"사무실에서 무슨 얘기한 것 없지요?"

"네? 없어요. 그런데 편의점 인테리어……."

소장은 혜선의 말을 자르고 내일이나 모레부터 공사한다며 걱정하지 말라고 했다. 그리고 본사로 전화하는 것보다는 팀장에게 직접 전화해서 공사 진행을 독촉하라고 했다. 혜선은 소장과 헤어지고 집으로 와서 팀장 핸드폰에 전화했다. 팀장은 공사가 조금 늦을 수 있다며 자기는 지금 경상도에 내려와서 편의점 인테리어 계약하고 있다며 걱정하지 말라고 했다. 다음날 상가에 가도 공사한다는 기미가 보이지 않았다. 혜선은 소장에게 전화해서 따지고, 팀장에게도 공사를 언제 할 것인지 물었다. 팀장은 곧 공사할 것이라며 안심하라고 했다. 본사에서 모든 것을 다 해서 큰 문제는 없을 것이라며 인테리어도 심플하게 진행한다고 했다. 계약한 지 오일째 되는 날부터 공사가 시작되었다. 혜선은 인테리어 업자들에게 왜 이렇게 늦게 왔냐고 따지니, 그들은 대전 편의점 공사를 끝내고 올라와서 늦었다며 하루라도 빨리 가게가 오픈할 수 있도록 해 주겠다고 했다. 혜선은 편의점 인테리어 공사가 시작되는 것을 보며 꿈에 부풀어 잠도 제대로 자지 못했다. 며칠이 지나 본사 팀장이 와서 혜선을 데리고 둔포에 있는 편의점으로 데리고 갔다. 편의점에서 기본 교육을 받고 나니, 팀장이 교육비 백만 원을 요구했다. 혜선은 농협 마이너스 통장에서 백만 원을 빼서 주었다. 혜선은 다음날 편의점에서 아침 8시부터 오후 4시까지 교육을 받았다. 오후 4시부터는 대학생이 알바를 했다. 일요일에는 태진도 혜선에게서 편의점에서 계산하는 방법을 배웠다. 일주일 교육이 끝나고 혜선은 나오려고 하는데 대학생 알바가 혜선을 불렀다.

"아주머니, 제 친구가 내일부터 오전에 하기로 했는데, 친구가 사정이 있어서 그런데 며칠만 더 하실 수 있어요?"

혜선은 환하게 웃으며 말했다.

"나, 여기서 교육받은 거야. 나 월드컵아파트 편의점 주인이라고."

"네? 교육이요? 아닌데, 사장님이 아줌마는 오전 알바라고 했는데요."

혜선은 뭐가 크게 잘못된 것 같다는 느낌을 들었다. 대학생이 사장과 통화하고 혜선에게 핸드폰을 주었다. 사장은 혜선에게 자기는 교육 그런 것은 모르고 일주일 전에 온 사람이 혜선이 여기서 일주일간 알바할 것이라면서 일주일 알바비도 미리 챙겨서 받아갔다,고 했다. 혜선은 너무 떨려서 핸드폰을 대학생에게 어떻게 주었는지 모르게 택시 타고 월드컵아파트 상가로 갔다. 택시에서 내려서 월드컵 상가를 보니 편의점은 한창 영업 중이었다. 편의점 문을 열고 안으로 들어가서 계산하는 사람을 보았다. 그 남자도 혜선을 보았다.

"혹시, 아주머니도 여기 편의점 계약사기를 당했어요?"

"사기요?"

"네. 며칠 전부터 사람들이 여기 편의점을 자기들이 계약했다며 자기들 것이라고 해서……."

혜선은 그 사람에 다음 말을 듣지 않고 분양 사무실로 갔다. 분양 사무실은 혜선이 생각했던 것보다 더 평온했다. 사무실 문을 열고 안에 들어가니 몇 주 전에 본 그 경리가 앉아 있었다. 혜선은 심호흡하고 나서 말했다.

"장동욱 소장님, 어디에 있어요?"

경리는 혜선을 한 번 보더니 자기 뒤를 가리켰다. 그리고 다시 업무를 보았다. 혜선이 경리가 본 뒤를 보니 안경을 낀 남자가 의자에서 일어나면서 말했다.

"저를 왜 찾는데요?"

"당…… 아니, 아저씨가 장동욱 소장?"

소장은 고개를 끄덕이더니 측은한 눈빛으로 혜선을 보았다. 소장은 혜선을 소파에 앉게 하더니 사기당한 것 같다고 설명을 해 주었다. 그리고 혜선 말고도 열댓 명이 더 있다고 했다. 그는 편의점과 미용실, 식당 등에서 사기당해서 온 사람들이 많다고 했다. 혜선은 여기서 소장을 만났고, 계약도 했다고 하니, 그는 이 사무실은 상가 분양이 아니고, 아파트만 분양하는 사무실이라고 했다.

상가 분양은 월드컵건설 본사에서 이미 상가분양대행사에 넘겼다고 말했다. 그전에 본 소장의 인상착의를 말하니, 그는 자기도 그 사람이 누구인지도 모르겠고, 왜 여기에 와서 사람들에게 분양 사기를 쳤는지 전혀 모른다고 했다. 그는 자기도 자세한 것을 모르니, 사기당한 사람들이 아산경찰서에 고발한다고 했으니, 거기 가서 물어보라고 했다. 혜선은 핸드폰에 있는 팀장 전화번호를 찾아 전화했다. 그러나 전원이 꺼져있다는 안내 멘트만 흘러나왔다. 망연자실해서 사무실을 나와 편의점 파라솔에 앉아 있었다. 그때 혜선의 핸드폰이 울렸다. 화면을 보니 태진이였다. 혜선은 통화버튼을 누르려고 했다가 눈물이 화면에 뚝뚝 떨어져서 핸드폰을 닫았다. 또다시 핸드폰이 울렸다. 혜선은 손등으로 눈물을 닦고 나서 통화버튼을 눌렀다.

"여보, 지금 어디야?"

"나, 알바 끝나고 집에 가는 길."

"어? 알바라니?"

"내가 집에 들어가서 설명할게."

혜선은 핸드폰을 닫고 일어나 택시를 타고 집에 도착했다. 현관 문을 열고 거실에 들어서니 어두컴컴했다. 혜선이 거실 등을 켜려고 하는데 안방 문이 열리고, 태진의 손에 들려있는 케이크에는 촛불이 켜있었다.

"여보, 힘들었지."

"엄마, 그동안 고생 많았어요."

"엄마, 사랑해요."

"여보, '호' 하고 불기 전에 대박 나라고 빌고 촛불을 끄라고."

혜선은 촛불을 보고 크게 울기 시작했다. 태진과 수현은 너무 놀라서 가만히 있는데, 은경이 거실 등을 켰다. 혜선은 주저앉아서 손바닥으로 거실 바닥과 자기 가슴을 치며 서럽게 울었다. 태진은 혜선이 처음 울었을 때 감동해서 그런 줄 알았다. 그러나 지금 혜선의 모습은 자신을 한탄하며 가슴을 팍팍 치고 있는데, 마치 사기당한 사람같이 억울해하며 우는 것이 쉬이 멈춰질 것 같지 않은 울음이었다.

"여…… 여보, 왜 그래. 설마……."

"여보, 어떻게 해. 나…… 나 사…… 사기를 당했어. 그 편의점에서는 벌써 다른 사람이 장사하고, 나 말고도 사기를 당한 사람이 열 명도 넘는데."

혜선은 하늘이 무너져 내릴 듯 서럽게 울었다. 태진은 두 손으로 얼굴을 거칠게 문질렀다. 남매는 부모님의 모습을 보고 조용히 자기들 방으로 들어갔다. 태진은 혜선 옆에 앉아 어깨를 쓰다듬으며 괜찮다고 말했다. 혜선은 태진에게 집을 담보로 일억 원과 인테리어 공사비 일억 원을 대출받았다고 말했다. 태진은 이억 원이라는 말에 약간 놀라기는 했지만, 편의점을 하려면 그 정도 돈이 든다는 것을 알았기에 마음 편하게 가지고 대출금을 갚자고 말했다. 혜선도 태진의 말에 큰 근심을 덜었다고 생각하며 저녁 준비했다. 며칠 후에 은행에서 혜선에게 연락이 왔는데 대출금 이자를 입금해야 한다는 것이었다. 혜선은 알았다고 하고선 통장을 챙겨서 은행에 도착해 ATM기에서 이자를 지급하려고 하는데 통장에 잔고가 없었다. 은행 창구에 가서 어떻게 된 것인지 확인을 하니, 이자는 자동으로 빠져나갔다고 했다. 그리고 또 다른 마이너스 통장 대출도 있다는 것도 알려주었다.

"난 마이너스 대출을 신청한 적이 없는데요?"

창구 직원은 서류를 보여주며 마이너스 대출 오천만 원을 받았다고 했다. 혜선이 서류를 확인하니 팀장이 본사에서 보증한다고 서명하라고 했던 서류가 마이너스 대출 서류였던 것이었다. 혜선은 창구 직원에게 어떻게 이럴 수 있냐고 따졌지만, 자기들은 신청 서류에 따라 진행했다며 책임이 없다고 했다. 혜선은 집으로 걸어오면서 대출금 이억 오천만 원과 아파트 살 때 대출한 일억

사천만 원을 어떻게 갚아야 하는지 막막하기만 했다. 저녁에 태진이 퇴근해서 혜선은 오늘 은행에서 있었던 일들을 말했다. 태진도 혜선의 이야기를 듣고 막막하기는 마찬가지였다. 다음날 태진은 회사에 출근해서 퇴직금 중간정산을 할 수 있는지를 물었는데, 중간정산은 할 수 없고, 퇴사하면 준다고 했다. 어떻게 해서든 대출이자를 갚기 위해 혜선도 마트에서 알바를 했지만, 2008년 미국의 서브 프라임 모기지 사태에서 비롯된 세계 금융 위기가 닥치면서 이자는 눈덩이처럼 불어나기 시작하더니, 결국 집이 경매로 넘어가 버렸다. 태진의 회사에도 은행에서 월급 차압이 들어왔다며 직원 품위 위반으로 퇴사할 것을 강요하고 있었다. 혜선도 마트에서 정리해고를 당했고, 태진은 퇴직금 한 푼도 만져보지 못하고 은행으로 넘어갔다. 집도 없고, 돈도 없어서 태진이 부모님의 집에서 살려고 했더니, 둘째 누나가 부모님을 모시고 살 것이라며 태진에게 오지도 못하게 했다. 결국 태진네는 여관에서 하루하루를 살아갔다. 오후 3시만 되면 은행에서 이자를 갚으라는 문자가 오면서부터는 태진과 혜선은 스트레스에 시달렸다. 태진은 결국 하면 안 될 선택을 하고 말았다. 태진은 혜선에게 아이들을 데리고 모처럼 음봉면 레스토랑에 가서 스테이크를 먹자고 했다. 혜선도 태진이 무엇을 말하는지를 알고 고개를 끄덕이고, 일요일 저녁이 좋을 것이라고 말했다. 태진네 가족은 콜택시를 타고 음봉면 '시인과 촌장' 레스토랑에 도착해서 테이블에 앉았다. 은경과 수현은 오늘 누구 생일이라며 서로가 즐거워했다. 태진과 혜선은 아이들이 즐거워하는 것을 보며 여관에 도착해서 어떻게 수면제를 먹일지 고민했다. 스테이크가 나와서 아이들은 맛있게 먹고 있었고, 태진은 억지로라도 먹고 있었다. 혜선은 눈물을 참으며 스테이크를 잘게, 아주 잘게 썰기만 했다. 그 모습을 보던 수현이가 자기 스테이크를 포크에 찍어 소스를 듬뿍 발라서 혜선의 입에 대었다.
"엄마, '아' 해."

혜선은 수현이 먹여 주는 스테이크를 받아먹으며 슬픔이 가득한 웃음을 지었다. 태진도 혜선의 슬픈 웃음을 보며 마음이 아팠다. 은경은 그런 부모님을 보면서 말했다.

"세상에서 제일 어려운 것이 남을 탓하는 것이 아니라 어디서부터 잘못된 것인지 알고 다시 시작하는 것이 아니겠어요. 아빠와 엄마는 다시는 그와 같은 실수는 하지 않을 것이 아니겠어요."

이 말에 태진 부부는 은경이 무엇인가를 알고 있구나, 를 느꼈는데, 수현이 말했다.

"아빠! 엄마! 우리 하루에 한 번씩 아빠와 엄마는 우리의 무엇이다, 를 말하거나, 하루에 한마디씩 서로서로 칭찬하기로 정해요."

"어? 어, 그래."라고 태진 대답했다.

수현이 태진과 혜선을 보며 말했다.

"지금부터 시작이에요. 아빠는 저에게 희망이에요. 엄마는 봄날처럼 따스한 햇살이고, 누나는 음…… 저에게 기쁨을 줘요."

"저에게 아빠는 든든한 믿음이에요. 엄마에겐 음식솜씨를 담고 싶고요. 수현은 착한 내 동생."

태진과 혜선의 두 눈에 눈물이 고였다. 두 손으로 얼굴을 문지르며 태진이 말했다.

"당…… 당신은 하늘이 내게 준 선물이고, 은경은 내 딸이어서 언제나 고맙고, 수현은 항상 내 행복이라 감사하고."

은경과 수현은 혜선을 쳐다보았다.

"당신……. 모두에게 미안해. 정말 미안해."

태진이 우는 혜선과 은경의 손을 잡고, 수현이 혜선의 손을 잡았다. 혜선이 말했다.

"우리 가족 모두 내 행복이에요. 한 사람도 내 곁에 없으면 안되는 소중한, 정말 소중한 보물이에요."

혜선은 아이들에게 웃어 보였다. 그리고 태진이 말했다.

"우리 조금만 더 고생하자. 아빠가 틀림없이 멋진 집을 장만할 테니, 우리 행복하게 웃으며 살자."

이날 이후부터 태진은 택시 기사로 다시 시작했고, 혜선은 기사식당 참모로 일을 시작했다. 태진은 택시 사납금을 내고 남은 돈은 무조건 은행에 가서 이자를 갚았다. 혜선도 월급을 받으면 여관비 삼십오만 원을 빼고 전부 은행에 가서 이자를 갚았다. 식당에서 남은 부식 거리를 가지고 와 여관에서 가족이 행복하고 맛나게 먹었다. 몇 달이 지나 여관 생활을 청산하고 모종동에 보증금 이백만 원에 월세 삼십만 원짜리 방 하나와 다락방이 있는 반지하로 이사했다. 이사한 날 가족들은 모처럼 통닭을 시켜서 맛있게 먹었다. 태진은 가족들에게 미안하지만 조금만 더 참고 지내면서 작은 집이라도 장만하자고 했다. 혜선도 태진에게 고생이 많았다며 따뜻하게 손을 잡아주며 힘내자고 말했다.

삼 년이 지난 어느 화창한 날.

기사식당은 바쁜 점심시간이 지나고 한가할 때 양복과 작업복 입은 사람 세 명이 들어와서 된장찌개를 시켰다. 혜선은 그들에게 식사를 차려 주고, 주방에서 설거지하고 있었다. 그때 양복 입은 남자가 혜선을 불렀다.

"저기 아주머니!"

"네, 부족한 반찬이 있어요?"

혜선을 앞치마로 손을 닦으며 주방을 나와 그들에게로 갔다. 그들 중에서 나이가 제일 많은 육십 대로 보이는 양복 입은 남자가 말했다.

"이 반찬 전부 아주머니가 직접 하신 거예요?"

"네. 제가 직접 찬을 준비했는데요. 반찬이 상했어요?"

그 남자는 반찬과 된장찌개가 너무 입에 맞는다며 함바식당을 제안했다. 혜선은 그 남자를 쳐다보기만 했다. 식당 주인도 함바식당 제안이 가끔 들어온다며 그들에게 사기를 당했다고 말한 적이 있었다. 그래서 혜선은 사기꾼인지 아니면 진짜 공사장에서 일하는 사람인지 알 수가 없기 때문에 머뭇거렸다. 양복을 입은 사십 대로 보이는 남자가 말했다.

"이 식당 주인이 아주머니세요?"

"네? 아니요. 주인은 따로 있어요. 지금은 한가한 시간이라 마실을 갔는데요."

그는 삼십 대 남자에게 눈짓했다. 남자들은 알겠다며 식사를 계속했다. 혜선은 별 싱거운 사람들도 다 있네, 하며 주방으로 가서 마저 남은 설거지를 했다. 혜선이 주방에 있는 것을 알고 작업복을 입은 삼십 대 남자가 나지막하게 말했다.

"사장님, 여기는 제가 공사장 시찰을 나와서 가끔씩 식사하는데 주인보다는 저 아주머니가 반찬을 전부 준비합니다. 저 아주머니가 오기 전에는 파리만 날렸다고 손님……."

사장이라는 남자가 그의 말을 자르며 말했다.

"김 소장, 자네가 저분 섭외해서 함바식당 하도록 해. 한국 사람은 말이야, 밥심으로 일하는 거야. 밥을 잘 먹어야 일할 기분도 나고 그런 거야. 이 반찬 모양새를 보니 깔끔하기도 하지만 내 입에 착 붙어. 정성이 듬뿍 들어간 집밥이야. 집밥."

그들은 식사를 끝내고 밖으로 나갔다. 혜선은 식탁을 치우고 주방으로 들어가려고 했다. 조금 전에 식사를 끝내고 나갔던 삼십 대 남자가 들어와서 혜선을 불렀다.

"아주머니!"

혜선이 쟁반을 주방 개수대에 놓고 나와 그를 보았다.

"저하고 잠깐 이야기할 수 있을까요?"

혜선은 그 남자와 마주 앉아 이야기를 나누었다. 그 남자는 Y면에서 반도체공장 공사를 담당하는 소장이라며 다음 달부터 신축 공사가 진행된다며 함바식당을 제안했다. 혜선은 지금 돈이 없어서 식당을 지을 수 없다고 하니, 그는 공사장 근처에 가건물과 콘테이너가 있으니 둘러보고 결정하라고 했다. 그는 식재료는 알아서 준비하고, 식사비도 알아서 책정하라고 했다. 혜선은 그 남자가 가고 나서 태진에게 전화했다. 태진이 와서 공사장에 가서 보니 포클레인과 덤프트럭이 쉴 새 없이 드나들어서 정신이 없었다. 그때 태진의 앞에 덤프트럭이 멈추고, 운전석 문이 열리며 기사가 내리고 말했다.

"태진 형, 여기 웬일이에요."

"어? 영운아, 오랜만이다." 하며 태진이 악수했다.

태진과 영운은 같이 택시 기사를 했고, 영운은 덤프트럭을 장만해서 택시 회사를 그만두었다. 영운이 공사장에 관해 설명해 주었다. 올해부터 직원 500명 규모의 H반도체 회사를 짓는다며 1차로 100명 규모 공장을 올해 안에 완공한다고 했다. 혜선의 눈에 점심에 보았던 작업복을 입은 삼십 대 남자가 공사장을 둘러보고 있었다.

"삼촌, 저기 있는 저 남자는 누구예요?"

"누구요? 아, 저분은 공사장 관리소장이에요. 저분이 H회사 김응호 과장이라고 하던데요."

혜선의 눈과 입에서는 웃음꽃이 절로 피어났다. 혜선은 기사식당을 그만두고, 콘테이너에 주방을 설치하는 공사를 시작했다. 테이블과 의자를 어떻게 할 것인가를 생각하는데 은경이 콘테이너를 둘러보며 가운데에 한식뷔페를 해서 콘테이너 벽을 보고 자유롭게 앉아 먹을 수 있도록 하는 것이 자리를 많이 차지한다고 했다. 혜선은 태진과 함께 아산시내에서 직접 야채를 사와서 12가지 반찬을 만들어 함바식당을 운영했다. 건물이 올라가고 기계가 들어오고 하면서 공장이 제자리를 찾아갔다. 점심 반찬을 준비하고 있는데, 김응호 소장이 양복을 입은 남자와 같이 들어왔다.

"김 소장님, 안녕하세요."

"네, 여기 이분이 우리 회사 최건우 사장님이십니다."

"네, 안녕하세요. 사장님! 몇 달 전에는 몰라뵈어서 죄송합니다."

사장은 웃으며 인사를 받고 접시 하나를 들고 밥과 반찬을 담기 시작했다. 혜선은 얼른 주방에 가서 콩나물냉국을 뷔페 식탁에 올려놓았다. 최 사장은 그 모습을 보고 살짝 웃으며 의자에 앉아 식사했다. 아니, 반찬과 냉국의 맛을 음미했다. 혜선은 초조하게 사장과 소장이 식사하는 것을 지켜보았다. 최 사장은 식사를 다 했는지 접시를 들고 와 주위를 둘러보았다. 김응호 소장이 최 사장의 접시를 받아서 개수대 앞에 놓았다. 혜선은 종이컵에 믹스커피를 타서 최 사장에게 주었다. 종이컵을 받아 든 최건우 사장이 혜선을 보며 말했다.

"반찬이 집밥같이 내 입에 착 붙어요. 열무도 그렇고. 특히 냉국이 개운하면서 정말 시원했어요. 앞으로도 우리 직원들 잘 부탁해요."

"감사합니다. 사장님!"

사장은 살짝 웃어 보이고 함바식당을 나갔다. 그리고 오후에 김응호 소장이 다시 찾아와 다음 달에 공장 건물 1층에 직원 식당을 오픈할 수 있도록 준비하라고 했다. 그리고 그는 직원 출퇴근 버스 2대도 준비하라고 했다. 혜선은 소장이 나가는 것을 보고 눈에 눈물이 촉촉하게 고였다. 혜선은 태진에게 전화했다. 혜선이 울먹이며 말도 못 하고 있으니, 태진은 전화를 끊고, 떨리는 마음으로 택시를 운전해서 왔다. 혜선은 태진을 껴안으며 오열했다.

"여…… 여보, 왜? 왜 그래."

"여보, 우리…… 우리 이제…… 이제 살…… 살 수 있어. 흑흑 흑."

"무…… 무슨 일인데, 그래."

혜선은 오늘 있었던 일을 말했다. 혜선의 이야기를 들으며 태진은 혜선의 손을 꼭 잡았다. 그리고 혜선의 등을 쓰다듬어 주며 같이 울었다. 태진 내외는 함바식당을 깨끗하게 정리하고 문을 닫고, 택시를 타고 함께 퇴근하면서 모처럼 외식하기로 했다. 태진의 가족은 몇 년 전처럼 콜택시가 아닌 태진이 직접 택시를 운전해서 음봉면 '시인과 촌장' 레스토랑으로 외식을 갔다. 레스토랑에서 저번과 똑같은 스테이크를 주문했다. 그런데 은경의 눈빛이 이상했다. 아니, 은경은 떨고 있었다.

"어……엄마, 또 자……잘못됐어."

혜선은 덜덜 떠는 은경의 손을 잡았다. 두려움이 가득한 얼굴로 수현이 말했다.

"아……아빠, 나 공부 잘할게요. 아니 전교 1등 할게요. 우리나…… 나쁜 생각만은…….'"

태진과 혜선은 그제야 아이들이 모든 것을 알고 있었다는 것을 알았다. 태진이 가족 모두가 테이블 위에 손을 올려놓게 하고 서로 잡아주며 말했다. H반도체 회사에서 직원 식당 운영권과 직원 출퇴근 버스 사업권을 주었다고 말했다. 은경과 수현 눈에서 눈물이 볼을 타고 주룩주룩 흘러내렸다. 혜선이 은경의 눈물을 닦아주었다. 태진은 수현 볼에 흘러내리는 눈물을 닦아주며 말했다.

"그땐 아빠가 미안했다. 다시는 그와 같은 잘못되고, 나쁜 생각을 하지 않을 거야."

"아니야. 아빠의 잘못이 아니야. 엄마가 잘못해서 그런 거야. 그리고 모두에게 미안해."

은경이 태진과 혜선의 손을 다시 잡으며 말했다.

"아빠, 엄마. 우리 그날 여기 오기 전에 여관부터 알았어. 그런데 어떻게 말해야 하지. 우린 살고 싶다고 할까, 아니면 내가 공장에 취직해서 갚는다고 말할까. 별별 생각을 다하며 수현과 이야기했어. 수현이 아빠, 엄마가 없는데 그 빚을 우리가 무슨 방법으로 갚을 수 있냐고 해서 우리도 결심했었어. 그런데 식사하면서 한 번만, 딱 한 번만 용기를 내어서 말해야겠다고 결심해서 말한 거야."

"너희들은 그것을 어떻게 알았는데."라고 혜선이 말했다.

"엄마, 내가 학교 끝나고 여관에 도착해서 영어 단어장을 찾으려고 했는데 상자 안에 수면제와 그 약이 있는 것을 보았거든. 그래서 누나에게 말했어."

태진이 울먹였고, 혜선도 울먹였고, 은경과 수현의 눈에 눈물이 고여 양 볼로 흘러내렸다. 태진은 양 손바닥으로 여러 차례 세수하며 말했다.

"우리 이제 조금만 더 노력해서 전원주택도 사고, 엄마가 갖고 싶어 했던 자그마한 텃밭도 만들고, 은경이가 좋아하는 강아지도 키우자. 수현이가 매일하고 싶다는 농구대를 설치해서 아빠하고 농구 시합하고."

그 말에 수현이 계면쩍어 뒤통수를 문지르며 말했다.

"나도 강아지를 키우고 싶은데."

"야, 내가 키우면 한 마리만 키우겠냐. 남자, 여자 강아지를 같이 키우지."

은경의 말에 가족들의 행복한 웃음꽃 향이 레스토랑 밖으로 향긋하게 퍼져 나갔다.

혜선은 광고를 내서 식당 직원 세 명을 채용했다. 그들에게 직원 식당에서 일할 수 있도록 철저하게 교육했다. 식당에서 일하기 전에 "함께 살고, 함께 웃는 꿈의 식당."이라는 구호도 정했다. 은경이 대학교 식품영양학과 졸업했을 때 H반도체 회사는 제2공장을 짓고 있었다. 은경은 직원 식당에 영양사로 취직해서 식당을 T&H 그린푸드 법인회사로 만들고, 직원 교육과 연수 등을 맡아서 관리했다. 첫 건물인 공장은 증축해서 사무실동으로 사용해 사무실 직원 100명을 위한 식당으로 운영했고, 1공장과 2공장은 반도체 직원 500명을 위한 두 곳에 식당을 운영했다. 은경은 식당 앞에 카페테리아를 운영할 수 있는 바리스타 자격증도 취득해서 3곳에 바리스타 직원 6명을 채용했다.

태진은 중고 관광버스 2대를 사서 후배인 덤프트럭 기사 김영운에게 하나를 맡겼다. 공장 증축이 되면서 태진은 버스 1대를 새로 사서 운전기사도 채용했다. 회사가 3교대 근무로 전환되면서 태진은 기존에 가지고 있던 중고 버스 2대를 폐차하고, 리무진 버스 5대를 사서 운영했다.

수현은 서울에 있는 대학에 수시합격 해 경영학을 전공하고 있었다.

태진과 혜선은 공장이 보이는 전원주택 테라스에서 커피를 마시며 생각에 잠겨 있었다.

태진은 생각했다.

'고난을 겪다 보니 고난보다 **훨씬** 좋은 방법이 있다는 것을 알았다. 잠시 나쁜 생각으로 자식들에 행복한 삶까지 뺏었다면 그곳에서 난 영원한 죄인이 아니었을까.'

은경은 커피를 한 모금 마시며 생각했다.

'돈은 나에게 마음 적으로 위안을 줄 수 있겠지만, 있어도 그만, 없어도 그만으로 잊어버려야 했었다. 돈 욕심에만 호들갑 떨지 않았다면 세상은 살맛 나는 즐거움과 행복이 널려있다는 것을 이제야 알았다.'

태진과 은경은 전원주택 정원에서 "행복"과 "희망"이라는 이름의 강아지들이 뛰어다니며 노는 모습을 흐뭇하게 바라보았다.

노인과 골목길

    우리 동네는 4차선 신작로에서 언덕길을 오르다 보면 달동네처럼 집들이 다닥다닥 붙은 골목이 나온다. 이 골목을 지나 작은 언덕을 오르면 벚나무 가지가 담장을 넘어 골목까지 뻗어서 운치가 넘치는 집이 있다. 봄에는 벚꽃을 피워 마을 사람들이 사진을 찍는 명소다. 마을 사람들은 그 집을 벚꽃 집이라고 부른다. 벚꽃 집 담장을 따라 올라오면 T자 갈림길이 나온다. 그 T자 갈림길에 나는 매일 앉아 있다. 오른쪽으로 가면 작은 언덕이 있는데 그곳에는 가난한 판잣집들이 모여 산다. 왼쪽으로 가면 마을로 내려가는 50계단이 있어서 우리 동네 사람들은 잘 이용하지 않는다. 계단 옆에도 집들이 다닥다닥 붙어살고 있는데 30계단 기준으로 윗동네를 양기듬, 30계단 아랫동네를 음기듬으로 나눈다. 언제부터 양기듬, 음기듬으로 나누었는지는 나도 모른다. 음기듬 사람들은 다리를 건너 신작로까지 900m 거리지만, 양기듬과 우리 마을 사람들은 벚꽃 집에서 150m만 내려가면 바로 신작로이고, 버스 정류장이 있다.

나는 이 자리에서 지금까지 살고 있다. 아니, 우리 부모님이 일제 강점기 때부터 사셨다. 부모님은 625전쟁이 끝나고 나서 바로 슈퍼를 여셨다. 부모님의 가업을 물려받아서 나도 슈퍼를 한다. 지금은 큰며느리가 하고 있다. 나의 일과는 따뜻한 햇볕에 온종일 앉아 있는 것이다. 마을 사람들은 나보고 늙은 허수아비라고 부른다. 나는 젊었을 때 동네 반장, 새마을지도자, 이장을 30년 동안 해서 누구네 집에 숟가락이 몇 개까지 있는지 다 알고 있다.

나는 군대 갔다 와서 작은 판금 공장을 다녔다. 겨울에 아버지가 라면상자와 달걀을 음기듬으로 배달을 가셨다가 계단 빙판에 미끄러져 돌아가셨다. 아버지가 돌아가시고 나서 어머니도 몸져눕는 바람에 내가 슈퍼를 운영했다. 슈퍼에 자주 오는 양기듬 아가씨와 결혼해서 2남 2녀를 두었다. 장남은 나하고 살았고, 큰딸은 부평에서 세탁하며 살고, 차남은 서산에서 자동차 부품회사에 다니고 있다. 막내딸은 충주에서 오골계를 키우며 살고 있다. 집사람과 큰아들은 코로나19가 대한민국을 휩쓸 때 먼저 세상을 등졌다. 그래서 우리 집에는 큰며느리와 손자 놈과 같이 살고 있다. 손자 놈은 누굴 닮아서 그런지 머리가 나빠서 고등학교도 겨우 졸업했고, 군대 갔다 와서는 음기듬 사탕 공장에서 아침 8시부터 저녁 5시까지 일한다. 큰며느리는 착한데 한 번 성질이 나면 시아버지도 없다. 그래도 식사는 꼬박꼬박 차려서 준다. 지금 저녁놀이 지면서 양기듬 계단에 머리통만 보이는 저놈이 내 손자 놈이다. 저놈은 걷는 것이 어찌 저리도 불량한지.

"어, 할비. 오늘은 누구를 구경했어."

(이런 싹수없는 놈을 보았나? 할아버지면 할배지. 할비가 뭐야. 저놈의 말버릇을 어찌 고치나)

"그렇게 가만히 앉아만 있지 말고 움직이라고. 여기는 꽃상여도 못 들어온다고."

(이놈, 말버릇이 없구나. 너 나한테 한번 혼나볼래?)

"어, 눈을 부릅떴네. 화났어. 화나면 어쩔 건데."

나는 벌떡 일어나서 손자 놈에 멱살을 잡았다. 그러나 실제는 내게 일어나려고 몸부림을 치고 있었다. 빨리 일어나서 손자 놈의 멱살을 잡아야 하는데. 그런데 이놈이 호주머니에서 츄파춥스를 꺼내 까더니 내 입에 넣어주면 말했다.

"그냥 이거나 빨고 앉아 있어."

나는 손자 놈의 힘을 이길 수가 없어서 다시 자리에 앉았다. 오늘은 딸기 맛이다. 어제는 수박 맛을 주더니. 나는 츄파춥스에 화를 누르고 달콤함에 취해 손자 놈에게 웃어 주었다.

"할비, 조금 있다가 저녁 먹어야 하니까. 일찍 들어와."

(이놈이 나한테 존댓말만 하면 진짜 예쁠 텐데)

손자 놈이 나한테 반말하기 시작한 것은 고등학교 1학년 때부터다. 내가 밤에 뇌출혈로 쓰러져 손자 놈이 신작로로 나가 택시를 타고 병원에 도착해 수술했다. 2년 동안 입원해 있다가 퇴원한 뒤부터 걸을 수가 없었다. 그리고 내 말을 다른 사람들이 알아듣지를 못해 답답했는데 오히려 듣는 사람들이 더 짜증을 내면서 입을 닫았다. 그렇게 하다 보니 말을 더 이상 할 수가 없었다. 이때부터 손자 놈이 말을 놓기 시작하더니 학교에서 일진한테 받은 스트레스를 나에게 풀었다. 그나마 다행인 것이 고등학교 3학년이라 졸업하더니 그 스트레스는 더 이상 나에게 풀지 않았다. 나는 손자 놈에게 군입대할 때 숨겨 놓은 돈 20만 원을 주며 잘 다녀오라고 했다.

"아버님, 얼른 들어오셔서 저녁 식사하세요."

(아, 드디어 오늘 하루도 무사히 보냈다. 그러나저러나 내일은 비가 오려고 그런지 온몸이 쑤시기 시작했다)

나는 큰며느리가 차려 준 식탁에 앉았다. 오늘은 내가 좋아하는 사골국물이다.

(얘가 언제 사골을 사 와서 끓였나? 온종일 밖에만 있었으니 내가 알 수가 있나)

그런데 주방 쪽을 보니 큰 냄비도 없고, 손자 놈도 사골이 아닌 미역냉국을 먹고 있었다.

(그럼, 이 사골은 뭐지?)

손자 놈이 내 눈치를 보더니 내가 숟가락에 푼 밥에 열무김치를 올려주었다. 그러면서 제 놈은 고등어를 젓가락으로 쭉쭉 찢어서 처먹고 있었다. 나도 먹고 싶었지만, 손이 내 마음대로 움직여지지 않아서 포기하고 사골국과 밥을 먹었다. 숟가락으로 사골국을 뜨는데 식탁에 흘리는 것이 절반을 넘었다. 숟가락이 입안에 들어왔지만, 사골국물은 없고, 사골 맛만 봤다. 다시 국을 떠서 숟가락이 흔들리지 않게 천천히, 아주 천천히 입으로 가지고 왔다. 이번에도 실패였다. 또 국을 떠서 숟가락과 팔을 움직이지 않고 몸을 앞으로 숙이다가 그만 국그릇을 쏟았다.

"뭐야. 아, 진짜 할비. 그냥 가만히 먹으라고."

며느리가 얼른 일어나서 행주를 가지고 와 식탁을 닦았다. 며느리 눈치를 보니 짜증으로 머리 뚜껑이 열리기 일보 직전이다. 국그릇 안을 보니 그래도 사골이 조금 남아 있었다. 나는 입맛을 다시며 결국 사골국을 포기했다. 저 사골국만 먹으면 오늘 밤은 편하게 잘 수 있다는 생각이 간절했지만 포기했다. 그런데 손자 놈이 또 내 밥숟가락에 열무김치를 올려주었다.

(야, 이놈아. 나도 고등어 먹을 수가 있어. 내 이빨이 네 것보다

더 튼튼해. 그리고 이놈아. 내가 너 어릴 때 밥반찬으로 얼마나 고등어를 많이 올려준 줄 알아. 에잇, 이 나쁜 놈)

나는 열무라도 먹기 위해 입으로 가져갔지만 역시나 또 식탁에 떨어뜨렸다. 결국 불편한 왼손을 움직여 열무를 집어서 입에 넣었다.

(아, 맛있다. 역시 열무는 씹어야 제맛이다) 하며 난 행복한 웃음을 지었다.

"할비, 제발 밥 먹으면서 인상을 쓰지 마. 밥맛 떨어진다고."

(야, 이놈아. 내가 언제 인상을 썼다고 그래)

"알았어, 알았다고. 내가 얼른 장가를 가서 분가해야 이 짓을 안 하지."

손자 놈이 일어나서 내게로 오더니 밥을 떠서 조금 남은 사골국에 담갔다가 내 입에 넣어주었다.

(아, 맛있다. 그래 이 맛이 사골이다. 그런데 이 맛은 간편식 사골곰탕 맛인데)

"진짜 인상을 쓰지 말라고. 무섭다고."

이번에는 손자 놈이 밥에 고등어를 올렸다. 벌써 침이 입안에 가득 고여 있었다.

(이놈아, 빨리 내 입에 넣어줘)

숟가락이 입안에 들어오는 순간, 입안 가득한 비릿함과 생선 특유의 맛이 나를 별천지로 이동시켜서 나는 감탄하며 생각했다.

(아, 얼마 만에 먹어보는 바다의 향 내음인가. 이것이 진정한 바다의 맛이다. 씹으면 씹을수록 바다가 보고 싶었고, 부둣가에 앉아 팔팔한 생선회를 먹고 싶었다)

손자 놈을 보니 또 한마디 할 기세다. 난 행복해서 웃는데 이놈에게는 화난 표정으로 보이나 보다. 손자 놈이 다시 사골에 밥을 말아서 먹여주었다. 난 오늘도 배불리 잘 먹었다. 이젠 손자 놈이 목욕을 시켜주고 이빨도 닦아 줄 것이다. 나는 오늘도 무사히 하루를 잘 보냈다.

오늘로 이틀째 밖에 나가질 못했다. 무슨 놈에 비가 이리도 오랫동안 내리는지. 엉덩이 걸음으로 문지방 넘어 마루에 앉아 하늘을 보니 비는 그칠 기미가 보이지 않았다.

(판잣집에 사는 한진숙 엄마는 오늘 시장에서 많이 팔았을까. 성기동은 오늘 아파트 공사장에 나갔는지 모르겠네. 한철민 부부는 이번 주에 다른 시에서 장판과 벽지 공사를 한다고 했는데. 미정과 상민이는 밥은 먹고 초등학교에 갔는지 모르겠고…….)

나는 오늘도 마루에 앉아 동네 사람들을 걱정했다. 그러나 사람들은 내가 자기들을 걱정하고, 슬플 때 같이 울어주고, 기쁠 때 같이 웃어 주는 것을 모른다. 진숙 엄마는 벚꽃 집에서부터 나를 보면 발걸음이 빨라져서 담장에 붙어 집으로 쏜살같이 간다. 기동은 나를 보면, 내 앞에서 피우던 담배꽁초를 버리며 말한다.

"어이, 노친네. 담배 향기라도 맡으라고."

내가 화난 얼굴을 하면 기동은 또 한마디 한다.

"화난 거야. 좋아서 웃는 거야. 어찌 표정이 저리도 똑같은지. 원."하며 내 앞에 침을 카악 퉤, 하고 뱉는다. 그럼 나는 기동이가 사라질 때까지 가만히 있다가 일어나 발로 담배를 짓이겨 끈다. 철민 부부는 나를 보아도 없는 사람으로 여긴다. 그래도 그들 부부는 나를 지나쳐 우리 가게에 들어가 매일 담배와 음료수를 사서 간다. 그 외에 많은 사람을 알지만, 나에게 인사하는 사람은 한 명도 없다. 올해 유치원에 입학한 황효진은 네 살이다. 한 번은 나에게 배꼽 인사를 했다가 내가 정말 고마워서 활짝 웃었더니 크게 울기 시작했다. 며느리가 밖으로 나와 효진을 달래니, 효진이가 울며 말했다.

"제, 제가요. 할아버지한테 인사를 했더니 할아버지가 화난 표정을 했어요. 그리고 화난 저 표정이 너무 무서웠어요. 엉엉엉."

그날 이후 효진이는 나를 보면 피하고 인사도 하지 않는다. 내가 앉아 있는 것만 봐도 집으로 들어가 자기 엄마하고 같이 나와서 벚꽃 집을 지나 신작로로 간다.

가게에 손자 놈이 왔나 보다. 며느리하고 뭐라고 떠드는 것을 보니 오늘이 월급날인 것 같다. 저놈은 월급에 반을 게임 아이템을 사는 데 쓴다. 방에 들어가 저번처럼 컴퓨터 본체에다가 오줌을 싸 놓을까 하다가 그만두기로 했다. 저 놈의 쇳덩어리가 150만 원을 넘을 줄 내가 어떻게 알겠는가. 나는 손자 놈이 잘되라고 한 것인데 결국 며느리한테 지청구 먹고, 내 눈에서 눈물이 나왔다. 며느리 때문에 눈물이 난 것이 아니라 손자 놈이 본체를 껴안고 "엉엉엉"하고 우는데 어찌나 처량하고 불쌍하게 우는지 내 눈에서도 그만.

가게에서 며느리하고 한바탕했는지 손자 놈이 씩씩대며 들어와서 나를 보고 말했다.

"할비, 다 듣고 있었지. 가서 말 좀 해. 난 게임으로 스트레스 푸는 거라고 말 좀 해주라고."

(이놈아, 내가 말한다고 네 에미가 '네, 아버님!' 그렇게 할 것 같니? 욕만 안 하면 다행이다)

손자 놈은 나를 한 번 쳐다보더니 호주머니에서 츄파춥스를 꺼내 내 입에 넣어주었다. (오늘은 체리 맛이구나) 하며 나는 웃었다.

며칠 동안 의자에 앉아서 지나다니는 사람들을 구경하는데 처음 보는 내외가 벚꽃 집을 지나 나에게로 오고 있었다. 그들 내외를 보니 40대 중반으로 보였다. 내외가 웃으며 나에게 인사를 했다.

"안녕하세요. 어르신."

(아, 얼마 만에 사람한테 받아보는 인사인가? 내가 쓰러지고 나서 처음으로 받아보는구나)

내가 머리를 끄덕였더니, 여자가 말했다.

"아이고, 할아버지께서 뇌출혈로 쓰러져 수술한 적이 있었군요. 이를 어쩌나."

여자의 얼굴에서 안타까움이 가득 묻어났다. 그때 가게에서 며느리가 그 소리를 듣고 나왔다.

"어디를 찾아오셨는데요?"

내외는 며느리에게도 나와 똑같이 공손하게 인사를 했다.

"네, 오늘 저희는 저 감나무 집으로 이사하기에 미리 인사를 드린 겁니다. 조금 있다가 골목으로 트럭이 올라와서 길을 막을 것 같아 미리 양해도 구하려고 합니다."

"네, 괜찮아요. 여기는 자가용이나 트럭을 가진 분도 없지만, 있어도 저녁에나 들어와서 괜찮아요."

내외는 며느리의 말을 듣더니, 얼굴에 화색이 돌며 같이 가게로 들어갔다. 나는 고개를 최대한 돌려서 그들을 보려고 하니, 며느리가 눈을 크게 뜨고 나를 노려보며 작게 말했다.

"진짜 주책이야. 왜 젊은 여자 엉덩이를 자세히 보려고 그래요. 가게 망하게 할 일 있어요."

(야, 그게 아니라고. 난 물어보려고 그랬어. 감나무 집이 언제 이사했고, 언제 집을 샀는지 알고 싶어서 보는 거라고)

감나무 집은 우리 대문 오른쪽에 있다. 내가 젊었을 때 걸어서 가면 10초도 안 걸리는 거리지만, 지금 걸어가면 5분은 더 걸릴 것이다. 그 집은 충청도에서 농사를 짓다가 가뭄으로 너무 힘들어서 90년 초에 올라와 전세를 살다가 집을 산 고동훈이가 살았다. 고동훈 내외는 올해 60살이고, 두 아들하고 살았다. 큰아들은 해군 부사관으로 지금도 복무하고 있으며, 작은아들은 용인 삼성전자에 취직해서 다니고 있다. 작은아들이 삼성전자에 들어간 날 동네잔치를 했었다. 두 아들 다 출가했는데, 언제 저 집이 이사갔는지 나도 몰랐다. 며느리가 내외와 대화하는 소리가 들렸다.

"집을 언제 사셨대요?"

"며칠 전에요. 부동산에서 싸게 나왔다고 해서 샀는데. 그 집이 우환으로 이사한 것이 아니겠죠?"

"아이고, 아니에요. 그 집 작은아들이 베트남으로 발령이 나서 한 달 전에 부모님을 모시고 같이 나간 거예요."

"그럼, 크게 성공한 집이네요."

나는 내외에게 말하고 싶었다.

(그 집은 고동훈이가 살기 전에도 흥한 집이야. 그 집은 함태영 형님 내외와 아들, 두 딸이 살았지. 아들은 지금 대전 경찰서장이고, **큰딸은 이화여대를 나와 그 학교 교수고, 작은딸은 천안 순천** 향대학교 의과대 교수로 있어. 자네는 집을 잘 산 거야)

며느리가 말했다.

"집을 잘 사신 거예요. 전에 살았던 그 집의 외아들은 서장에, 큰딸은 교수고, 작은딸은 의사예요."

(어허, 쟤가 정보를 잘 못 알려주고 있네. 작은딸은 의사가 아니고, 교수라고. 쯧쯧)

"어머, 그래요. 여보, 우리 이사 잘 왔네."

며느리와 내외는 정답게 이야기를 나누었다. 내가 듣기에는 며칠을 살다 보면 알게 되는 시시한 우리 동네 이야기였다. 내외는 밖으로 나오더니 나에게 벌꿀이 들어간 음료수를 주었다. 남편이 마개를 따주니, 아내가 다시 슈퍼로 들어가 빨대를 가지고 와 꽂아주었다.

"어르신, 제 이름은 강상진이에요. 집사람은 향미 엄마라고 부르면……."

"아버님이 말을 못 하세요. 그 대신에 듣는 것은 괜찮고요."

강상진은 실망하는 듯하더니 다시 말했다.

"오후에 제 외동딸인 강향미가 올 거예요. 그 애가 버릇없이 해도 이해해 주세요. 워낙 천방지축인 17살이라 너그럽게 친할아버지 같이 웃어 넘겨주시고요."

나는 고개를 끄덕이며 웃었다.

(괜찮아. 여긴 다 천방지축이야. 내가 자네한테 오히려 부탁하네.

내 손자 놈 임광수가 버릇없이 하면 귀싸대기를 날려주게. 부디, 부탁하네. 그려)

"어? 어르신이 화가 나셨나?"

"아니에요, 여보. 지금 웃으시는 거예요. 눈가가 활처럼 휘었잖아요. 제 말이 맞지요?"

나는 고개를 끄덕였다. 그리고 다시 얼굴에 보여주었다.

"어? 지금은 화난 얼굴이네요. 눈에 힘을 주어서 쌍꺼풀이 진하게 생겨서 알 수가 있어요."

(야, 10년 가까이 병시중을 한 우리 며느리보다 더 잘 알고 있네) 하며 웃었다.

"지금은 또 웃으셨네요. 제가 봉사활동으로 병원에서 호스피스해서 알아요."

"호스피스 생활을 하셨어요?"하고 며느리가 물었다.

"네, 제가 천주교 신자라 우리 모임에서 봉사활동을 하거든요. 그래서 어느 정도 표정을 보면 알 수가 있어요."

"전 아버님이 항상 화를 내는 줄 알았어요. 그래서 아버님하고 눈도 마주치지 않았거든요."

향미 엄마는 웃으며 말했다.

"저도 처음에 몰랐어요. 그런데 수녀님들이 가르쳐주어서 알았지요. 표정을 읽지 못하겠거든 눈을 보라고 했거든요. 두 눈이 사람 마음의 창이라고 하면서."

며느리는 고개를 끄덕였다. 김상진 부부는 나에게 인사하고 감나무 집으로 갔다. 나는 오늘 알았다. 아직 세상은 살만하다고. 그이유는 오늘 이사를 온 김상진 부부 때문이었다. 그리고 강향미에 대한 기대가 커지고 있었다. 이놈은 얼마나 천방지축이고, 날 얼마나 이해하고, 나를 어떻게 보고, 어떻게 대할지 벌써부터 기대로 가슴이 뛰기 시작했다. 마치 처음 집사람과 데이트하기 위해 다방에서 기다리는 심정과 똑같았다. 내 나이가 다시 55년 전 과

거로 가서 24살이 된 기분이었다. 나는 빨리 해가 떨어져 저녁이 되기를 빌었다.

드디어 손자 놈이 오더니 내 입에 츄파춥스를 넣어주었다. 오늘은 수박 맛이다. 이놈은 어떻게 된 것이 줄 때마다 맛이 다른지 모르겠다. 한 번도 어제와 똑같은 츄파춥스를 입에 넣어주지 않았다. 혹시, 이놈이 골라서 가지고 오는 것이 아닐까 하는 생각을 했지만, 그렇다면 한 번쯤은 같은 맛을 주어야 했다. 지금까지 2년 동안 결코 어제와 같은 맛을 준 적이 한 번도 없었다. 진짜 내 손자지만 알 수가 없는 특이한 놈이다.

드디어 벚꽃 집 담장을 따라 교복을 입은 여학생이 올라오고 있었다. 여학생은 벚나무를 한참 동안 쳐다보았다. 그리고 뒤로 가더니 핸드폰을 꺼내 찍기 시작했다. 앞으로 가서 찍고, 뒤로 해정네 담장에 딱 붙어서 찍고, 바닥에 엎드려서 찍고, 깨금발을 하더니 찍고, 내 쪽으로 조금 오더니 찍고, 다시 내려가서 찍고 하더니 걸어오면서 핸드폰을 보고, 다시 뒤를 보고 한참을 그렇게 서 있었다.

(야, 진짜 강상진 말대로 천방지축이구나. 도대체 무슨 생각을 하기에 벚꽃이 떨어진 나무를 저렇게까지 찍었나. 그리고 뭘 확인할 것이 있다고 뒤를 한참을 봐. 이상한 놈이네. 진짜 쟤도 특이한 놈이구나)

향미는 다시 올라오더니 골목을 찍기 시작했다. 그리고 그 골목으로 들어갔다.

(거기는 빈집들인데. 쟤가 집을 잘못 알고 있구나. 그리고 거기는 얘들이 밤에 술 먹고 떠드는 우범지대야. 빨리 나와)

내 말을 들었는지 향미는 나에게로 걸어왔다. 나는 향미를 가만히 쳐다보았다. 한창 멋 부리고 그럴 나이인데도 순수하고 귀여워 보였다. 올해 졸업반이었으면 내 손자와 맺어주고 싶었다. 아니구나. 향미가 평생 고생을 하겠구나. 그럼, 누구하고 하고 맺어주면 좋을까 하며 생각하는데, "할아버지, 그동안 안녕하셨어요. 오늘은 얼굴색이 좋아 보이네요."

 (엥? 네가 나를 봤다고. 난 널 오늘 처음 보는데. 우린 언제 만난 적이 있었니?)

 향미는 평상에 앉아 나를 보았다. 나도 녀석을 보았다. 녀석은 내 눈과 코, 입, 가슴, 손 그리고 앉아 있는 내 자세를 살폈다. 아니 관찰했다. 그리고 일어나서 책가방을 벗어 평상에 놓고 내 주위를 한 바퀴를 돌았다. 그리고 말했다.

 "할아버지, 제가 사진 몇 장만 찍을게요."

 향미는 핸드폰으로 사진을 찍기 시작했다. 그것도 한 장소에서 두, 세 장씩 찍었다. 그리고 평상에 앉아 자기 혼자 사진을 보더니 고개를 흔들었다. 그러더니 향미가 말했다.

 "할아버지께서 아픈 것은 알겠는데 자세가 비뚤어져 있어요. 여기 보세요." 하며 사진을 나에게 보여주었다. 두 손가락으로 확대하고 축소하면서 보여주었다. 내가 보아도 내 자세가 오른쪽으로 기울어져 있었다. 나는 지금까지 내 자세가 똑바르다고 생각했다. 향미는 일어나서 두 손으로 내 어깨를 잡고 자세를 잡아주며 말했다.

 "할아버지 그대로 가만히 계세요." 하며 다시 사진을 찍어 보여주었다. 사진에서 내 몸은 엉거주춤했지만 어쨌든 똑바른 자세였다. 향미는 일어나 웃으며 인사하고 이사한 집으로 갔다. 향미가 대문으로 들어가는 모습을 보며 눈물이 났다. 지금까지 내 몸을 만진 사람은 내 손자 놈 외에는 없었다. 그리고 나에게 공손하게 인사한 사람도 없었다. 더구나 이렇게 매일 앉아 있는데도 말을 걸거나 사진까지 찍어 준 사람은 없었다. 아니다. 사진을 찍어 준 사람은 있었다. 몇 달 전에 복지관에서 영정 사진을 찍어 주었다. 그때도 대학생들이 얼굴에 화장도 해주고, 상의만 양복을 입게 해서 찍어 주었다. 나는 향미가 사라진 대문을 보며 속으로 중얼거렸다.

(나의 작은 소망이 있다면 향미네 가족이 계속해서 반갑게 인사 해주고, 향미가 내 옆에 앉아 아무 이야기든 해주면 좋겠다)

진짜 내 작은 소망이 이루어졌다. 상진이는 매일 같이 아침, 저녁으로 인사하고, 향미 엄마는 슈퍼나 시장에 갈 때마다 인사를 했다. 향미는 아침에 인사하고, 하교하면 내 옆에 앉아서 별별 이야기를 다 했다. 상진이는 막노동을 했다가 2년 전부터 시내에 철물점을 열어서 장사하고 있었다. 향미는 공부는 중간쯤 하지만, 그림을 잘 그린다고 했다. 엄마도 철물점에 나와서 아버지 일을 도와주었는데, 한 번은 계산을 잘못해서 몇십만 원 손해를 보았다는 것도 알게 되었다. 그리고 향미는 일요일에 친구들과 재미있는 그림 그리기를 할 것이라고 했다. 나는 향미가 어떤 그림대회를 나가는지 알지 못했지만, 향미가 일등 하기를 진심으로 기도했다.

일요일 아침에 향미는 양동이를 들고 나에게 인사한 후 벚꽃 집 담장으로 갔다. 그리고 담에 양동이를 놓고 앉아서 담장을 보았다. 그렇게 몇 분이 지나 향미 친구들 세 명이 왔다. 그 애들과 신나게 떠들고 나서 향미가 나를 보며 뭐라고 했는지 세 명이 인사했다. 그리고 양동이에 페인트를 붓는 애, 담장에 무언가로 낙서하는 향미, 그리고 뒤에서 이렇게 저렇게 지시하는 애. 그렇게 정신없이 낙서하더니 담장에 페인트를 칠하고 있었다. 벚꽃 집하고 나하고 거리는 30m여서 잘 안 보였다. 나는 일어나 평상으로 걸어가 앉았다. 그제야 향미가 무엇을 하는지 알았다. 향미는 담장에 그림을 그리고 있었다.

수요일 저녁에 향미는 나에게 그림 이야기를 했다. 그리고 벚꽃 집으로 사람이 들어가는 것을 보고 향미는 일어나 그 집으로 갔다. 그리고 대문을 두드리니 경복 엄마가 나왔다. 향미는 경복 엄마와 같이 담장을 보며 무슨 말인가 했다. 그때 오민태가 올라오는 것이 보였다. 민태와 경복 엄마는 향미가 설명하는 것을 듣고 고개를 끄덕였다. 향미는 밝은 얼굴을 하면서 나에게로 왔다.

(아하, 저놈이 수요일에 오민태 내외한테 담장에 그림을 그린다고 허락을 받은 것이구나. 나, 또 어디 그림대회에 나가는 줄 알았네)

"아버님이 웬일로 평상에 앉았어요?"

나는 넋 놓고 향미가 하는 것을 보고 있다가 깜짝 놀라서 간이 떨어진 줄 알았다. 뭐라고 한마디를 해야 하는데 말이 나오지 않았다. 며느리는 향미가 하는 것을 보고 벚꽃 집으로 갔다. 향미와 친구들에게 뭐라고 이야기하는데 민태 내외가 밖으로 나왔다. 민태도 담장을 보며 환하게 웃었다.

(예, 며느리야. 그렇게 떠들지만 말고 애들 고생하는데 음료수라도 가져다가 줘. 아니지. 민태야. 네가 우리 가게로 와서 음료수 사다 줘. 그럼 우리는 매상 올려서 좋고, 애들은 시원하게 음료수를 마셔서 좋고. 이게 누이 좋고, 매부 좋고. 떡 본 김에 제사 지낸다는 말도 있잖아)

민태 내외는 그림 구경만 하고 있으니, 며느리가 가게로 와서 음료수 여섯 개와 물병 네 개를 들고 가서 나누어 주었다. 향미와 친구들은 며느리에게 고맙다며 인사를 했다.

(저놈은 지 애비하고 똑같은 놈이여. 아주 지 돈을 절대 안 쓰지. 내가 이놈아, 니 애비한테 꽁술을 얼마나 먹인 줄 알아. 니 애비한테 술 얻어먹는 것이 내 소원이었어. 에잇, 나쁜 놈. 술이나 사주고선 저 세상으로 가던지. 저놈도 지 애비하고 똑같네. 하여튼 간에 씨는 못 속여. 못 속인다고)

저녁 늦게까지 향미는 그림을 그렸다. 그리고 친구들과 시내로 가서 저녁을 사준다고 했다. 난 속으로 민태 놈을 엄청나게 욕했다. 다음날은 평소보다 10분 일찍 6시 50분에 의자에 앉았다. 벚꽃 집 담에서 불어오는 페인트 냄새를 맡기 위해 코를 벌름거렸다. 페인트 냄새가 좋았다. 양기듬 마을 사람들이 담장을 보며 활짝 웃고, 핸드폰으로 사진을 찍었다. 진숙 엄마도, 철민도, 기동이도 담장을 보며 활짝 웃었다. 나도 보고 싶었다. 얼마나 예쁘게 그렸으면 저렇게 환하게 웃고, 사진까지 찍을까. 나는 몸을 움직이기 위해 일어나려고 하는데 손자 놈이 내 어깨를 눌렀다.

"할비, 가만히 있어. 뭐 하려고 움직여. 그냥 의자에 앉아 가만히 있는 것이 밥값을 하는 거야."

(이놈은 말할 때마다 있던 정도 뚝뚝 떨어지게 말을 해. 이 자식을 그냥 확……)

"뭐야, 사람들이 왜 벚꽃 집 담장을 보고, 웃고, 사진을 찍지?" 하며 손자 놈이 담장으로 갔다. 손자 놈도 담장을 보고 웃으며 사진을 여러 장 찍었다.

(자식, 그래도 할아버지 보여 주려고 사진도 찍네. 그래 얼른 와서 보여줘라.)

손자 놈은 사진을 보며 걸어와 말했다.

"엄마, 이 그림 누가 그린 거야?"

손자 놈이 내 옆을 지나 가게로 들어가려는 순간에 손으로 바지를 잡았다.

"뭐야, 진짜, 아침부터 재수 없게." 하며 손자 놈이 내 손을 "팍" 하고 치고 가게로 들어갔다.

(야, 이놈아. 나도 그 담장 그림 사진을 보고 싶다고. 야, 야, 야아)

"아~"

뜻밖에 내 입에서 말이 나왔다. 손자 놈이 뒤를 돌아 나를 보더니 말했다.

"아이씨. 똥 쌌어. 진짜 아침부터 골고루 하네. 그냥 가만히 있어. 기저귀 가지고 나올게."

(저놈을. 야, 이놈아. 똥이 아니라 사진이라고. 사진. 향미가 담장에 그린 그림 사진.)

그러나 손자 놈은 기저귀를 가지고 와 나를 번쩍 들어 평생에 뉘었다. 그리고 뭔가 이상한지 냄새를 맡더니 "똥 냄새가 안 나는데." 하며 나를 쳐다보았다. 향미가 인사하는 소리가 들렸다.

"할아버지, 안녕하세요. 오빠도 안녕. 그런데 뭐 해."

"응. 할아버지가 똥 싸서 기저귀를 바꾸려고."

향미가 화가 나서 큰 소리로 말했다.

"오빠, 미쳤어. 대로변에서 사람들이 오고 가고 하는데. 여기서 기저귀를 바꾸려고 했다고. 와, 이 오빠 다시 봐야겠네."

"어? 그런가. 향미야, 미안."하며 나를 안아서 집에 들어갔다.

(야. 이놈아. 나한테 미안하다고 해야지. 왜 향미한테 미안하다고 해. 이런 머저리 같은 놈)

손자 놈이 기저귀를 확인하고 나서 소변을 봤다며 기저귀를 바꾸어 주었다. 그래서 나는 다시 엉덩이 걸음으로 집을 나와 벽을 잡고 천천히 의자가 있는 곳으로 갔다. 멀쩡할 때는 1분도 걸리지 않는 거리였지만, 지금은 15분이나 걸려서 의자에 겨우 앉았다. 나는 사람들 구경보다 담장에 그린 그림을 보고 싶었다. 정말 너무 보고 싶었다. 향미와 친구들이 그린 그림이 얼마나 예쁘게 잘 그렸으면 동네 사람들이 웃으며 벽화를 배경으로 사진을 찍을까. 나는 오전 내내 담장에서 풍겨오는 페인트 냄새만 맡았다. 나는 점심을 먹지 않는다. 아프거나, 며느리가 힘들어서가 아니라 젊은 시절부터 점심을 먹지 않는다. 그런데 오늘은 점심을 먹고 싶었다. 배가 고파서가 아니라 그림 생각을 다른 쪽으로 돌리려고 하다 보니 마땅히 생각나는 것이 없어서 '배가 고프다. 배가 고프다.' 를 몇 번 생각했더니 진짜 배가 고팠다. 경복 엄마가 나와 우리 가게로 왔다. 그리고 며느리와 같이 담장으로 가더니 그림을 가리키며 말하고, 웃고 하더니 서로 사진을 찍어 주었다. 그 순간에 배고픔은 사라지고 그림이 미치도록 보고 싶어졌다.

(와, 저것들이 사람 환장하게 하네. 핸드폰 사진을 보여 주던지.

보여 주겠지. 암, 며느리가 보여 줄 거야. 보여 줄 거야)

나는 며느리가 핸드폰을 보며 걸어오기에 속으로 '보여준다. 보여준다. 보여……'를 주문처럼 외웠다. 그런데 며느리는 웃으며 가게 안으로 들어갔다.

나는 너무 서운해서 일어나 서서히 담장으로 걸어갔다. 아니, 엉덩이 걸음으로 엉금엉금해서 갔다. 폐가 골목에 막대기가 있어서 잡고 일어나 막대기를 지팡이 삼아 천천히 한발 한발 걸음을 떼었다. 벚꽃 집에 다다를수록 그림이 눈에 들어왔다. 나는 벽화를 더 자세히 보기 위해 이해정네 담장에 기대였다. 내 얼굴과 몸은 땀으로 범벅이었고, 여기까지 30분 넘게 걸려서 왔지만 잘 왔다고 여겼다. 벽화는 진짜 아름다웠다. 너무 아름답게 잘 그려서 내 눈에 눈물이 그렁그렁했다. 벽화는 벚나무 밑동이 담장 때문에 보이지 않아서 그렸고, 나무 주변에 푸른 잔디와 꽃도 그렸다. 그리고 강아지 두 마리를 앙증맞게 그렸고, 어미 고양이 한 마리가 담장에 앉아 강아지가 노는 것을 지켜보고 있었다. 그리고 새끼 고양이는 꽃에 앉으려는 노랑나비를 가만히 지켜보고 있었다. 이 모든 것을 저 멀리서 지켜보는 내가 있었다. 내가 아닐지도 모른다. 의자에 앉아 지팡이를 세워 두 손을 지팡이 위에 올려놓고, 안경 너머 다음에 무슨 일이 일어날지 궁금해하는 눈빛으로 바라보고 있었다. 난 서서히 다리에 힘이 풀려 주저앉았다. 결국 내 눈에서 눈물이 주룩주룩 흘러내렸다. 어제 향미와 친구들이 마지막 작업을 하면서 나를 계속 쳐다보며 그린 것이 나. 아닐 것이다. 나는 저렇게 정정하지가 않다. 그래도, 그래도 나라고 생각하니 눈물이 쉴 없이 흘러내렸다. 어떻게 이 벽화가 나를 울린단 말인가. 일어나서 내 자리로 가려고 하는데 벽화가 나를 움직이지 못하게 했다. 골목에서 목소리가 들렸다. 소리 나는 곳을 보니 향미하고 어제 그 친구들이었다.

"할아버지, 어떻게 여기까지……."

"할아버지가 벽화를 보고 싶어 하셨네."

"할아버지, 안녕하세요."

향미와 친구들은 나를 일으켜 세우며 한 친구가 말했다.

"저기 지팡이 잡은 할아버지가 할아버지예요. 할아버지를 몰래 그려서 죄송합니다."

"영미, 너 우리 할아버지 모델료 안 드렸으니까. 나하고 할아버지 사진 찍어 줘."라고 향미가 말했다. 향미는 나를 벽화 쪽으로 데리고 가 사진을 찍었다. 그런데 영미가 다시 와서 막대기를 달라고 했다.

"할아버지, 이 나무 막대기 때문에 사진이 안 예뻐요. 향미, 네가 지팡이 하나 사드려라."

나는 막대기를 주고 향미와 사진을 찍었다. 그리고 향미 친구들하고도 찍고, 나 자신 벽화 옆에서도 찍었다. 향미와 친구들은 우리 가게에서 아이스크림을 사 평상에 앉아 먹으며 다음 달에 중간고사라며 늦게까지 야간 학습한다고 했다. 나는 향미가 사준 음료수를 빨대로 마셨다. 향미는 나에게 사진을 현상해서 준다며 집으로 갔다. 다음날 향미는 나에게 지팡이와 사진을 주었다. 나는 향미가 사준 지팡이가 정말 고마웠고, 미안했다.

나는 손자 놈에게 비뚤비뚤 글을 써서 우리 가게 앞에 전등을 설치해달라고 했다. 벚꽃 집부터 우리 가게까지 가로등이 있었지만, 등이 나가 있었다. 그래서 폐가에서 아이들이 술을 마셨다. 나는 향미가 늦게까지 공부한다고 해서 저녁을 먹고 손자 놈이 샤워와 이빨을 닦아주면 밖으로 나와서 기다렸다. 며칠째 향미를 기다리고 있는데 미장원 아들하고 같이 왔다. 미장원은 양기듬에서 올라오는 길목에 있었다. 집하고 겸하고 있는 미장원은 강순희가 하며, 남편 이상철은 마을버스 기사고, 큰아들 이재선은 올해 29살로 시내에서 카센터를 한다. 둘째 아들인 이재국은 올해 26살로 공장을 다니고 있는데 며칠 전부터 그놈에게서 이상한 기운을 느꼈다.

 오늘도 나는 어제와 같이 저녁을 먹고 나서 의자에 앉아 있었다.

 "할비, 나 친구 만나고 올 테니까. 그때까지 기다려. 향미만 기다리지 말고. 향미가 친손녀야. 왜 걔만 기다리냐고. 나도 기다려. 알았지."

 (이놈에겐 진짜 정이 안 간다. 매일 츄파춥스만 줄 줄만 알지 내가 뭘 원하는지 통 관심이 없는 놈이다. 야, 이놈아. 그리고 네 친구 박명흠이는 술값도 안 내는데 왜 걔를 만나. 집에나 있어. 그러니 걔가 널 호구로 아는 거야. 영원한 호구로)

 그러나 손자 놈은 벚꽃 집을 지나다가 벽화를 보고 사진을 찍었다. 나는 향미를 기다렸다. 10시가 넘어가며 향미가 오는 것이 보였다. 그 뒤를 바짝 재국이 따라붙는 것이 보였다. 나는 지팡이로 전등을 건드렸다. 전등 빛이 흔들리는 것을 보고 향미는 "할아버지!" 하며 발걸음을 빨리했다. 재국은 전등 빛이 움직이자 놀란 듯하더니 나라는 것을 알고 신경 쓰지도 않고 향미를 폐가 골목으로 밀어 끌고 갔다. 나는 향미가 소리를 지르기를 기다렸다. 그러나 향미는 소리를 지르지 않았다. 난 직감으로 향미가 무섭고 두려움에 사로잡혀 목소리를 내지 못한다는 것을 알고 지팡이에 의지해 폐가 골목으로 걸어갔다. 걸으면서 나 자신을 원망했다. 한시가 급한데 내 마음대로 몸, 다리, 지팡이, 팔이 움직여 주질 않았다. 내 등에서는 벌써 땀이 나기 시작했다. 몇 번 넘어졌고, 몇 번은 자리에 주저앉아 다치고 까진 다리를 살피고 일어나 폐가 골목으로 접어들었다. 나는 최대한 빨리 걸어서 첫 번째 폐가로 갔다. 거기에 향미와 재국이 있었다. 향미는 쓰러져 있었고, 재국은 바지를 벗으려고 했다. 나는 지팡이를 높이 쳐들어 재국의 머리에 힘껏 내려쳤다. 그러나 동작만 클 뿐 정작 재국 머리에서는 픽,하는 김빠지는 소리만 났다. 재국은 깜짝 놀라서 뒤를 보더니 나란 것을 알고 피식 웃으며 나를 확 밀어버렸다. 나는 뒤로 넘어지면서 벽에 머리를 "쾅"하고 부딪치며 나도 모르게 크게 소리를 질렀다.

"사람 살려! 사람 살려요!"

나는 내가 지른 소리에 내 자신도 놀라고, 재국도 놀라서 바지를 제대로 올리지도 못하고 골목을 뛰어나갔다. 그리고 내 손자가 재국을 업어치기 하는 것을 또렷하게 보았다. 그리고 향미의 눈에서 굵은 눈물이 볼을 타고 주룩 흘러내리는 것도 보았다. 그 눈물은 슬퍼서 우는 눈물이었고, 나를 걱정해 주는 눈물이어서 진심으로 고마웠다. 그리고 내 눈에 사랑하는 집사람과 듬직한 큰아들이 보였다.

"할비, 하…… 할아버지, 할아버지 정신 차리세요. 할아버……."

하는 손자의 목소리를 듣고 웃으며 눈을 감고 집사람의 손을 잡았다.

호박즙

    백철용이 사는 다가구 주택 근처는 농촌이라 노인들만 남아서 농사를 짓지 않는 밭이 많았다. 그래서 철용은 회사에 다니며 황무지나 다름없는 밭을 보고, 박병준 이장에게 말해서 밭농사하기로 했다. 처음에는 어떻게 농사를 지어야 하는지 몰라서 같은 회사에 다니는 형에게 물어보았다.

    "정, 정광 형님. 바, 밭농사를 어디부터 해야 하는지 모르겠어요? 형, 형님은 강원도에서 살았으니 알면 가르쳐 주세요."

    "야, 인마야. 나도 모른다. 농사가 싫어서 고향을 떠난 지가 16

년이다."

"네에."

"동네 어른들한테 물어보던지. 그래, 맞다. 동네 노인들을 따라서 하면 돼."

철용은 정광의 말대로 숙소에서 동네 어른들을 지켜보았다. 그중에서 철용이 유심히 살펴본 어른은 숙소 근처에 사시는 황점례 할머니였다. 점례 할머니는 철용 이사 왔을 때 처음으로 말을 건 할머니였다. 그리고 점례 할머니의 이름을 기억할 수밖에 없었던 이유는 철용의 어머니 이름이 최점순이었다.

점례 할머니는 허리가 아파서 유모차를 밀며 밭에도 가고, 시장도 다녔다. 장날이면 오전에 유모차에 봄나물을 싣고, 15분 거리인 버스 승강장에서 버스를 기다렸다가 읍내로 갔다. 그리고 점심 무렵에 유모차를 밀며 집으로 왔다.

철용은 토요일 아침에 점례 할머니가 삽과 호미를 유모차에 싣고 밭으로 가는 것을 보았다. 밖으로 나와서 할머니 뒤를 졸졸 따라갔다. 할머니는 밭에 도착해서 삽으로 땅을 파기 시작했다. 철용은 밭둑에 앉아서 담배를 꺼내 한 모금을 빨고 나서 담배 연기로 도넛을 만들며 할머니를 지켜보았다. 할머니는 한 시간 동안 삽으로 이쪽 끝으로 저쪽 끝까지 삽으로 파더니 호미로 땅을 고르기 시작했다. 철용은 그 모습을 자세히 보기 위해 일어나 할머니가 어떻게 하는지 살폈다. 철용은 할머니가 하는 방법을 스마트폰을 찍고 나서 집으로 왔다. 그리고 차 열쇠를 찾아서 읍내로 갔다. 읍내 철물점에서 삽과 호미를 사려고 했는데, 철물점 주인이 어디에 쓰려고 사는지 물었다. 철용이 텃밭을 가꾼다고 말하니, 철물점 주인은 철용에게 농기구가 많이 필요할 것이라며 낫부터 시작하여 곡괭이, 고무래, 레기, 갈퀴, 쇠스랑, 모종삽 등을 보여주며 사라고 했다. 철용이 머뭇거리니 철물점 주인은 싸게 주겠다며 농기구 전부를 차에 실으려고 했다. 철용은 이러지도 저러지도 못하는 사이에 철물점 주인은 자가용 트렁크를 열어서 하나씩 넣고 있었다. 철물점 주인은 트렁크를 "꽝" 하고 닫으며 양 손바닥을 "탁탁" 털며 말했다.

"내가 십구만 원인데 아들 같아서 싸게 십오만 원. 더 필요한 것 있으면 언제든지 찾아오고."

철용은 대답도 못 하고 머뭇거리기만 했다. 철물점 주인은 그런 철용을 보고 회심에 미소를 지으며 다시 말했다.

"아참, 검정 비닐도 필요할 거야."

철물점 주인은 안으로 들어가더니 검은색 비닐을 들고나왔다. 그리고 차의 뒷좌석에 넣고 또다시 손뼉을 "딱딱" 치며 말했다.

"사만 원인데 삼만 원만 내라고. 읍내에서 나만큼 싸게 주는 집도 없어. 농사에 필요한 것은 우리 집에 다 있기때문에 속일 수가 없어. 다해서 십팔만 원."

철용은 입만 달싹거렸다. 철물점 주인은 마치 돈을 맡겨놓은 사람처럼 손을 내밀며 돈을 달라고 했다. 철용은 어쩔 수 없이 지갑을 꺼내 십팔만 원을 주려고 했는데, 지갑에는 이만 원밖에 없었다.

"저…… 사장님. 지금 제가 이만 원밖에 없는데요."

"카드도 괜찮아. 그 대신에 십팔만 원에 부가세까지 해서 이십만 원이야."

"저…… 그게, 카…… 카드도 없는데요."

철물점 주인은 뜨악하다 못해 화난 얼굴로 철용의 지갑을 빼어서 돈과 카드를 확인했다. 주인은 진짜 지갑 안에 이만 원밖에 아무것도 없는 것을 확인하고 트렁크와 뒷좌석에서 농기구를 빼내 도로에 내려놓으며 말했다.

"삽하고 호미 해서 이만 원."

철물점 주인은 오른발로 삽과 호미를 툭툭 차며 가지고 가라고 했다. 철용은 삽과 호미를 싣고 숙소로 왔다. 숙소에 도착해서 밭으로 가 점례 할머니가 한 것처럼 삽으로 땅을 파기 시작했다. 철용은 몇 번이나 삽을 집어 던졌다가 다시 발로 땅을 팠고, 담배 한 갑은 언제 다 피웠는지 호주머니에는 라이터만 있었다. 혼자 욕을 하다가 뒤를 돌아보며 언제나 그 자리였다. 해는 철용의 마음을 아는지 모르는지 뉘엿뉘엿 잘만 서산을 향해 이동 중이었다. 점심도 먹지 못해가며 삽으로 땅을 파는 자신이 한심하게 느껴졌다. 어깨와 허벅지가 아팠지만, 삽의 귀를 밟고 땅을 파다 보니 발바닥이 더 아팠다. 그냥 집으로 갈까를 몇 번이나 읊조리다가 철물점 주인을 욕하며 삽질했다. 10평 땅을 전부 삽질해서 엎어놓으니 어느새 해는 서산을 넘어가고 있었다. 호미로 땅을 고르려고 했는데, 날이 어둑해져서 숙소로 왔다. 숙소에 도착해서 씻고 아침에 남은 밥을 열무김치와 비벼서 먹었다. 설거지하려고 하다가 냉장고에 있는 캔 맥주를 꺼내 거실 바닥에 앉아 소파에 등을 기대며 한 모금씩 마시며 내일 아침 일찍 점례 할머니 밭에 가서 다시 살펴보고 일을 해야겠다며 생각하는데 눈꺼풀이 서서히 감겨왔다.

숙소 밖에서 경운기 소리가 들려서 철용이 눈을 떴다. 일어나 밖을 보니 할아버지와 할머니가 경운기를 타고 신작로로 가고 있었다. 철용이 시계를 보니 오전 일곱 시 십 분 전이었다. 철용은 식탁에 있는 토스트를 먹으며 화장실로 갔다. 그리고 거울에 비친 자신을 보며 혼잣말했다.

"어떻게 잔지도 모르게 잤네. 어깨하고 허벅지가 아프지만 회사 일하고 농사일에 쓰는 근육이 확실히 다르구나."

철용은 집을 나와 다세대주택을 지나 점례 할머니의 밭으로 갔다. 밭에 도착해서 보니 할머니 밭 주변에 높게 울타리가 쳐져 있었다. 그리고 밭둑 주변에 검은 비닐 사이로 파란 잎들이 자라고 있었다. 철용은 그 작물이 무엇인지 살피기 위해 만져 보았지만, 알 수가 없었다. 철용은 어제 할머니가 작업한 것을 보니, 종아리 높이까지 흙을 길게 쌓아 놓았다. 철용은 고랑을 보며 어떻게 한 것인가 생각했다. 기억이 나지 않아서 스마트 폰을 켜고 어제 할머니가 한 모습을 보며 밭으로 걸어 다녔다. 철용은 할머니가 쪼그리고 앉아 호미로 땅을 고르고, 다시 호미로 고랑을 만들었다는 것을 알았다. 밭에 도착한 철용은 호미로 점례 할머니가 한 것처럼 쪼그려 앉아 땅을 골랐다. 그런데 1미터도 하기 전에 오금이 저렸고, 허벅지와 허리가 아팠고, 쪼그린 상태에서 앞으로 이동하다 보니 운동화 안으로 흙이 들어오고, 바지 여기저기에 흙이 묻었다. 오금이 너무 저려서 일어나려고 했다가 "어? 어?"하며 그만 앞으로 넘어졌다. 발바닥에서는 지렁이가 지나가는 것처럼 찌릿찌릿했고, 허리는 너무 아파서 두 손으로 땅만 잡고 있었다. 한참을 그렇게 있다가 일어나서 주머니에서 담배를 꺼내며 중얼거렸다.

"진짜 농사는 아무나 하는 게 아니구나. 괜히 한다고 했나?"

철용은 어제 삽으로 한 것보다 호미로 고랑을 만드는 것이 더 힘든 것 같았다. 그리고 아직도 밭의 절반에 절반만 삽과 호미로 씨름 중이었다. 철용은 담배를 다 피우고 다시 호미로 고랑을 만들기 시작했다. 한 고랑을 만들고 나서 스마트 폰으로 시간을 확인하니 오전 열 시가 넘었다. 아침 일곱 시에 나왔으니, 세 시간 동안 밭고랑 하나만 겨우 만든 것이다. 화가 나서 호미를 땅바닥에 집어 던지고 집으로 왔다. 그리고 냉장고에서 캔 맥주를 꺼내 벌컥벌컥 마셨다.

"내가 미쳤지, 진짜 미쳤어. 뭐 한다고 밭농사한다고 말해서 사서 고생하는지. 진짜 열 받네."

철용은 다 마신 캔 맥주를 찌그리고 다시 냉장고에서 맥주를 꺼내서 마셨다. 그래도 화가 가라앉지 않아 속이 부글부글했다. 다 마신 캔을 개수대에 던졌는데 개수대 턱에 맞고 부엌 바닥에 떨어졌다. 캔이 바닥에 떨어지며 내는 소리가 마치 자기를 놀리는 것 같았다.

"바보 같은 놈. 남한테는 아무 말도 못 하면서 나를 찌그리고 집어 던져서 골인도 못 시키는 병신 같은 놈."

철용은 부엌 바닥에 떨어진 캔을 발로 찼다. 캔은 싱크대 문에 부딪혔다가 튀어나오며 철용의 정강이를 강타했다.

"어이구, 내 다리."

캔은 데굴데굴 구르며 말하는 것 같았다.

"진짜, 바보 놈이네. 다시 차봐."

철용은 아픈 정강이를 만지며 캔을 보았다. 그리고 자기 자신이 한심하게 느껴져서 바닥에 드러누웠다. 천장에 걸린 형광등을 보며 자신이 왜 남들한테 싫은 소리를 못 하고 손해를 보는지 생각했다. 어른들이 어릴 때부터 군말 없다며 의젓하고 착하다고 해서 그런 것도 아니었다. 철용은 곰곰이 생각하는데, 자기도 모르게 잠이 들었다.

철용이 학교에서 수업받고 있는데, 교실 앞문이 열리며 담임이 들어왔다. 그리고 수학 선생님에게 양해를 구한 뒤에 철용에게 말했다.

"철용아! 가방을 챙겨서 빨리 병원에 가자."

철용은 가방을 챙기며 자기가 왜 병원에 가야 하는지 이유를 몰랐다. 점심도 잘 먹었고, 아픈 곳도 없었다. 담임을 따라 복도를 걷는데 담임이 걷던 속도를 늦추고 철용과 나란히 걸으며 말했다.

"철용아! 놀라지 말고 잘 들어."하며 담임이 걸음을 멈추고 철용의 얼굴을 쳐다보았다. 철용도 담임의 얼굴을 보았다. 담임 얼굴에는 수심이 가득했다.

"철용아! 부모님이 교통사고가 나서 병원에 계셔. 그런데……."

그다음부터는 담임이 뭐라고 말했는지 들리지 않았다. 머리와 가슴에서 "울면 안 돼. 절대 울면 안 돼" 하는 외침만 가득했다. 담임과 어떻게 병원에 왔는지 몰랐다. 시신 안치실에 들어가서 부모님의 얼굴을 확인하고, 장례식장에 앉아 있을 때까지 철용은 꿈을 꾼다고 생각했다. 저녁에 사람들이 와서 조문할 때 어떻게 하는지를 몰라서 어른들이 시키는 대로 했다. 절을 하라고 하면 하고, 밥을 먹으라면 먹고, 울라고 하면 울었다. 부모님을 하관할 때도 어른들이 시키는 대로 다 했다. 이유는 없었다. 어른들이 가르쳐 주는 것이 정석이라고 여겼고, 어른들의 눈 밖에 나면 그들이 "부모를 잡아먹은 놈이네." "부모도 없는 자식이네." 하는 그 소리를 듣는 것이 두렵고 무서워서 감정표현을 하지 않았다. 49재를 지날 때도 어른들이 시키는 대로 했다. 친척들은 그런 철용을 보고 "불쌍하다." "앞으로 어떻게 살 것이냐." "고등학교는 졸업해라." 하며 어깨를 다독여 주었을 때 "고맙습니다." "감사합니다."만 말했다. 그런데 외삼촌은 그런 철용을 다르게 보았다.

"너 이 자식! 부모 없다고 지랄 떨면 그날로 나한테 죽어. 하루에 세 번씩 나한테 꼭 전화해. 알았어."

철용은 외삼촌이 특전사 출신이라 더 무서웠다. 그리고 외삼촌은 술을 마시며 아버지를 개 패듯 팬 것이 생각나 작게 대답했다.

"네."

"이 새끼 봐라. 대답하면서 웃어. 애비 애미가 없으니, 이젠 네 세상이라 좋다. 이거지."

외삼촌은 철용에게 다가와 귀싸대기를 날렸다. 철용은 외삼촌의 무지막지한 싸대기 한 방에 쓰러졌다. 철용은 그제야 외삼촌이 술을 마셨다는 것을 알았다.

"이 새끼, 빨리 일어나지 못해."

"외삼촌! 제가 잘……."

철용은 더 이상 말을 할 수가 없었다. 외삼촌은 군대에서 배운 모든 기술을 사용해 때리기 시작한 것이다. 이날 이후로 어른들이 무서운 존재로 다가왔다.

"이 새끼가 어디서 말대꾸를 해. 네 부모가 너를 그렇게 가르쳤어. 아니면, 학교에서 어른에게 말대꾸하라고 가르쳤어. 너 같은 새끼를 위해 내가 그 험난하고 위험한 특수훈련을 받았다고 생각하니 내 청춘이 다 아깝다. 이 새끼야."

철용은 3주 동안 학교에 결석했다. 담임에게는 갑자기 부모님이 돌아가셔서 정신과 치료를 받는다고 문자를 보냈는데, 담임은 알았다는 답장만 보냈다.

철용은 매일 오전 7시, 오후 4시, 저녁 8시에 외삼촌에게 전화했다. 아침과 저녁은 집 전화로만 했다. 학교에 다니는 동안 친구들과 놀지도 못했고, 고등학교 졸업과 동시에 군에 입대했다. 제대한 후에 편의점에서 알바했다. 2년 동안 편의점과 식당에서 알바를 전전하다가 외삼촌한테 들켜서 죽지 않을 만큼만 맞았다. 외삼촌이 아는 지인이 사장으로 있는 지금의 회사에 취직했다. 회사에 입사했던 날 이정광이 철용의 후견인이었다. 그리고 집도 팔아서 개인용 숙소에서 지내며 회사와 숙소만 왔다 갔다만 했다. 지금도 외삼촌이 찾아오면 철용은 눈도 제대로 마주 보지 못하고, 거실 바닥에 있는 티끌 수만 세었다. 외삼촌에게 대답도 제대로 못 했다. 무서운 것도 있었지만, 어른이라 고분고분하게 말만 들었다. 이유는 어른들은 언제나 옳고 그름에 판단을 잘한다고 생각했기 때문이었다.

철용은 외삼촌이 찾아온 것 같아서 눈을 떴다. 거실 창에 비친 빛을 보니 가로등이었다. 어두컴컴한 부엌에서 일어나 전등 스위치를 켜려고 하는데 발에 차인 맥주 캔이 구르며 어둠 속 정적을 깨웠다.

"내가 밭일하고 잠깐 맥주를 마셨는데 잠이 들었구나. 농사일은 아무나 하는 게 아니구나. 에잇, 그냥 포기하자. 외삼촌이 알면 혼날 텐데."

철용은 전기밥솥에 밥을 안치고, 시장에서 사 온 밑반찬으로 저녁을 먹었다.

다음날, 회사에 출근해서 작업하고 있는데, 정광이 찾아왔다. 정광과 같이 직원 휴게실에 갔다. 휴게실에 도착해서 정광이 자판기에서 음료수를 뽑아달라며 작은 보자기에 싼 것을 주었다.

"혀, 형님, 이게 뭐예요?"

정광은 철용이 뽑아준 음료수를 받으며 말했다.

"주말에 정선 갔다가 왔는데 어머니가 호박씨를 준 거야. 준 거라기보다는 내가 가지고 왔다. 애호박, 단호박, 맷돌 호박씨가 섞였다고 어머니가 고르고 있지 않겠니. 그래서……. 하여튼, 네 생각이 나서 가지고 왔으니 지금 텃밭에 심으며 6월에는 따 먹을 수 있을 거다."

"이것을 어떻게 심는데요?"

정광은 철용을 빤히 보다가 그럴 수도 있겠구나, 라고 생각해 다시 말했다.

"호미로 땅을 조금 파서 서너 개씩 넣고 덮어. 살 놈은 싹을 틔우고 살 것이고, 죽을 놈은 들쥐 먹이가 되거나 썩겠지. 씨들이 섞여 있어도 지들이 알아서 호박을 맺을 거야. 여하튼, 드문드문 심어라."

"무…… 물과 거름 같은 것은…….."

정광이 철용의 말을 자르며 말했다.

"그냥 심으면 호박들이 알아서 자라고 열매도 맺으니까 걱정하지 마."

철용은 퇴근 후 정광이 준 호박씨를 들고 밭으로 갔다. 밭에 도착해서 어제 해 놓은 고랑에는 쌈과 다른 야채를 심기로 하고, 삽으로 엎어놓은 땅에는 호박을 심기로 했다. 철용은 호미를 들고 드문드문 심으라고 말한 것이 30cm를 말하는 것인지, 아니면 1m 간격을 말하는지를 몰라서 스마트 폰에서 정광의 전화번호를 찾아 터치했다. 신호가 세 번 울릴 때 정광이 전화를 받았다.

"왜, 철용아."

"정, 정광 형님! 드문드문 심으라고 한 것이 몇 cm를 말하는 거예요."

"참나. 그냥 서너 걸음 걷고, 심어. 모종을 해야 하는데……."

철용은 알았다고 대답한 후에 스마트 폰을 호주머니에 넣고 나서 호미로 땅을 조금 파고 호박씨 세 개를 잡았다가 너무 적은 것 같아서 다섯 개를 땅속에 넣었다. 그리고 세 걸음을 걷고 호미로 찍고 땅을 파 호박씨를 넣고 발로 살짝 밟아주었다. 밭에 전부 다 했는데도 호박씨는 많이 남아 있었다. 그래서 다른 밭에도 심을까 하다가 점례 할머니가 생각나서 밭으로 가 할머니가 아직 삽으로 땅을 엎지 않은 곳에 호박씨를 심었다. 그래도 남아서 숙소 근처 강둑에도 심었다. 철용은 호박씨를 다 심고 집에 와 샤워하고 저녁을 먹었는데, 이후로는 호박씨에 대한 모든 것을 잊어버렸다. 밭고랑에 채소를 심는다는 것도 깨끗하게 잊어버렸다.

초복을 지나 회사에서 작업하고 있는데 정광이 찾아왔다.

"철용아! 호박을 심었으면 최소한 나한테 먹어보라고 줘야 하는 것이 아니니."

"호, 호박이요?"

"그래, 호박. 너 완전히 쌩 까는 거야. 내가 4월에 줬잖아."

"아, 그 호박이 어떻게 되었는지 모르겠는데요. 심어놓고 한 번도 안 갔어요."

정광은 어이가 없어서 한마디 하려고 했다가 속 좁은 철용을 알기에 차분하게 웃으며 말했다.

"밭을 한다고 하고선 한 번 안 가면 어떻게 해. 퇴근 후에 가서 살펴보고 있으면 가지고 와라."

"예, 형, 형님!"

철용은 그동안 한 번도 밭에 가지 않았다고 생각하니, 이장이 뭐라고 할 것이 걱정이었다. 그리고 점례 할머니의 밭과 강둑에 심은 호박도 걱정이 되었다. 퇴근하자마자 걸어서 밭으로 갔다. 밭으로 뛰면서 호박이 많이 열려서 정광한테 한 상자 주고, 직원들에게도 나누어 주어야겠다고 생각하며 밭에 도착했다. 그런데 철용은 밭을 보고 기겁했다. 어디가 밭이고, 어디에 호박을 심었는지 알 수가 없을뿐더러, 호박을 심은 위치를 알더라도 풀숲 어딘가에 숨은 호박을 찾을 길이 보이지 않았다. 철용은 막막한 나머지 밭으로 들어갈 엄두가 나지 않았다. 그래서 터벅터벅 숙소로 걸어가다가 점례 할머니의 밭에도 심은 것이 생각나서 밭으로 갔다. 할머니 밭에 도착하니 밭은 각종 채소가 자라고 있었다. 고추, 고구마와 철용이가 심으려고 했던 쌈도 있었다. 철용은 울타리를 넘어가 자기가 심은 호박을 찾으려고 했는데, 그곳에는 열무가 자라고 있었다. 다른 곳에도 다른 작물이 자라고 있어서 할머니의 밭을 나와 숙소로 갔다. 숙소에 도착해서 어떻게 할 것인가 생각하다가 마을슈퍼에서 호박을 사서 정광에게 주기로 했다. 운동복으로 갈아입고 밖으로 나오다가 다세대주택에도 심은 것을 알고 강둑으로 갔다. 둑은 깔끔하게 잡초를 제거해서 호박을 찾을 줄 알았는데 그 어디에도 호박은커녕 호박 줄기조차도 보이지 않았다. 동네 슈퍼로 가는데 박병준 이장이 막대기로 풀숲을 헤치며 무엇인가를 찾고 있었다. 철용은 이장이 자기를 보기 전에 슈퍼로 뛰어가려고 하는데, 이장의 부르는 소리가 들렸다.

"어이, 이봐."

철용은 못 들은 척하며 뛰기 시작했다.

"거기, 백철용." 하며 이장이 철용의 이름을 크게 불렀다. 철용은 자기 이름을 부른 것에 뛰던 발걸음을 멈추고 이장을 향해 인사를 했다.

"안, 안녕하세요. 이장님."

"그래. 젊은 사람이 귀가 어두워서 어떻게 하려고 그래."

"네, 그게……. 죄송합니다."

"죄송은 무슨. 다른 게 아니고 예비군 훈련이 나왔어. 그래서……."

철용은 땅바닥을 내려다보며 이장의 말은 듣지 않고 밭에 대해서 어떻게 해명해야 할지만 생각했다. 그리고 고개를 들고 이장의 뒤편 산을 보며 말했다.

"회사가 바빠서 제가 밭을 자주 못 갔어요. 그래서 지금은 밭에 풀만……."

이장은 젊은 철용이 느닷없이 자기 말을 끊고 말해서 불쾌했지만, 철용의 말을 듣는데 철용이 뭔가를 오해하고 있는 것 같았다. 그래서 철용의 말을 제지하면 말했다.

"이봐. 내가 밭 때문에 그러는 게 아니야. 자네 예비군 훈련이 나왔다고. 그리고 밭일을 아무나 하는 게 아니야. 내가 자네를 무시해서 말하는 것이 아니라 밭일은 날씨도 봐야 하고, 그 계절에 무엇을 심고, 어떤 것을 수확해야 하는지 다 정해져 있는 거야. 자네가 놀리고 있는 밭을 한다고 했을 때 기대도 안 했지만, 하더라도 텃밭 정도로만 가꾸겠지, 생각했어. 마음에 담아 둘 필요 없어. 통지서는 내가 우편함에 넣어 놓을 게 날짜 확인해. 그리고 여기 이 호박이나 가지고 가서 먹어."

철용은 이장이 주는 호박 두 개를 받으며 고맙다는 말도 못 하고 고개만 끄덕거렸다. 철용은 숙소로 걸어가면서 이장이 막대기로 찾는 것이 호박이란 것을 알았다. 그리고 그런 철용과 이장을 점례 할머니가 지켜보고 있었다.

다음날, 철용은 퇴근해서 숙소 쓰레기장에서 주운 긴 쇠막대기를 들고 밭으로 갔다. 밭에 도착해서 박병준 이장이 한 것처럼 쇠막대기로 풀숲을 헤쳐 보았다. 여기저기를 헤쳐 보아도 호박은 없었다. 그래도 다행인 것은 호박 줄기는 있었다. 호박 줄기를 따라가니 꽃송이 몇 개가 피어 있었다. 철용은 풀숲을 헤치다가 주먹만한 호박이라도 나오기를 바랐지만, 호박을 누가 따 갔는지 한 개도 없었다.

"아니 호박이 어떻게 한 개도 없어. 누가 가져갔나, 아니면 산짐승이 먹었나."

철용은 밭을 이리저리 돌아다니며 호박을 찾았다. 막대기가 아니라 쇠막대기로 풀숲을 헤치다 보니 어깨하고 팔목이 아팠다. 이제 철용은 풀숲을 헤치는 것이 아니라 힘들어서 쇠막대기를 질질 끌고 이동하며 중얼거렸다.

"누가 훔쳐 간 것이 아니라 산짐승이 먹었네. 그러니깐 이렇게 없지. 그래서 점례 할머니가 밭에 울타리 친 것이구나."

철용은 화가 나서 쇠막대기를 들고 앞에 산짐승이 있는 것처럼 내려쳤다. 그런데 쇠막대기가 땅에 닿으면 "퍽" 하는 소리가 들렸다. 철용은 그 소리를 듣고 허리를 숙여서 보니 제법 큰 호박이 열려있었지만, 자기가 내려친 쇠막대기 끝이 호박에 꽂혀있었다. 박살 난 호박을 보고 얼마나 아까운 생각이 드는지 호박만 말없이 바라보았다. 그런데 호박의 생김새가 둥글고, 냄새도 단내가 났다. 철용이 알고 있는 호박은 길쭉하게 생겼는데 이 호박은 둥글게 생겨서 어떤 호박인지 인터넷으로 찾아보니 단호박이었다. 철용은 박살 난 단호박이 아까웠지만 그냥 버리고 다른 호박을 찾기 위해 쇠막대기로 풀숲을 조심조심 헤치며 이동했다. 몇 분 동안 풀숲을 헤지고 나서 철용의 손에는 호박 여섯 개가 들려있었다.

긴 호박 세 개, 단호박 두 개, 맷돌 호박 한 개.

철용은 호박을 들고 숙소로 와서 호박 요리를 어떻게 하는지 유튜브로 찾아서 요리했다. 그래서 저녁에는 호박으로 한 반찬으로 저녁을 먹었다.

다음날 철용은 애호박, 단호박, 맷돌 호박 한 개씩과 이장이 준 호박을 들고 출근해서 정광에게 주었다. 정광은 호박을 받으면서 맷돌 호박은 너무 푸르스름해서 먹을 수 없다며 버렸다. 철용은 정광이 버린 맷돌 호박이 아까워서 자기 반으로 가는 척하다가 다시 와 쓰레기통 옆에 있는 호박을 차에 실어 놓았다. 저녁에 퇴근해서 호박을 베란다 햇볕이 잘 드는 곳에 두었다. 며칠 후 밭에 가 호박을 찾았지만, 호박은 없었다. 오히려 철용이 호박을 찾는다며 풀숲을 헤치다가 줄기가 잘리거나 꽃이 맞아서 떨어졌다. 철용은 밭에서 더 이상 호박 찾는 것을 포기했다.

여름도 지나고 가을바람이 불기 시작하는 어느 일요일 날.

숙소 근처를 산책하는 철용을 점례 할머니가 불러 세웠다.

"이봐, 총각!"

철용은 할머니가 자기를 부르는지 아니면 다른 사람을 부르는지 몰라서 주변을 둘러보았다.

"아이고, 다른 사람이 아니고 총각이여."

"네? 저, 저를 왜 부르세요."

그 순간 점례 할머니는 철용을 빤히 쳐다보았다. 철용은 할머니가 눈이 빠질 정도 자기를 쳐다보아서 어찌할 바를 몰랐다. 철용은 쥐구멍이라도 있으면 숨고 싶었고, 5m 앞에 있는 은행나무로 뛰어가서 뒤에라도 숨고 싶었다. 쩔쩔매는 철용을 보며 할머니가 말했다.

"나한테 무슨 죄지은 사람처럼 그렇게 안절부절못하는겨. 총각이 영 매가리가 없어."

"네, 저, 저 그게 그, 그러니까⋯⋯."

철용은 말을 더 더듬더듬하며 아니라고 할머니한테 죄지은 것이 없다고 말하고 싶었지만, 어른들 앞에만 서면 머릿속이 하얘져서 생각이 정리되지 않았다. 그리고 어떤 말을 어떻게 해야 어른들이 속상하지 않을지 그 생각뿐이었다.

"성격이 우유부단하구먼. 젊은이가 호박 심은 밭에 늙은 호박이 많아. 그거 어떻게 할 생각이야."

"네? 호, 호박이요? 그러니까 그것을 수, 수확해서 집에, 아니 숙소에 두, 두……둘 거예요."

"그려. 난 버리는 것인가 해서. 그리고 봄에 밭에다 그렇게 호박을 심으면 어떻게 해."

철용은 할머니가 자기 밭에 호박을 심은 것을 알고 있었구나, 하며 말했다.

"죄, 죄송합니다. 제가 호, 호박씨가 너무 많아서 그만. 죄……죄송합니다."

"죄송은 무슨. 내가 총각 밭에 있는 호박을 다시 모종한 거야. 호박은 모종해서 심는 거야."

점례 할머니는 그 말을 하고 자기 집 쪽으로 갔다. 철용도 할머니가 집으로 올라가는 것을 보고 밭으로 갔다. 밭에 도착해서 보니 밭 여기저기에 호박들이 "철용 씨, 나 빨리 따 가세요." 하듯이 노란색을 뽐내고 있었다. 철용은 호박이 몇 개인지 세어보았다.

"하나, 둘…… 저기 열다섯, 저쪽에 열여섯. 그리고 이것은 세었고, 둑에 열일곱. 진짜 많다. 그런데 여름에는 내가 왜 못 찾았지? 크기도 엄청나게 크다."

철용은 밭 가운데서 서서 호박들이 있는 자리를 보았다. 누가 호박을 옮기지 않았다면 지금 있는 자리가 그 자리일 것이다. 철용은 어떻게 호박들이 풀숲에 꼭꼭 숨어 있었는지 그저 신기할 따름이었다. 그리고 작지만, 아직도 푸른 호박들이 많이 열려있었다. 철용은 호박을 따서 길가 밭둑에 옮겨 놓았다. 몇 번을 호박을 들고 왔다 갔다하다 보니, 등허리는 땀으로 젖었고, 얼굴에도 땀이 흘러내렸다. 호박 전부를 밭둑에 쌓아놓고 숙소로 갔다. 방에서 차 열쇠를 가지고 내려와서 차를 운전해 밭으로 갔다. 밭둑에 차를 주차하고 호박을 차에 실었다. 숙소에 도착해서 2층까지 호박 두 개씩을 들고 날랐다. 맷돌 호박은 보기보다 무거워서 하나씩 날랐다. 호박을 나르고 있는데 3층에서 내려오던 아주머니가 철용이 들고 있는 호박을 쳐다보며 혼잣말하며 내려갔다.

"저 파란 호박은 찬바람을 맞아서 이젠 해 먹지도 못하는데 왜 따왔지?"

철용은 현관문이 닫히고 베란다에 호박을 놓으며 말했다.

"남이야 파란 호박을 따오든 검은 호박을 따오든 무슨 상관이야."

철용은 호박을 모두 옮겨 놓고 흐뭇하게 바라보았다. 그리고 여름에 따던 맷돌 호박이 썩어서 버린 것이 아까웠다. 철용은 게임도 하지 않고, 텔레비전도 보지 않고 오직 호박만 바라보며 깊어져 가는 가을밤 귀뚜라미 소리에 처음으로 행복하다는 것을 느꼈다. 부모님이 돌아가신 뒤 한 번도 행복하다가 느낀 적이 없었다. 그런데 철용, 자기가 아무렇게나 심었고, 관리도 하지 않았고, 김매기를 한 번도 해 주지 않았는데 호박들은 잘 자랐고, 모양과 색깔이 노란 은행잎처럼 아름답고 예뻤다.

월요일에 회사에 출근해 정광을 찾아갔다.

"저······. 정, 정광 형님."

"어? 왜. 무슨 일이 있어?"

철용은 어디서부터 말해야 할지 생각하다가 불쑥 말이 튀어나와 버렸다.

"노란 호박이 많은데 어떻게 해요?"

"노란 호박?"

철용은 자기 말해놓고 자기가 놀라서 입을 손으로 막으며 생각했다.

'내가 아침에 호박을 일일이 만져가며 쓰다듬다 보니 말이 헛나왔네. 이를 어쩌지? 형님이 나한테 바보라고 화를 내지 않을까.'

입을 막은 철용을 보며 정광이 말했다.

"그 늙은 호박으로 호박즙을 짜. 그리고 나도 한 상자 주고."

"호, 호박즙이요?"

"그래. 호박즙. 호박이 사람한테 좋거든. 여자가 애를 낳고 늙은 호박을 달여서 먹으면 부기도 금방 빠져."

"네. 그런데 파란 호박도 즙으로 짜나요?"

"파란 호박? 그 호박은 사용할 수 없어. 찬바람도 맞아서 속은 썩었을 거야. 호박 뿌리가 자기의 번식을 위해 계속해서 열매를 맺은 거야. 그런데 호박이 익어가면서 영양분을 전부 가져가거든. 그 푸른 호박은 더 이상 호박이라기보다는 그냥 밭에 거름으로 써야 하는 거야."

"네에. 정광 형님, 고맙습니다."

철용은 점심시간에 인터넷으로 검색해서 호박을 건강원에 맡기면 호박즙을 해준다는 것을 알고 읍내에 건강원을 검색해 호박즙을 하기로 했다.

토요일 아침에 차에 호박을 싣고, '힘찬 건강원'으로 갔다. 건강원에 도착해서 사장에게 호박즙을 만들 수 있는지 물으니, 사장이 차에 실린 호박을 보더니 말했다.

"와, 호박이 많네. 늙은 호박에, 단호박, 맷돌 호박. 이거 전부 할 거지?"

"네에. 모, 모두 어……얼마예요?"

"호박이 이 정도면 가마솥으로 해서 세 솥이니까. 이십만 원."

"카, 카드도 괜찮죠?"

"당근이지." 하며 사장이 철용의 카드를 건네받았다. 사장이 카드로 결제하려고 하는데 소파에 앉아 있던 할머니가 말했다.

"세 솥? 세 솥이면 십오만 원 아녀. 국 사장이 계산을 잘못했네."

철용이 그 말을 한 할머니를 보니, 점례 할머니였다. 점례 할머니가 이어 말했다.

"국 사장. 거기에 내가 가지고 온 말린 백도라지도 넣어. 내가 저 총각을 잘 알아."

점례 할머니가 철용을 안다고 하니, 건강원 사장이 할머니를 보고 철용을 쳐다보았다. 마치 네가 이 할머니를 어떻게 아느냐, 식으로.

할머니가 다시 말했다.

"내가 저 총각의 호박을 모종해 주었어. 그리고 우리 아랫집에 살아."

"네에."라고 건강원 사장이 놀란 듯 대답했다. 철용은 할머니와 사장의 대화에 껴들지 못하고 차에서 호박을 내려 건강원 수돗가에 갔다가 놓았다. 사장은 카드 결제를 끝내고 영수증을 철용에게 주며 말했다.

"여기 카드하고 영수증. 십오만 원으로 계산했어."

철용은 카드와 영수증을 받으며 "네"라고 대답하고 호주머니 넣었다. 점례 할머니가 일어나며 말했다.

"화요일에 이 총각이 가지러 오면 되지?"

"월요일이면 다 끝나요. 숙모님, 살펴 가세요. 자네는 월요일에 가지러 오고."

"그려, 수고혀. 총각은 나 집까지 태워줄 수 있지?"

철용은 점례 할머니가 태워 달라는 말에 대답도 못 하고 조수석 뒷문을 열었다. 철용은 할머니를 안전하게 모시기 위해 차의 속도를 60km를 넘지 않게 조심하며 운전했다. 서로가 한참을 말없이 가던 중에 점례 할머니가 말했다.

"총각은 좋아하는 여자가 있는가?"

철용은 느닷없이 할머니가 좋아하는 여자가 있냐고 물어서 잘못하면 브레이크를 밟을 뻔했다. 철용은 어떻게 대답해야 하는지 망설이는 동안 다시 할머니가 다시 말했다.

"무슨 남자가 그렇게 소갈머리가 없어. 당당하게 말하면 누가 잡아먹는 디야."

철용은 할머니가 지청구해서 더 대답하지 못했다.

"아니, 왜 대답을 못 해. 내가 총각하고 연애하자고 할까 봐 그려서 그려."

할머니 말에 철용은 "푸푸" 웃음을 참다가 그만 "하하하" 하고 웃었다. 그 웃음이 어찌나 크고 해맑게 웃는지 할머니도 머쓱한 얼굴로 웃었다.

"아…… 아니, 할머니. 하하하. 저 없어요. 하하하."

"그려. 그럼, 저 앞에 차 세워봐."

철용은 할머니가 도롯가에 차를 세우라고 말해서 룸미러로 보는데 할머니가 다시 손짓으로 차를 세우라고 했다. 철용이 도롯가에 차를 주차하고, 할머니를 보았다. 할머니는 철용에게 손을 내밀며 말했다.

"총각 거 핸드폰 줘봐."

"네에?"

"아녀, 주지 말고 내가 불러주는 번호로 전화해서 나 바꿔줘."

철용은 할머니가 불러준 번호로 전화해 연결 신호음을 듣고 할머니에게 건네주었다. 할머니는 핸드폰을 받아 귀에 대고 있다가 상대방이 전화를 받았는지 말했다.

"민서냐? 시골 할미다."

"……"

"그려, 니도. 아빠, 엄마도 잘 지내지?"

할머니는 민서라는 손녀와 일상적인 대화를 하더니 갑자기 철용의 이야기를 했다.

"내가 어수룩한 총각하고 같이 차에 타고 있다. 근데 이 총각이 여자가 없다고 혀. 네가 사겨 봐. 잉, 착실하기는 혀."

철용이 룸미러로 점례 할머니를 보는데 할머니는 차창 밖으로 수확이 끝난 논을 보며 다시 말했다.

"내일 오면 안 되겠냐." "놀러 간다고." "다음 토요일에 온다고,

그려." 말하고 핸드폰을 철용에게 건네주었다. 철용은 핸드폰을 받아서 "네" "네, 토요일에요."라고 대답하고 전화를 끊었다. 할머니는 손짓으로 차를 출발하라며 차창만 보았다. 철용은 왜 할머니가 자기에게 손녀를 소개해 주려고 하는지 이유를 묻고 싶었지만, 말문이 열리지 않아 운전만 했다. 할머니 댁에 도착해 마당에 주차하고, 할머니가 내릴 수 있게 차 문을 열어주었다. 할머니가 내리며 따라오라고 했다. 철용이 할머니를 따라가니 창고 문을 열며 말했다.

"3년 전에 돌아가신 우리 영감이 쓰던 건디, 내가 할 줄을 몰라. 내일 총각이 우리 밭에 해 줄 수 있어. 그래야, 내가 마늘과 양파를 모종해."

철용은 할머니에게 고개를 끄덕였다. 할머니가 이어 말했다.

"민서는 대가 드세. 총각한테는 그런 여자가 제일이야. 그리고 동네 이장이 총각 나이가 25살이라고 해서 내가 조금 알아봤네. 부모 없이도 잘 컸더구먼. 총각이 너무 우유부단해서 내 손녀 같은 여자가 좋아."

"네? 네."

"민서가 어릴 때부터 할미가 말한 준 사람과 사귄다고 했어. 추석에 왔으면 좋았겠지만, 근무라 못 왔지. 여하튼 내 손녀딸 민서한테 잘 해줘."

철용은 차를 운전해 숙소로 왔다. 스마트 폰으로 밭갈이용 소형 트랙터를 검색해 여러 번 보고, 일요일 아침에 소형 트랙터를 운전해 할머니의 밭과 철용이 하기로 했던 밭을 로터리를 쳤다. 그리고 철용은 할머니 댁에 밭고랑 만드는 농기계도 있다는 것을 알고 유튜브로 검색해 작동법도 익혔다. 저녁에는 할머니 댁에서 같이 저녁을 먹으며 밭에 검은 비닐을 씌워야 한다는 것도 알았다.

월요일에 회사를 조퇴하고 호박즙을 찾아 외삼촌에게 택배로 두 상자를 보냈고, 점례 할머니 댁에도 두 상자를 드렸다. 그래도 여덟 상자가 남아서 박병준 이장과 이정광에게 한 상자씩을 주었다. 세 상자는 철용이 근무하는 설비 반에서도 먹을 수 있도록 줬다. 동료들은 철용에게 고맙다며 어깨를 두드려 주었을 때 이것이 나눔의 기쁨이라는 것을 알았다. 그리고 수요일 날 저녁에 외삼촌에게 문자가 왔다. 철용은 그 문자를 보는 순간 눈에서 눈물이 볼을 타고 주룩주룩 흘러내렸다.

"철용아, 네가 보내준 호박즙 잘 받았다. 첫 농사치고는 잘한 것 같다. 힘내고, 힘들면 언제든지 연락해서 삼촌과 소주 한잔하자. 이렇게까지 신경을 써주어 정말 고맙다."

철용은 "정말 고맙다."라는 글자를 몇 번이나 소리 내어 읽었다. 그리고 토요일에 점례 할머니의 손녀인 국민서를 만날 때 어떤 옷을 입고 나갈지 고르는데, 창밖에서 불어오는 바람 속에 어디선가 만개한 장미꽃잎 하나가 방안에 살포시 내려앉았다.

마지막 급식

　아침부터 내리기 시작한 비는 오후가 되면서 그쳤다. 오기창은 읍내 농협에 가서 고추 탄저병과 마늘밭에 뿌릴 요소 비료를 사기 위해 트럭을 운전해 출발했다. 마을 정자에 김 노인이 읍내로 나가려는지 차를 기다리고 있었다.

　"어디 가시려고요?"

　"응, 우체국에서 이놈을 택배로 보내려고."

　기창이 보니 노끈으로 라면상자를 칭칭 동여매어져 있었다. 기창이 조수석에 상자를 실으며 말했다.

"누구한테 보내시려고요?"

"잉, 서울 성일한테. 걔가 아프다고 해서 오가피나무여. 나도 같이 가자고."

"어르신은 집에 계세요. 제가 보낼게요."

"수고스럽게. 그럼, 여기 돈."

기창이 돈을 받아 세어보니 삼만 원이었다.

"택배는 만 원도 안 해요. 그리고 이장 수당으로 하면 되는데."

"읍내까지 기름값 포함이여."

기창이 택배비 오천 원만 받고, 김 노인에게는 집에 들어가라며 농협으로 출발했다. 농협에서 탄저병 약과 요소 비료 세 포대를 사고 우체국으로 갔다. 우체국에서 택배를 보내려고 하는데 상자에는 주소가 적혀 있지 않았다. 기창은 김 노인에게 전화하려다 휴대전화기에서 김성일을 찾아 전화했다.

"기창이 형이 웬일로. 혹시, 우리 집에 무슨 생겼어요?"

"아니. 다른 게 아니고, 네 아버지가 너 아프다며 오가피나무를 택배로 보낸다고 했는데 주소를 안 적었다. 내가 적을 테니 주소 불러봐."

"오가피나무? 그거 식당에서 쓰려고 한 것인데. 아버지가 잘못 알고 있었네."

우체국을 나와 집에 가려고 트럭에 오르는데, 전화가 울렸다. 화면을 확인하니, 딸 지은이었다.

"아이고, 우리 토끼가 웬일이야."

"나 학교 끝났어. 데리러 와." 하며 지은이 전화를 끊었다. 기창은 끊어진 전화를 보며 혼잣말했다.

"아니, 지 말만 하고 전화를 끊어. 이러니 맨날 무서운 여자한테 혼나지."

기창이 현방초등학교 주차장에 도착했다. 교문으로 한 학생이 나오는 것을 보는 데 전화가 다시 울렸다.

"아빠, 어디야?"

"학교!"

대답 없이 또 전화가 끊겼다. 휴대전화기를 조수석에 던져 놓았는데 다시 전화가 울렸다. 화면을 보니 "무서운 여자"였다. 기창이 목소리를 가다듬고 말했다.

"무서운, 아니 여보 왜?"

"야, 너 어디야? 나간 지가 언제인데 아직도 안 들어와. 너 술 마시니?"

기창은 열받아서 귀에서 수화기를 떼었는데도 무서운 여자는 계속해서 잔소리하고 있었다. 기창은 허리를 숙여 글로브박스를 열고 그 안에 전화기를 넣어버렸다. 그리고 소리 나지 않도록 글로브박스를 살짝 힘주어 닫았다.

기창이 교문을 보니 지은이 손을 흔들며 나왔다. 차에 탄 지은이가 노래를 듣는지 흥얼거리며 몸을 흔들었다. 기창이 그 모습을 흐뭇하게 보며 말했다.

"학교에서 좋은 일이 있었나 봐."

"아니, 나쁜 일만 있었는데."

기창은 지은이가 학교에서 나쁜 일만 있었다고 해 차를 길가에 세웠다. 지은이 뚱한 표정으로 기창을 보는데, 지은이 전화가 울렸다.

"엉, 엄마. 아빠하고 같이 있는데. 글로브박스?" 하며 지은이 글로브박스를 열었다. "안에 있는데. 알았어. 그대로 말할게." 하며 전화를 끊었다. 그리고 전화기를 기창에게 건네주며 말했다.

"'너 한 번만 더 내 전화 씹으며 죽는다.'라고 엄마가 전해라. 그리고 '글로브박스에 전화기를 또 넣으며 그날부로 밥도 없어.'라고도 전해라."

"참나, 딸 교육 잘한다. 그런데, 글로브박스에 있는 걸 어떻게 알았을까."

"그것도 엄마가 말했어. '네 차 블랙박스로 다 보고 있다.'라고."

"뭐?"하며 기창은 앞과 뒤에 블랙박스를 보았다. 그리고 앞유리창에 붙은 블랙박스를 자세히 살펴보았다.

"아빠, 지금 뭐 해?"

"엄마가 여기에다가 몰카를 설치했나 찾는 거야. 요즘 몰카는 바늘구멍만 해도 다 촬영할 수 있다고 했거든."

"아빠는 바보야. 엄마가 농담한 거라고. 그리고 차에는 글로브박스, 집에서는 냉장고 안에. 나도 아는 것을 엄마가 모르겠어. 엄마가 전화로 잔소리하면 아빠는 이런 데 숨기잖아."

기창은 "그렇구나."라고 말한 후 트럭을 운전해 창고 앞에 주차하고 내리려고 하는데 지은이가 말했다.

"내일 4학년 동생하고, 1학년 동생이 이사 간데. 그러면 1학년은 아무도 없어서 2, 3, 4학년이 같이 수업한 데. 그래서 이세범 선생님은 다른 곳으로 가. 교장 선생님은 지난주에 가셨고. 우리 6학년은 어떻게 할지 잘 모르겠데."

지은은 그 말을 하고 집으로 들어갔다. 기창은 멍하니 앉아 있다가 트럭 짐칸에 실려 있는 것을 창고로 옮겼다. 그리고 고추밭에 탄저병 소독을 해야 하는지 아니면 학교로 가서 자세한 내막을 더 들어야 하는지 결정을 내리지 못했다. 창고 문을 잡고 이 생각 저 생각하고 있는데 대문 쪽에서 목소리가 들렸다.

"다음 주까지는 비 소식이 없어. 얼른 소독해."

기창이 보니 무서운 여자, 아니 아내 최은경이 쳐다보고 있었다. 기창은 놀라서 잽싸게 창고에서 농약 분무기를 꺼내 물과 탄저병 약을 섞어서 밭으로 가 고추를 소독했다. 기창은 소독을 끝내고 내일 학교에 가서 더 알아보기로 했다.

다음 날 아침에 기창은 현방초등학교로 갔다. 가면서 지은에게 물었지만, 더 이상 학교에 대해 모른다고 했다. 트럭을 주차하고, 지은이는 6학년 교실에 갔다. 기창은 교무실 앞에서 자기가 입은 옷을 살펴보고 나서 노크를 세 번 했다. 그리고 문을 열며 안으로 들어갔다. 기창은 교무실 안을 보는 순간, 말문이 막혀버렸다. 기창이 알고 있는 교무실은 선생님들이 수업 준비로 언제나 분주했고, 책상과 책꽂이에는 언제나 책들이 꽂혀있었다. 그러나 지금 교무실에는 여자 선생님 두 명만 의자에 앉아 있었다. 책상은 사람의 손길이 한 번도 닿지 않았는지 뿌옇게 먼지가 쌓였고, 책꽂이는 텅 비어 있었다. 칠판도 행사를 알리는 그 어떤 것도 적혀 있지 않았고, 연도가 2024년이 아닌 2022년으로 되어 있었다.

기창을 본 선생님이 일어나며 말했다.

"누굴 찾아오셨는데요?"

"네에. 저 그게 6학년 학부모……."

기창이 막 대답하려고 하는데 교무실 문이 열리며 누가 들어왔다. 들어오던 남자가 말했다.

"기창이 네가 웬일이냐?"

"철남이 형, 오래간만이네."

철남이 선생님에게 서류철을 건네주더니 기창을 데리고 나와 창고로 갔다.

"웬일이냐고."

"교장이나 교감을 만나려고 왔지요?"

철남은 기창에게는 6년 선배다. 기창이 25회였고, 철남이 19회였다. 기창의 아버지가 현방초등학교 1회 졸업생이었다. 그리고 철남은 현방초등학교 주사로 근무하고 있었다.

기창의 말을 들은 철남이 말했다.

"교장 선생님은 지난주에 청솔초등학교로 부임했고, 교감 선생님은 도 교육청에 갔어."

"도 교육청? 거긴 무슨 일로요."

철남이 한숨을 쉬었다. 교감이 도 교육청에 간 것은 급식 때문이었다. 현방초등학교는 전교생이 15명이다. 그래서 현방초등학교는 급식실에서 일하는 사람이 없었고, 대신 신정초등학교에서 급식을 받아와 아이들에게 주었다. 그런데 급식을 배달하는 사람이 기름값이 올라서 더 이상 배달을 안 하겠다며 배달비 십만 원을 요구했다. 교감이 배달 기사를 겨우 달래서 오늘은 되겠지만, 내일은 장담할 수가 없어서 시 교육청에 말했더니, 도 교육청에 문의하라며 서로가 핑퐁 게임을 해 오늘은 출근하지 않고 도 교육청에 갔다고 했다.

"아니, 애들 먹는 것으로 가지고. 형, 내가 내일부터 공짜로 해. 그 기름값이 얼마나 된다고."

"야, 기름값도 문제지만, 애들이 없어서 더 문제여. 오늘 두 명이 전학 가고, 계속 전학 간데. 그래서 이달 말……."

"나도 딸한테 들었어. 이번에 졸업하면 폐교한다며. 진짜 열 받네. 지금 읍내에 가서 시의원한테 따질 거야."

기창은 학교 화단 길을 걷다가 운동장을 보았다. 매주 월요일에 전교생이 운동장에 모여 조회했던 곳은 더 이상 운동장이 아니었다. 푸른 것은 잔디가 아니라 풀이었고, 풀은 영역을 넓혀가며 자라고 있었다. 축구 골대의 그물은 찢어졌고, 운동기구는 흰 페인트가 벗겨져 누렇게 녹슬고 있었다. 5년 전에 총동문회에서 체육대회 때 그늘막을 설치하기 위해 심었던 덩굴은 사람의 손이 닿지 않아서 제멋대로 자라고 있었다. 5년 전만 해도 이 운동장에서 총동문 체육대회를 했었고, 6학년 학생들에게 장학금도 주었다. 총동문 체육대회가 열리던 날, 하늘에는 가을 운동회처럼 만국기가 펄럭였다. 기수마다 음식을 해 와서 서로 나누어 먹으며 화합을 다졌던 것이 생각나 기창에게 운동장은 체조하고, 축구하고, 달리기만 하는 장소가 아니라 선후배가 다 함께 어울리는 만남의 장소였다.

기창은 초등학교 동창생 김건종이 하는 현방 간판 가게로 갔다. 현방 가게 앞에 주차하고 문을 열고 들어가니 건종은 한참 현수막을 인쇄하고 있었다. 건종은 기창이 들어오는 것을 보고도 현수막 색상 때문에 정신이 없었다. 기창이 얼핏 보기에 글자, 로고 색상에 문제가 없어 보였다. 건종은 인쇄가 끝난 현수막을 펼쳐보더니 과감하게 찢어버렸다. 그리고 컴퓨터 앞에 앉아 화면을 확대해 꼼꼼히 살폈다. 기창은 건종에게 말을 걸고 싶었지만, 화면만 쳐다보며 말도 걸지 않는 것이 서운했다. 소파에 앉으려 하다가 나가야 하는지 아니면 여기에 더 머물러 있다가 모교 이야기를 해야 하는지 망설였다. 그때 "자판기에서 커피나 가지고 와."라고 건종이 말했다. "어? 그래." 하며 기창이 커피를 뽑기 위해 출입문 근처로 가는데 다시 건종이 말했다.

"아침 댓바람부터 무슨 일로 왔냐."

"어? 그냥." 하며 기창은 커피 한 잔을 건종에게 건네주었다. 건종은 종이컵을 받으며 기창을 올려다보았다. 기창은 어깨를 으쓱하며 살짝 웃었다. 건종은 커피 한 모금 마시고 말했다.

"네가 여기에 오며 항상 네 주변에 무슨 일이 생긴 거야."

"없어. 그냥……."

건종이 기창의 말을 자르며 말했다.

"내가 너를 모르겠냐. 빨리 말해."

기창은 소파에 앉으며 건종을 보았다. 건종은 초등학교 25회 회장이다. 5년 동안 회장을 하면서 동창회비에서 삼십만 원과 별도로 백만 원씩 매년 후원하고 있었다. 장학금도 건종 이름으로 한 것이 아니라 25회로 했던 것을 작년에야 알았다. 총무인 이미연도 몰랐던 것을 연말 결산할 때 친구 채봉암이 말해서 알게 된 것이다.

"건종아, 초등학교가 내년에 폐교한다고 해. 그래서 우리가 나서서 전학……."

건종은 기창의 이야기를 듣지도 않고 돌아앉으며 말했다.

"미친놈, 쓸데없는 소리하고 있네. 배고프면 식당에 가서 밥이나 먹어."

기창은 어이가 없어서 건종의 등만 보았다. 건종은 화면에서 잘 못된 곳을 찾았는지 일어나 인쇄되는 현수막을 보았다. 현수막이 잘 되었는지 고개를 끄덕이며 말했다. 기창은 건종의 이야기를 듣고 충격을 받아서 멍하니 앉아 있었다.

건종의 말에 의하면 총동문회에서 모교로 학생 보내기 운동을 했다고 한다. 건종도 나서서 자기 아들을 현방 초등학교로 보내려고 했지만, 시골로 다니기 싫다며 울고불고 난리가 아니었다고 한다. 시내에 사는 선후배와 여자 동창에게도 말했지만, 모두가 혀를 내둘러서 말도 꺼내지 못했다. 결국 총동문회에서는 모든 졸업생에게 교복과 장학금 오십만 원씩 지급한다고 했지만, 전학을 온학생은 한 명도 없었다. 오히려 시내로 나오는 학생만 더 늘었다고 한다. 그래서 강동연 총회장이 직접 나서서 사람들에게 현방초등학교로 전학을 오면 중고등학교 장학금 지급과 대학교에 진학하면 전액 지원한다고 했지만, 그 누구도 문의가 없었다고 한다.

"너 아직도 모르냐. 마을에서 애 우는 소리 들어 봤냐고. 몇 년 동안 없었잖아. 내년에 입학하는 학생도 없어. 아니 앞으로 주욱 없다고 하더라. 우리도 어떻게 해서든 폐교를 막으려고 했어. 우리 시의원 채봉암도 시에 지원 요구했고, 교육부 소속 국회의원들 만나서 말했지만, 어렵다고 했어. 그러니……."

"이미연도 딸이 초등학교 3학년이잖아."

"야, 인마. 미연이라고 안 했겠어. 애가 싫다고 하는데 어떻게 해. 걔네도 그 일로 부부싸움도 했어."

"……?"

"어제 철남 형을 만났는데……."

"나한테 너 만났다는 말은 없었는데."

건종이 저녁에 현수막을 걸고 있는데 지나가던 철남이 도와주었다고 한다. 건종도 현수막 일도 끝나고 해서 같이 식당에 들어가 저녁 겸해서 소주를 마셨다. 둘이 한국의 정치, 경제 이야기하다가 철남이 학교에서 한 달 전에 보낸 가정통신문 결과로 이번 달에 학교를 닫을 수 있다고 했다. 건종은 들고 있던 소주잔을 내려놓고 철남을 보는데 철남은 자기도 학교를 닫으면 퇴직할 것이라 했다. 그리고 민원을 미리 잠재우기 위해 먼저 현방초등학교 출신인 교장을 다른 곳에 보냈다고 했다.

"철남 형이……."

"그런데 무슨 가정통신문을 말하는 거야"

"난 모르지. 하여튼 네 딸 졸업은……."

"지은이가 6학년이야. 그리고 난 그 통지문을……."하며 뛰어나갔다. 하던 말도 끝마치지 못하고 나간 기창을 보며 철남이 중얼거렸다.

"저 자식은 무슨 말도 못 하게 해. 기창이 딸이 6학년이었구나. 미연한테 말해서 미리 장학금 준비하자고 해야 하나."

기창은 가정통신문이라고 들었을 때 짐작 가는 것이 있었다. 한 달 전 그날 술에 취한 기창에게 지은이가 봉투를 주었다. 기창은 게슴츠레한 눈으로 지은을 보니, 사인해서 반드시 봉하고 내일까지 제출해야 한다고 했다. 기창은 봉투보다 지은에게 장난치고 싶어서 일어나 잡으려고 했다. 지은은 그럴 줄 알았다며 주방으로 도망쳤다. 기창은 비틀거리며 주방에 있는 지은에게로 가는데, 주방에 있던 은경이 국자를 높이 쳐들며 말했다.

"너 나한테 얻어터지기 전에 들어가 자라."

기창은 은경이 들고 있는 국자를 보니 지난번에 국자로 얻어맞은 것이 생각나 안방으로 조용히 들어갔다.

"아, 그날 그 봉투가 설문지였구나. 설마 무서운 여자가 폐교에 사인한 거야. 야, 은경아! 너 진짜 나한테 왜 그러냐." 하며 운전대를 세게 쳤다. 트럭을 창고 앞에 주차하고 대문을 활짝 열고 뛰어 들어갔다. 현관문도 활짝 열고 들어가 소파에 앉아 있는 은경의 표정을 보는 순간 겁나기 시작했다. 화난 은경이 일어나며 말했다.

"야, 너 여자 있니?"

기창은 "아니, 없는데요."라고 대답했다. 은경이 검지로 기창을 부르며 말했다.

"지은이 데려다주고 와도 열 번은 넘게 갔다 왔어. 너 지금 나한테 불만 있니?"

"호주머니에 담배도 있는데요."라고 대답과 동시에 신발을 신고 현관 밖으로 도망쳤다.

기창은 현방초등학교를 졸업했고, 은경은 미래초등학교를 졸업했다. 기창이 신정중학교에 입학하던 날, 담임이 생일이 아닌 자기가 앉고 싶은 자리에 앉으면 1학기 동안 그 자리가 자기의 자리라고 했다. 기창은 여학생보다 남학생 한 명이 더 많아서 반 친구들이 다 앉은 다음에 앉으면 1학기 내내 짝꿍이 없어서 좋겠다며 천천히 움직였다. 친구들이 다 앉은 것을 보고, 쓰레기통 앞에 빈자리를 보고 웃으며 그 자리로 가 앉았다. 그런데 기창이 앉자마자 여학생도 옆자리에 앉았다. 기창이 여학생을 보는데 왜 쳐다봐, 하며 눈을 흘겼다.

"저 앞에도 한 자리가 비었는데……."

기창은 더 이상 말을 할 수가 없었다. 여학생이 주먹으로 기창의 옆구리를 가격한 것이다. 기창은 숨을 제대로 쉴 수도 없는데 여학생의 목소리만 겨우 들렸다.

"너 이 새끼! 앞으로 한 번만 더 나한테 이죽대고 빈죽거리면 죽는다."

그 말과 동시에 여학생이 손날로 기창의 목을 가격했다. 기창은 정신이 아찔해서 비명도 제대로 지를 수가 없었다. 기창은 옆구리와 목을 만지며 담임을 보았지만, 담임은 반장과 부반장을 뽑아야 한다며 하고 싶은 사람은 손을 들라고 했다.

"야, 인마! 너 손 들어."

기창은 갑자기 맞은 것도 억울한데 반장을 하라는 말을 듣고 화가 나서 말했다.

"내가 웬만하며 여자한테 주먹을……."

기창이 정신을 차리니, 담임은 모든 것을 끝내 교실을 막 나가고 있었다. 기창은 자기가 왜 기절했는지 몰랐다가 여학생을 보고 알았다. 여학생을 보고 안 것이 아니라 머리가 깨질 듯 아파서 맞았다는 것을 알았다. 기창은 화가 나서 크게 말했다.

"진짜, 이 계집애가……."

기창은 더 이상 말을 할 수가 없었다. 기억나는 것은 여학생한테 안 맞기 위해 빌었다는 것뿐이었다. 여학생이 화장실 간 사이 앞에 앉은 친구의 이야기를 듣고 짝꿍이 없는 듯 지내기로 했다.

"너 최은경 쟤한테 덤비지 마. 쟤 미래초등학교에서 태권도로 전국대회 금메달 땄어. 지금은 국가대표선수야. 우리 학교에서 쟤한테 덤빈 애들이 한 명도 없었어."

이후로 기창은 수업 시간에 은경이 조금만 손을 움직여도 움찔했다. 그렇게 1학기가 끝나고 2학기가 되었지만, 은경과 짝꿍 한다는 친구가 없어서 아니, 1학기 때 친구가 전학을 가서 남녀 짝이 맞아 은경과 2학기를 보냈다.

기창이 고등학교 2학년 때 소개팅을 나갔다가 그 자리에서 은경을 보았다. 기창은 뒤돌아 나가려고 했지만, 친구가 짝이 맞지 않는다고 해 자리에 앉았다. 기창이 은경을 쳐다보았지만, 은경은 전혀 모르는 사람을 보는 듯 했다. 옛말에 때린 놈은 몰라도 맞은 놈은 안다는 말이 있듯 오히려 은경이 빤히 쳐다보고 있었다. 기창은 은경을 보며 중학교 1, 2학년 때 지옥 같았던 것이 생각났다. 은경과 2학년 때까지 짝꿍으로 지내다가 3학년 때 기창은 인문계 진학반으로, 은경은 상업계 진학반으로 헤어졌다. 그런데 은경을 다시 만났다고 생각하니 앞날이 캄캄했다. 소개팅을 주선한 기창의 친구가 파트너를 정하자고 하니, 여학생 주선자가 자기들이 물건을 내놓을 테니 고르라고 했다. 남학생들이 뒤를 본 사이에 여학생들이 물건을 탁자에 올려놓았다. 기창은 은경의 성격을 알고 있어서 탁자에 있는 물건을 보았다. 머리핀, 반지, 동전, 토끼 그림이 있는 수첩, 아기공룡 둘리 인형이었다. 기창은 은경을 보고 알았다. 은경이가 동전을 꺼내 놓았다는 것을. 기창은 다른 친구가 인형과 수첩을 고르기 전에 먼저 집으려고 했지만, 친구들이 빨라서 반지를 집었다. 기창은 탁자에 마지막까지 남아 있는 동전을 보며 회심에 미소를 지으며 주선한 친구를 보았다.

'넌 이제 죽었다. 쟤 은경은 말보다 주먹, 아니 발이 먼저다. 자식, 불쌍해서 어쩌나. 이것도 다 네 운명이다.'

기창은 반지를 만지며 앞에 앉은 귀여운 여학생들을 보았다. 기창은 반지 주인이 그 여학생일 것이라며 반지를 보여주었다. 그런데 그 여학생이 동전을 가진 친구를 가리키는 것이 아닌가. 기창은 불길한 생각에 등허리부터 땀이 흘러내기 시작해 손바닥까지 땀으로 흥건했다. 눈감은 기창의 손바닥에 따뜻한 여학생의 체온이 느껴져서 은경이가 아니었구나, 하며 숨을 쉬었다. 은경의 손은 언제나 매서웠으니까. 기창이 오른쪽 눈을 살며시 뜨며 손 주인이 누구인지 확인하기 위해 손목, 팔, 그리고. 기창은 더 이상 올려다보지 않아도 반지 주인을 알았다. 반지 주인이 바로 은경이었다. 기창은 손을 거두며 자신을 원망했다.

'내가 왜 반지를. 그런데 쟤는 왜 반지를 꺼내 놓아서. 진짜, 미치겠네.'

친구들은 신이 나서 떠들고 있었지만, 기창은 한마디도 하지 않았다. 그런 기창을 보며 은경이 말했다.

"야, 오기창. 넌 2년 동안 내가 끼고 있던 반지도 기억 못 해서 내 것을 집어. 하긴 네가 내 왼쪽에 앉아 있었으니 내 반지에 고운 정도 들었겠지."

그제야 기창은 반지를 처음 보았을 때 낯설지 않았다는 것을 알았다. 소개팅이 끝나고 기창이 은경을 정류장까지 바래다주는데 같은 버스 983번이란 것을 처음 알았다. 은경이 버스에서 먼저 내렸고, 이후로 본격적으로 사귀게 되었다.

기창이 대문에 서서 말했다.

"지은이가 준 가정통신문에 뭐라고 써서 주었냐고?"

은경이 현관에서 신발을 신다가 기창을 쳐다보았다.

"지은이가 학교에서 가지고 온 거. 지난달에 내가 술에 취해서 보았던 그 종이."

"아, 그거. 이번 달에 전교생을 신정초등학교로 보내는 것에 동의하냐고 해서 반대라고 해서 보냈지. 그런데 왜."

기창은 은경에게 건종과 나누었던 이야기를 했다. 은경은 기창의 이야기를 듣고 놀랐다. 그리고 기창과 은경은 어떻게 하는 것이 좋을지 답을 내리지 못했다. 기창이 휴대전화기에서 봉암의 전화번호를 찾아 전화했다.

"누구한테 전화하는데."

"봉암이. 얘가 시의원이잖아."

봉암은 회의 중인지 문자로 나중에 연락하겠다는 메시지가 왔다. 기창은 은경과 점심을 먹고 이틀 동안 못 했던 농사일을 했다. 오후에 지은을 데리러 학교로 갔다. 교문에 학생 두세 명만 나오는 것을 보며 만감이 교차했다.

저 교문으로 학생들이 등교할 때마다 교장 선생님이 나와 일일이 머리를 쓰다듬어 주었던 것과 하교 시간에는 집으로 향하는 학생들이 자기 마을로 흩어지면서 논길, 산길로 잘 가는지 지켜보았던 교문이라 생각하니 눈물이 그렁그렁했다. 기창은 교문 세 기둥을 보니 미안했다. 교문은 언제나 저 자리에서 묵묵히 버티고 있었지만, 자신은 교문을 한 번이라도 제대로 보지 않았다는 것에.

　가운데 교문 기둥에 쓴 "현방초등학교" 금색 글자와 녹색 동판을 제대로 볼 수가 없었다. 건종이 말대로 이번 달에 폐교한다며 동판은 어디로 갈 것이고, 과연 총동문에서 동판을 쉽사리 떼어줄 것인지 의문이 들었다. 기창이 동판을 쓰다듬으며 수많은 세월이 흘렀다는 걸 알았다. 멀리서 보았을 때는 몰랐는데 가까이서 보니 동판은 세월의 흔적과 상처를 간직하고 있었다. "초" 글자는 무엇인가에 맞은 듯 찍혀 있었고, 녹색은 세월을 잊어버린 듯 군데군데 곰팡이와 칠이 벗겨져 있었다. 기둥도 세월 앞에는 장사가 없다는 것을 알고 있는 듯 시멘트가 떨어진 곳이 많았고, 떨어진 시멘트 틈새로 풀이 자라고 있었다. 기창이 풀을 뽑고, 동판을 보는데 동판이 "왜 이제야." 하면서도 손길을 거부하지 않았다. 오히려 기창의 땀을 식혀 주려는 듯 시원한 냉기를 듬뿍 뿜어주었다.

　"미안해요. 지켜드리지 못해서 정말 미안해요. 아버지 때부터 지켜보았을 것이고, 내가 졸업할 때도 보았겠지요. 그때 여기를 배경으로 찍은 사진도 있어요. 이제 사진으로만 기억할 것 같아서 미안합니다."

　기창 눈에서는 하염없이 눈물이 흘러내렸다. 눈물을 닦을 용기도 없었다. 기창은 기둥을 힘껏 껴안았다. 마치 돌아가신 아버지를 안듯이 힘껏 안았다. 세 기둥을 안고 나서 동판에 이마를 기대었다. 동판이 기창을 초등학교 졸업식 날로 데리고 갔다. 기창은 어릴 때 어머니가 돌아가셔서 아버지에게 졸업식 시간을 알려주었다. 그러나 아버지는 졸업식이 끝날 때까지도 오지 않았다. 친구들은 꽃목걸이를 하고 사진을 찍었다. 기창은 그 모습이 부러웠지만, 내색하지 않고 교문을 막 벗어나려고 할 때였다. 봉암이 기창의 어깨를 잡으며 같이 사진을 찍자고 했다. 때마침 건종도 반 친구들과 사진을 다 찍었는지 기창에게 교문을 배경으로 사진기사에게 사진을 찍어달라고 했다. 기창이 가운데, 건종이 왼쪽에, 봉암이 오른쪽으로 해서 기사가 사진을 찍으려고 하는데 봉암이 "잠깐만요!"라고 외치고 교문 안으로 뛰어 들어갔다. 다시 나온 봉암의 손에는 꽃목걸이가 있었다. 그 꽃목걸이를 기창에게 직접 해주고 사진을 찍었다.

기창이 이마를 떼며 동판을 보았다. 동판은 그날을 기억하는 듯 햇빛에 반짝였다. 기창에게 동판은 살아있는 것처럼 느껴졌다. 손으로 동판에 새겨진 현방초등학교 글자를 검지로 따라 썼다. "교"자를 쓰고 있는데 지은이가 "뭐해, 아빠."라고 말했다. 기창은 자기 손을 따라 동판을 보는 지은에게 말했다.

"옛날 생각이 나서. 그런데 교감 선생님은 오셨어?"

"오늘 안 오신데. 그리고…… 아니야. 집에 가서 말할게."

창고 앞에 주차하고 집으로 들어가려는데 휴대전화가 울렸다. 화면을 보니, 봉암이었다.

"그래, 봉암아."

"회의 중이었어. 무슨 일로 전화했어."

"봉암아, 정말 고맙다. 오늘에서야 이 말을 하게 되네."

"뭔 고마움이야? 내가 너희 동네 해준 것도……."

봉암의 말을 자른 기창이 초등학교 교문을 보는데 졸업식 때가 떠올랐다고 했다. 그날 봉암이 꽃을 걸어준 것도 그제야 기억났다고 했다. 기창의 이야기를 들은 봉암이 말했다.

"기창아! 내가 어떻게든 막으려고 했는데. 그게 내 힘으로도 안 되더라. 다음 주 금요일 날에 마지막……."

기창이 봉암의 말을 다시 자르며 말했다.

"봉암아! 지은이한테 들었어. 나도 이렇게 빨리 진행될 줄은 몰랐다. 아니 학교에는 관심을 두지 않았어. 거기에 있으니 매일 갔는데도 교문 앞에서 지은이만 내려주고 내 일에만 신경을 썼잖아. 지은이가 6년 동안, 아니 병설 유치원 때까지 하면 8년 동안 모교에 갔는데도 학생들이 줄어든 것을 몰랐어. 나도 어지간하지, 안 그래. 지은이가 우리 모교에서 졸업하고 싶다며 울먹이는데 운전도 못 하겠더라.”

기창의 이야기를 들은 봉암도, 봉암의 이야기를 들은 기창도 서로가 폐교를 막을 수 없다는 것만 확인한 통화였다.

오늘은 현방초등학교 마지막 수업이라며 아침부터 정신이 없었다. 은경은 아침밥만 차려 주고 어디로 갔다는 말도 없이 나가서 기창은 지은이 방문만 보았다. 밖으로 나온 지은을 기창이 보는데 어제와 똑같았다.

“왜에? 빨리 학교나 가자고.” 하며 지은이가 책가방을 메고 나갔다.

“뭔 준비를 한 거야. 아빠가 아무리 봐도 어제와 똑같은데.”

“준비? 우리 6학년이 선생님과 동생들을 위해 요리하기로 했어. 그래서 엄마가 먼저 학교에 간 거야.”

“그, 그랬구나.”

기창이 지은을 내려주고 학교를 막 벗어나려고 하는데 휴대전화가 울렸다.

“어, 건종아.”

“너 지금 어디냐. 집이여?”

“아니, 학교. 지은이 데려주고 막 가려고.”

“야, 가지 말고 우리 기다려.”

“우리? 누구⋯⋯.”

기창이 더 말하려고 하는데 건종이 전화를 끊어버렸다. 기창은 끊어진 전화를 보며 중얼거렸다.

“우리? 누구하고 오기에 우리라고 한 거지. 그런데 이 자식은 전화를 왜 끊어서 궁금하게 만들어.”

기창은 차를 교문 앞에 주차하는데 오토바이 타고 철남이 오고 있었다. 기창이 트럭에서 내렸다. 철남도 기창을 보았는지 트럭 옆으로 오토바이를 멈추었다.

"형, 그동안 잘 지냈어."

"잘 지내고 못 지내고가 어딨어. 당장 내일부터 실업자라 난 걱정이다."

"그동안 고생했잖아. 머리도 식힐 겸 해서 형수하고 여행 가면 좋잖아."

"그렇지 않아도 집사람이 다음 주에 동남아 패키지 신청했다. 그것도 9박 10일 코스란다. 참, 조금 있다가 총동문회에서 행사했다고 했어."

"그래서 나보고 기다리라고 했구나. 어떤 행사?"

"나도 자세한 것은 몰라. 엊그제 봉암이 학교에 찾아와 교감과 면담하더니 동문회장에게 전화하더라. 내가 아는 건 그게 다야."

철남은 그 말을 하고 학교로 갔다. 기창은 더 궁금해 봉암에게 전화하려고 하는데 학교로 승용차와 트럭이 줄지어 오고 있었다. 기창은 차를 세면서 말했다.

"승용차가 3대. 트럭이 1대. 트럭은 건종 것이고. 나머지는 누구지?"

건종의 차가 트럭 옆에 주차했다. 승용차는 선팅이 짙어서 누가 탔는지 알 수가 없었다. 트럭에서는 건종과 봉암이 내렸다. 봉암이 기창에 손짓으로 인사하더니 승용차로 가 운전석에서 내린 남자와 악수했다. 기창이 그 남자를 보니, 총동문회장 강동연이었다. 기창도 승용차로 갔다.

"회장님, 오래간만입니다. 사명찬 사무장님도 오셨네요."

"기창이는 그동안 잘 지내서 그런지 얼굴 혈색이 좋다."

"혈색은 회장님이 더 좋은데요."

다른 승용차에서는 동창생 이미연과 친구들이 내렸다. 기창이 여자 동창들과 악수하는데 미연이가 기창에게 트렁크에서 물건을 내리라고 했다. 기창이 승용차 뒤로 가니 트렁크에는 상자가 가득

실려 있었다.

"아니, 무슨 잔치해. 그리고 얘들아! 오늘부로 우리 학교가 폐교한다고."

미연의 옆에서 물건을 내리던 정은희가 째려보며 말했다.

"야, 이거 전부 다 네 마누라님이 시킨 거야. 나한테 오늘 안 오면 그날로 절교란다. 절교. 하여튼 저년은 나이 처먹어도 그때나 똑같아."

그 말을 들은 봉암이 말했다.

"지창이는 지금도 맞으며 큰다. 은경이 목소리만 들어도 벌벌 떨어."

"야, 이 맹충아. 그냥 덤벼. 이젠 은경이 늙었어. 하긴 우리도 구나." 하며 은희가 크게 웃었다. 은희가 웃으니, 동창들도 따라 웃었다.

건종이 현수막과 상자를 어깨에 메고 학교로 갔다. 기창이 동창들과 걸으며 이야기를 나누었다. 기창이 급식실 안을 보니 은경이 바쁘게 움직이고 있었다. 기창이 은경에게 고생한다고 했더니 미연이 밖으로 빨리 나가라며 등을 때렸다. 건종이 기창을 잡아끌며 청람관으로 데리고 갔다. 강당에 도착해 건종이 무대에 현수막을 설치하자고 했다. 기창이 한쪽 끝을 잡으며 소리 내 읽었다.

"제57회 졸업을 축하합니다. 오늘이 마지막이 아닙니다."

현수막을 걸던 건종이 말했다.

"'이 졸업이 마지막이 아니라 시작이다.' 그 뜻이다. 봉암하고 의논하고 총회장과도 의논해서 오늘 전교생들에게 졸업식을 해주기로 했어. 그래서 교감이 학부모들에게 전했고, 총동문회에서는 장학금을 모든 학생에게 주기로……."

건종은 더 이상 말을 잊지 못하고 한참 동안 현수막만을 쳐다보았다.

청람관으로 학생들이 하나둘 모여들었고, 학부모도 입장했다. 연단에는 교감 선생님과 총동문회 임원이 앉아 있었다. 봉남에 사회로 졸업식이 진행되었다. 총동문회 강동연 회장이 연단으로 나와 학부모와 학생들을 둘러보며 말했다.

"제가 현방초등학교 14회 졸업생입니다. 우리가 학교에 다닐 때는 운동회를 하면 마을 잔치였습니다. 서울, 광주 그리고 저 멀리 부산에서까지 와서 현방초등학교의 가을 운동회는 모두가 모여서 선후배 간에 인사도 나누고 마을 대항전 경기도 했습니다. 경기가 끝나면 마을로 가 내년에는 반드시 우승기를 가지고 오겠다며 막걸리로 흥을 돋웠습니다. 그 시절이 어제 같은데 벌써 57회 졸업생이 나오다니 감개무량합니다. 그리고 졸업식을 내년 2월에 했으면 좋았겠지만, 아쉽게도 오늘 하게 되었습니다. 세월이 많이 흐른 뒤에 오늘 졸업하는 우리 현방초등학교 6학년 후배들이 다시 찾아와서 오늘을 기억해 주시길 바랍니다. 학부모님께서도 오늘을 꼭 기억해 주시면 좋겠습니다. 못난 제가 회장을 맡아 폐교라는……."

동연 회장이 더는 말을 못 하고 있는 그때 학생들이 크게 소리쳤다.

"괜찮아. 괜찮아. 모두 괜찮아."

동연 회장은 눈물을 닦으며 다시 말했다.

"후배 여러분! 부디 현방이라는 이름을 기억해 주시길 바랍니다. 여러분은 현방초등학교를 졸업한 우리의 영원한 후배입니다."

동연이 단상을 내려와 학생들을 일일이 안아주었다. 그리고 교감 선생님도 내려와 학생들을 껴안아 주었다. 건종이 학부모에게 봉투 하나씩 주며 자녀에게 주라고 했다. 기창도 받았는데 봉투에는 "최우수 장학생"이라고 쓰여 있었다. 기창이 지은에게 봉투를 건네주고 껴안으며 말했다.

"지은아! 졸업 축하해. 그리고 우리 지은이가 아빠의 후배가 되었네."

졸업식이 끝나고 모두가 급식실로 갔다. 급식실에는 어머니들이 들어오는 학생들에게 마지막 급식을 제공했다. 학부모도, 선생님도, 기창도 학생들 사이에 앉았다.

교감 선생님이 일어나서 말했다.

"내일부터 이곳은 텅 비겠지요. 그러나 오늘만큼은 현방초등학교 추억을 간직할 것이라 저는 믿습니다. 아침부터 오셔서 고생하신 어머님들과 그 어느 때보다 열심히 가르친 김진희 선생님, 허영미 선생님 그리고 하나라도 더 배우려고 장난도 치지 않은 오늘의 주인공들. 정말로 고맙습니다. 제가 너무 부족해서 현방초등학교를 문 닫게 한 것이 아닌지 모르겠습니다. 음식을 앞에 놓고 너무 긴 이야기를 하는 것 같아 죄송합니다만, 이 이야기는 꼭 해야겠습니다. 며칠 전에 총동문회에서 저를 찾아와 수업이 아닌 마지막 졸업식을 하면 어떻겠냐고 했습니다. 그때 내년에 하는 졸업식을 어떻게 할 수 있냐고 했더니 총동문회에 맡겨만 달라고 해 승낙했습니다. 제가 교직 생활을 30년 넘게 했지만, 이번같이 결정을 잘했다고 느껴 본 적이 없습니다. 마지막으로 총동문 강동연 회장님께 감사의 말을 전합니다. 지금 사진 찍는 분께서도 멋진 졸업앨범을 해주기로 했습니다. 말이 너무 길었네요. 학생 여러분! 현방초등학교의 마지막 급식을 맛있게 드시길 바랍니다."

학생들이 "잘 먹겠습니다."라고 대답했다. 기창과 은경도 지은이 옆에 앉아서 먹었다. 지은이 웃으며 급식실을 둘러보니 모두 행복하게 먹고 있었다. 지은이 자리에서 일어나 촬영을 시작했다. 지은은 친구들과 동생들을 차례대로 찍으며 더 활짝 웃으라고 했다. 김진희 선생님과 허영미 선생님, 교감 선생님 그리고 마지막으로 이철남 주사도 촬영했다. 지은이 다시 자리에 와 앉으며 기창에게 말했다.

"내일도 이렇게 급식실에서 먹으면 좋겠다."

"내일부터는 신정초등학교야."

다음날 기창이 지은이를 등교시키고 나서 현방초등학교로 왔다. 이제 학교에 들어갈 수 없게 닫혀 있었고, 교문은 자물쇠로 채워져 있었다. 기창은 울타리 너머로 학교 창문을 보았다.

창문에는 추억의 꽃을 든 사람들이 손을 흔들고 있었다. 거기에 기창 아버지의 거칠고 주름진 손도 있었다.

도공 이삼평
(陶工 李参平)

1655년.

이삼평이 아들과 제자들에게 말했다.

"내가 북서쪽 하늘을 볼 수 있도록 방문을 활짝 열어라."

삼평은 북서쪽 청명한 하늘을 바라보라며 다시 말했다.

"나중에, 나중에 조선에 가게 되거든 충청도 계룡산 밑에 학봉리 도요지를 찾아가거라. 너희가 학봉리 구무 동굴의 흙과 돌을 보고 나면 조선의 도자기 기술을 더욱더……."

삼평의 눈에서 그리움이 가득한 눈물 한 방울이 볼을 타고 흘러내림과 동시에 숨을 크게 몰아쉬었다.

뜨거운 6월의 햇살이 내리쬐는 계룡산 자락.

삼평은 동네 친구들과 산과 들로 다니며, 먹을 것을 찾고 있었다. 몇 년째 나라에 흉년이 들어서 집마다 먹을 것이 늘 부족했다. 동네 어른들은 나라님이 잘못해서 그런다고 말하거나 조만간에 나라에 큰 변고가 일어나려고 그런다, 고 말들이 흉흉했다. 삼평과 친구들은 오전에 들에서 개구리 잡아 구워 먹었다. 산에서 열매를 따 먹고, 가재도 잡아먹었지만 그래도 배가 고팠다. 삼평이 남쪽 들판을 보며 말했다.

"야, 저기 들판에서 연기가 난다. 우리 저기로 가보자."

이용화가 삼평을 한심한 듯 쳐다보며 말했다.

"저기는 도기를 굽는 가마터 동네라고. 음식을 해 먹는 것이 아니잖아."

친구들은 용화가 한 말이 맞는다, 며 고개를 끄덕이고 산에서 내려갔다. 그러나 삼평은 연기가 무럭무럭 피어오르는 가마터를 보며 깊은 생각에 잠겨 있었다. 삼평은 결심한 듯 봉래산을 내려와 연기가 피어오르는 가마터로 갔다. 용수천 다리를 건너 가마터에 도착하니, 큰 가마 여러 개에서 연기가 무럭무럭 피어오르며 어른들이 아궁이에 불을 확인하며 장작을 넣고 있었다. 삼평은 아저씨들에게 방해가 되지 않게 이곳저곳을 돌아다녔다. 삼평은 창고 문이 열린 곳에 마치 무엇인가 홀린 듯 가만히 서 있었다. 고즈넉한 오후에 햇살을 받아서 사각장 위에 도자기들이 칸칸이 놓여 있는데 너무나 아름답고 환상적으로 보였다. 삼평은 창고 안으로 한 발 한 발 조심스럽게 내딛는데, 마침 꿈속을 걷는 것 같은 기분이었다. 삼평은 연꽃 물고기 무늬 병에 마음을 빼앗겼다. 삼평은 그 도자기가 너무 황홀해서 손으로 만지려는 순간에 누가 목덜미를 잡으며 말했다.

"언 놈인데 도요지에 함부로 들어와서 도자기를 훔쳐 가려는 거냐. 이놈!"

삼평은 깜짝 놀라서 말을 버벅거렸다.

"저…… 그…… 훔치……예뻐…… 구경……."

"이놈이 지금 뭐라고 하는 거야. 죄가 있으니, 말을 더듬는구나."

삼평은 잘못하며 도둑으로 오해받을 것 같아서 도망가려고 했지만, 아저씨가 무쇠 같은 손으로 목덜미를 더 세게 잡아서 도망갈 수가 없었다. 그때 아저씨 뒤에서 여자애의 목소리가 들렸다.

"진배 아재. 그 애를 그냥 놔줘. 내가 계속 지켜보았는데, 물건을 훔치려는 것이 아니라 도자기를 구경하려고 한 거야."

진배는 삼평을 놓아주고 공손하게 여자애한테 말했다.

"예진 아씨! 저번에도 그냥 놓아주었다가 그놈이 접시 세 개를 가지고 도망갔잖아요. 결국 아씨만 혼났고."

"그때 그 사람은 어른이었고, 지금은 나하고 나이가 비슷한 것 같은데."

예진이 삼평 앞으로 오더니, 삼평의 눈을 빤히 쳐다보았다. 그리고 연꽃 물고기 무늬 병을 보며 말했다.

"너 이 병 어디가 그렇게 마음에 들었니?"

삼평이 진배를 쳐다보니 얼른 대답하라고 고개를 끄덕였다.

"연꽃과 연잎 사이를 자유롭게 헤엄치는 물고기가 진짜 살아서 도자기 밖으로 뛰쳐나올 것 같은 생동감에 반했어요. 그리고 이 물고기를 보면 송골매가 날아들 것 같아 오싹할 정도입니다."

"그래. 너 도자기 보는 안목이 뛰어나구나." 하며 예진이 웃었다. 예진은 도자기 이것저것을 보여주며 어떤 느낌이 드는지 계속해서 물었다. 진배는 삼평이 도자기를 훔쳐 갈까 봐서 따라다니면서도 품평하는 것을 듣고 놀랐다. 삼평은 철화분청 사기 앞에 가만히 서서 말했다.

"이 도자기는 투박하면서도 세련되지 않지만, 몸체가 안정감을 줍니다. 그리고 새 무늬가 역동적으로 날갯짓을 하는 것이 마치 도자기와 같이 날아가려는 것 같습니다."

진배는 "이놈은 천부적으로 태어났다."라고 중얼거렸다. 창고를 나와서 예진은 불가마로 삼평을 데리고 갔다. 예진은 감화장에게 말했다.

"훈석 아재, 도자기는 언제 꺼내요?"

강훈석 감화장은 뒤를 돌아보고 예진 옆에 서 있는 삼평을 보며 누구라고 고개로 물으며 말했다.

"이틀 뒤에 불이 잦아들고 숨을 쉬지 않는 사흘 뒤에 도자기를 꺼내 확인해야지. 올해는 대기 중에 습기가 별로 없어서 제대로 나올는지 걱정이다."

삼평에 대해 진배가 대답하려는데 대답을 듣고, 예진이 말했다. "얘는 내 친구예요."라고 대답하고, 삼평과 같이 가마터를 나왔다. 예진은 가마터에서 한참 떨어진 집으로 데리고 가며 말했다.

"난 김예진이야. 넌?"

"난 이삼평."

예진은 "삼평! 삼평! 삼평!"이라고 세 번을 말하고 나서 말했다.

"너 몇 살이야?"

"나 열 살. 그런 넌?"

"나도." 하며 예진이 웃었다. 예진은 대문을 열며 크게 말했다.

"엄마, 내 친구 삼평이 왔어."

예진 어머니는 또 친구를 데리고 왔다며 삶은 옥수수와 감자를 주었다. 삼평이 예진의 어머니에게 인사하며 얼굴을 보니, 예진과 많이 닮았고, 웃음이 많은 행복한 얼굴이었다. 삼평과 예진은 옥수수와 감자를 먹으며, 서로가 자기 동네 이야기를 했다. 예진은 삼평에게 가마터라고 하면 여기서 일하는 사람들이 싫어하니 "도요지"라고 부르라고 했다. 삼평은 예진과 헤어지고 용수천 다리에서 도요지 마을을 바라보며 혼잣말했다.

"지금 모든 사람이 굶고 있는데 저기 도요지는 굶지 않고 있다. 그리고 도요지에서 일하는 사람들은 우리 온천리 마을 사람들보다 더 건강하고 몸도 좋아 보였다. 내가 저기서 일할 수만 있다면 부모님과 미소는 배 불리는 먹지 못하더라도 굶지는 않을 것이다."

삼평은 단단히 결심하고 집에 도착해 아버지에게 학봉 도요지에서 일할 수 있도록 말해달라고 말했다. 아버지는 처음에는 안 된다고 화를 내며 고함을 치더니, 삼평이 한 번 결심하며 누가 뭐라고 해도 바꿀 수 없다는 것을 알고 침묵하며 바라보았다. 삼평은 "배가 고파서 힘들어요. 그런데 학봉 도요지는 굶지 않는다고요."라고 말하니 한숨을 쉬며 서까래를 쳐다보았다. 삼평은 아버지가 서까래를 본다는 것은 허락했다는 것을 알았다. 아버지는 동네 사람들이 관아에 여러 가지 청을 넣을 때 처음에는 싫다고 했다가 사람들이 다시 말하면 서까래를 보고 고개를 끄덕였다. 또, 어머니가 장날에 공주 시장에서 짚신과 옷감을 사서 오라고 하면 언제나 싫다고 했다가 서까래를 보고 고개를 끄덕였다. 한 번은 삼평이 아버지가 보는 서까래를 보기 위해 상자를 놓고 살펴보았지만, 서까래에는 글이나 그림, 문양도 없었고, 특별히 다른 게 생긴 부분도 찾지를 못했다.

다음날 아버지와 삼평은 학봉 도요지로 갔다. 삼평이 도착해서 진배 아저씨를 찾는데, 예진이 뛰어와 삼평의 아버지에게 인사했다.

"안녕하세요. 전 삼평이 친구 김예진이에요."

아버지는 잠시 낯설고 뜨악한 표정을 했다가 온화한 표정을 지으며 말했다.

"김예진이 우리 삼평이 친구라고. 얼굴도 예쁘고 어른에게 공손하네. 여기 도공 어른께서 어디에 계시는지 알고 있니?"

"네. 저희 아버지예요. 저를 따라오시면 되세요." 하며 예진이 앞

장서서 어제 삼평이 도자기를 본 창고로 갔다. 그 창고를 지나서 뒤에 또 다른 창고로 가더니 예진이 문 앞에서 말했다.

"아버님! 손님이 찾아오셨어요."

창고 안에서 컬컬한 목소리가 들렸다.

"손님이라고? 어서 들어오시라고 해라."

예진과 같이 안으로 들어가니 컬컬한 목소리와 달리 호리호리한 사람이 의자에 앉아 있었다. 그 사람 곁으로 예진이 가서 서 있었다. 삼평의 아버지는 그 사람에게 예의 바르게 여기로 오게 된 경위를 설명했다. 도공은 삼평을 한 번 쳐다보고 말했다.

"제가 보기에는 아버님께서 평범한 촌부 같지 않은데, 굳이 아들을 이곳에 맡기려는 연유가 무엇입니까? 양식이 없다고 하지만 지금은 조선팔도 어느 곳이나 보릿고개로 고생들 합니다. 저희도 쌀은커녕 보리도 없어서 겨우 목에 풀칠하는 정도입니다."

어른 대화에 불쑥 끼어들면 안 된다는 것을 알면서도 예진이 말했다.

"아버님, 제가 어제 창고에서 삼평에게 도자기를 구경시켜 주었는데 도자기를 보는 눈이 다른 아이들과 매우 달랐어요. 진배 아저씨를 불러서 물어보시면 잘 아실 거예요."

예진 아버지는 예진을 보고, 삼평을 보며 다시 말했다.

"도자기를 굽는다는 것이 하루, 이틀에 되는 것이 아닙니다. 흙을 알고, 바람을 느끼고, 나무의 향을 맡고, 가마의 속성을 알아야 하지만, 가장 중요한 것은 흙의 성질과 불, 자기의 손을 제대로 알아야 합니다. 이것은 몇 년, 어쩌면 몇십 년이 걸리는 기술입니다. 다시 한번 생각하고 결정하세요. 이곳에 발을 한 번 디디면 밖으로 나갈 수 없습니다."

삼평 아버지는 삼평의 눈 속에 간절함을 보고 말했다.

"삼평아! 잠깐 도공 어른과 긴히 나눌 이야기가 있으니, 나가서 기다려다오."

예진 아버지는 삼평 아버지의 말투에서 예사 촌부가 아니라고 다시 느꼈다. 예진 아버지도 예진에게 밖으로 나가 있으라며 나갈 때 문을 닫으라고 했다. 한 식경이 지나고, 두 아버지가 밖으로 나왔다. 삼평과 예진은 기대 반 설렘 반으로 두 아버지를 쳐다보았다. 삼평은 아버지의 표정에서 알았고, 예진은 아버지의 웃는 얼굴에서 삼평이 여기서 지낼 수 있다는 것을 알았다.

"삼평아, 오늘부터 여기 계신 도공 어른에 가르침을 잘 받들 거라. 필요한 것이 있으면 언제든지 집으로 연락해 주고, 집 걱정은 하지 마라."

그리고 아버지는 삼평에게 따로 이를 말이 있다며 한적한 곳으로 데리고 가서 말했다.

"보고도 못 본 척, 들어도 못 들은 척, 알아도 모르는 척하며 숨소리를 죽이고 몸을 낮추어 이곳 도요지에서 견뎌내어 장인이 되길 바란다. 그리고 사람들과 어울려서 나라에……. 아니다. 이 이야기는 나중에 해주마."

삼평은 아버지의 말에 마음을 다잡고 어금니를 악물었다. 아버지는 도공에게 공손하게 인사를 하고 도요지를 떠났다. 삼평은 처음으로 집을 떠나 낯선 곳에서 생활한다는 설렘도 있었지만, 아버지의 뒷모습을 보니 측은하면서도 자기 혼자만 배불리 먹는다는 것에 부담으로 다가왔다. 도공은 삼평을 데리고 가마 옆 창고로 갔다. 도공은 사람들에게 삼평이 오늘부터 일을 배우기로 했다고 알려주었다. 예진도 따라와서 사람들에게 자기의 친구라고 말했다. 한 사람이 삼평과 예진을 날카롭게 째려보는 눈빛을 삼평은 알아채지 못했다. 예진이 삼평을 사람들에게 일일이 소개했다. 그리고 나이가 제일 많은 사람이 어제 본 감화장이었다. 훈석 감화장은 어제 진배가 한 말을 생각나 진짜인지 확인하고 싶었지만, 가마 때문에 나중으로 미루었다. 예진이 마지막으로 한 사람을 더 소개했다.

"우리보다 세 살 많은 김준성 오빠! 오빠, 얘는 내 친구 삼평이."

삼평이가 인사를 하니 준성이 악수를 청했다. 삼평의 손이 가만히 있으니, 준성이 고개로 자기 손을 가리켰다. 삼평이 준성의 손을 잡으니, 준성이 손아귀에 힘을 주었다. 삼평은 너무 놀라서 자기도 손아귀에 힘을 주었다. 서로가 힘을 주고 있으니, 감화장이 분위기가 심상치 않다는 것을 알고 둘을 떼어 놓으며 말했다.

"여기서 싸움하거나, 도둑질, 이간질하면 그날 바로 여길 쫓겨날 것이며, 다시는 학봉 도요지 근처에 발을 디딜 수 없다. 준성! 삼평! 너희들 알겠어?"

둘은 서로 얼굴을 쳐다보며 "예."라고 대답했다. 삼평이 아픈 손을 만지고 있는데 예진이 삼평을 데리고 천막 친 곳으로 데리고 갔다. 삼평과 예진이 창고를 나가는 것을 보며 준성이 중얼거렸다.

"나보다 어린놈이 손아귀 힘이 대단하네. 나도 여기서 5년을 일해서 아저씨들하고도 팔씨름해서 안 지는데. 저놈이 왠지 불안해."

천막 친 곳에 보니, 그곳에는 거친 흙과 고운 흙이 쌓여 있었다. 예진이 말했다.

"오늘은 내가 장소만 알려줄게. 여기는 도자기를 만들기 위해 흙을 모아 놓은 곳이야. 저기 저곳은 어제 네가 본 도자기 창고, 저쪽은 가마가 있는 곳. 나머지는 준성 오빠가 가르쳐 줄 거야."

삼평은 속으로 생각했다.

'과연 준성이라는 사람이 제대로 가르쳐 줄까. 조금 전에 나한테 한 행동을 보면 전혀 그럴 생각이 없는 것 같던데.'

예진이 삼평에게 어제 보았던 집을 가리키며 도공의 집, 즉 예진의 집이라고 했다. 그 집 옆에 있는 곳이 숙소였다. 숙소는 수숫대에 볏짚과 흙으로 섞어서 바른 벽이었고, 왕골을 엮어 이엉을 얹은 초가집이었다. 방바닥은 흙바닥에 볏짚을 깔아 놓았다. 담장은 싸리나무 엮어 둘러쳐 있었다. 삼평은 숙소를 살펴보고 혼잣말했다.

'우리 집보다 훨씬 좋구나. 나만 이 호화로운 곳에서 생활한다고 하니 미소한테 미안하네. 미소야, 오빠가 꼭 훌륭한 도공이 되어서 너에게 좋은 집 선물할게.'

숙소 주방은 마을 여인네들이 당번 재로 밥을 지어서 내놓는다고 했다. 숙소 끝에 있는 마을이 도요지 사람들이 사는 학봉리이며, 이곳 도요지에 열 개도 넘게 가마가 있다고 예진이 말해주었다. 저녁에 삼평은 준성과 같은 방을 사용할 줄 알았는데, 감화장이 둘이 같이 지내면 분란만 생길 수가 있다며 진배와 같이 생활하도록 했다. 진배는 올해 25살이고, 학봉 도요지에서 10년째 생활하고 있다고 말해주었다. 학봉 도요지는 학봉리에서 가장 오래된 도요지라고도 알려주었다.

다음날부터 삼평은 준성이 했던 흙을 고르는 작업을 했다. 진배가 다른 일 때문에 다른 곳에 가니, 준성은 채로 흙을 고르는 것을 가르쳐 주는 것이 아니라 채를 던져주며 흙을 고르라고만 했다. 삼평은 채에 흙을 서너 삽을 넣고 흙을 골랐다. 자갈과 고르지 못한 흙은 대충 옆에다 버렸다. 고운 흙이 무릎까지 쌓일 때쯤에 준성이 화를 내며 다시 하라며 고운 흙과 거친 흙을 다시 썼었다. 삼평이 몇 번을 해도 준성은 다시 흙을 섞으며 다시 하라고 했다. 삼평은 짜증이 나서 삽을 땅바닥에 던졌다. 준성이 그 모습을 보고 비웃으며 말했다.

"하기 싫으면 지금 가. 너 앞으로 이것보다 더한 고통과 괴로움 그리고 어깨를 짓누르는 배움이 네 앞에 기다리고 있어. 가장 힘든 불도 배워야 하거든. 그게 얼마나 섬세한 작업인지 모르지. 그러니 그만 포기해."

삼평은 오기가 생겨서 다시 채에 한 삽을 넣고 채를 아기 다루듯 서서히 채를 흔들었다. 그 모습을 지켜보던 준성은 놀라면서 말문이 막혀 버렸다. 지금 삼평이 하는 것은 누가 가르친 것이 아니라 자기 스스로 터득한 것이었다. 준성은 웅얼거렸다.

"이 자식, 뭐야. 나는 왜 얘가 점점 더 두렵게만 느껴지는 거야."

삼평은 고운 흙을 모아 놓고, 자갈이 든 흙을 옆에 놓인 또 다른 채로 걸러냈다. 삼평은 채 종류 세 개가 있는 이유를 그제야 알았다. 한 지게 정도의 흙을 고르니 나니 진배가 나타났다. 진배는 삼평이 해 놓은 것을 보고 준성에게 제대로 알려주었다며 삼평과 준성의 어깨를 토닥여 주었다. 진배는 고운 흙은 준성에게 창고에 나르게 하고, 삼평에게는 작은 돌이 있는 것을 나르게 했다. 공방에서는 사람들이 흙으로 도자기를 빚고 있었다. 진배는 삼평에게 조용히 하라며 절대 일하는 사람들에게 방해하면 안 된다고 했다. 준성은 고운 흙을 통에 넣고 물을 부었다. 그리고 손으로 휘저어 찌꺼기를 건진 다음, 흙물을 다른 통에 옮겨 담았다. 진배는 이 과정을 수비라고 했다. 물이 다 마르면 흙 반죽을 하는데 발로 밟아서 차지게 한다고도 알려주었다. 작은 돌도 돌가루를 만들어 수비 과정을 거친다고 했다. 삼평과 준성은 점심 후에 벌목하러 계룡산을 올랐다. 삼평은 계룡산을 오르며 흙을 나르는 공사군, 벌목하는 허벌군이라고 부른다는 것을 알게 되었다. 진배는 도자기에 문양을 그리는 화청장이라고 했다. 그래서 진배는 벌목하는데 오지 않고 공방에서 초벌구이한 도자기에 문양을 그린다고 했다.

"그래서 손이 곱고 얼굴이 하얗구나. 그런데 힘은 장사였는데."

계룡산 중간에 오르니 박인만 허벌군장이 말했다.

"나무는 땅에 뿌리를 박고 생동한 흙의 기운을 만끽한다. 그러나 땅의 기운을 제대로 받지 못한 나무는 휘거나 구부러져 있으니 이런 나무는 자르지 말고 곱게 솟은 나무만을 잘라야 한다. 우리가 다섯 명이니 한 지게씩 해서 얼른 내려가자."

박인만이 톱으로 나무를 자르면 삼평과 준성은 가지를 쳐서 지게에 올려놓았다. 모두가 한 지게씩 하고 계룡산에서 내려왔다.

나무를 아무 곳에나 쌓아놓는 것이 아니라 삼 년 동안 햇볕과 바람, 비, 눈을 맞으며 하늘의 기운을 받을 수 있도록 세워 놓았다.

드디어 가마에서 자기를 꺼내는 날이다. 도공과 많은 사람이 가마 앞으로 모였다. 예진도 삼평 옆에 서 있었다. 그 모습을 보고 준성이 삼평을 옆으로 밀고 들어와 예진과 붙으며 말했다.

"오늘은 도편이 조금 나와야 하는데. 저번처럼……."

예진이 준성의 말을 자르며 말했다.

"오빠, 조용히 해. 그리고 가마를 열기 전에 그런 말은 하지 마." 하며 예진은 준성을 못마땅하게 쳐다보았다. 삼평이 "도편?"이라고 말하니 예진이 "자기가 깨져 생긴 조각."이라고 말했다. 도공이 가마에서 나오는 도자기를 일일이 확인하며 만족스럽게 웃었다. 삼평은 도공이 들고 고즈넉한 오후 햇살에 도자기를 감별하는 것을 유심히 쳐다보았다. 그리고 창고 안 사각장에 도자기를 파기장이 제품을 다시 선별해서 올려놓았다. 밤에 삼평은 숙소 밖을 나와 며칠 동안 보고 일한 도요지를 바라보며 혼잣말했다.

"천하제일의 도공은 하늘이 내리는 것이지 노력이나 욕심으로 차지할 수 있는 것이 아니다. 난 내 이 손으로 조선 제일에 도공이 될 것이다."

얼마간의 시간이 지나 긴 장마철에 실금이 간 가마를 잘못 수리하는 바람에 가마가 터질 뻔했었다. 그날 저녁에 예진이 찾아와 계룡산 동월 숲을 산책하자고 했다. 삼평과 예진이 산책하며 그동안에 힘들었던 이야기와 예진이 공주 장날에 보았던 것을 말하며 산책했다. 예진이 오늘 있었던 일을 말했다.

"가마에서 트림하는 소리가 나면 피해. 오늘처럼 가만히 있다간 크게 다친다고."

"난 오늘 처음 가마가 트림하는 것을 들은 거야. 그래도 감화장님이 알고 조치해서 다행이었어."

예진이 웃으며 삼평의 손을 잡았다. 삼평도 예진의 손을 꽉 잡았다. 삼평도, 예진도 아무 말을 안 했지만, 서로의 감정을 알고 있었다. 삼평이 산책하고 숙소에 들어 가렸는데 준성이 앞을 가로막으며 말했다.

"너 어디 갔다가 왔어?"

삼평은 뜬금없는 말에 짜증이 났지만, 예진과 나갔다가 들어온 것을 못 봐서 다행이라 생각하고 말했다.

"동학사에 향로를 만들어 주기로 했잖아. 그래서 마음을 가라앉으려고 산책했어."

삼평은 준성을 옆으로 밀고 숙소로 들어갔다. 준성은 숙소와 예진의 집을 보며 고개를 흔들었다. 며칠이 지나 진배가 삼평과 준성에게 녹슨 쇳물로 그림을 그려 넣은 자기를 보여주었다. 녹슨 쇳물로 그린 연꽃 그림은 마치 한지에 먹으로 그린 그림 같았다. 진배는 삼평과 준성에게 손으로 그림을 그리려 하지 말고 마음의 붓으로 그림을 그리라며 자세하게 설명해 주었다.

강훈석 감화장은 가마에 불을 땔 때는 뒤틀리고 썩은 장작을 골라내지 않으면 도자기를 망치는 지름길이라고 했다. 장작은 삼 년을 말린 나무가 가장 좋은 불을 낼 수 있다고 했다. 도자기를 800도의 뜨거운 가마에서 하루 정도 구웠다. 이때 흙을 반죽할 때 공기를 빼지 못하면 혹이 생기고, 돌가루를 곱게 빻지 않으면 커다란 반점이 생겼다. 이를 초벌구이 하는데 무늬를 그리거나 새기는 조각 장식이었다. 초벌구이의 또 다른 목적은 잿물을 입히기 위해서였다.

재벌구이는 1,300도에서 이틀을 구웠다. 감화장은 가마 안에서 피어오르는 불의 색깔을 보고 온도를 알았다. 감화장이 가마의 불을 보며 말했다.

"빨간색은 800도고, 노란색 불은 1,300도다. 그런데 여기서 가장 중요한 것은 파란색 불이다. 파란색 불이 보이며 장작을 넣지 말고 온도를 낮추어야 한다. 파란색 불은 1,500도 이상으로 도자기에서는 치명적이다."

가마의 불을 끄고, 이틀 정도 식힌 다음에 자기를 꺼냈다.

"흙, 물, 바람, 불을 잘 다뤄야 좋은 도자기가 나온다. 그리고 마지막으로 모든 과정에서 가장 중요한 것은 도공의 마음이다. 악한 마음을 가지고 흙을 만지거나 불을 다루면 그 도자기는 생명력을 잃어서 개 밥그릇보다 못한 것이 된다. 또한 도자기를 구울 때는 자기의 마음과 영혼을 담아 구워내야 한다."

감화장에게 가마에 불이 들어가면 성난 용처럼 화기를 내뿜고, 불이 죽으면 차갑게 식어 시베리아 냉기처럼 기괴한 것이 가마였다. 감화장은 학봉 도요지를 떠나기 전에 이 모든 것을 다 가르칠 수 있을지 의문이 들었다.

삼평은 오래간만에 집에 왔다. 집에 도착하니 여동생 미소가 달려와 삼평을 껴안았다. 삼평은 미소에게 너무 세게 껴안아서 숨을 쉴 수가 없어서 어깨에 메고 온 짐 때문에 더 힘들다고 말했다. 미소는 얼굴이 빨개져서 더 귀여워 보였다. 삼평은 부모님에게 절을 하고, 도공이 보내준 보리쌀 한 말을 내놓았다. 삼평은 부모님에게 돈을 벌어서 논, 밭을 사 드리겠다고 약속했다. 어머니가 보리밥에 나물과 고추장을 비벼주어서 저녁을 맛나게 먹었다. 다음날 삼평은 학봉 도요지 도착해서 하나라도 더 배우기 위해 더 열심히 작업을 했다. 그리고 저녁마다 진배에게 국화, 연꽃, 물고기, 새 무늬 등 그림을 그리는 것을 배웠다.

1592년에 왜구가 조선에 침입한 임진왜란으로 나라가 어수선했다. 학봉 도요지에도 왜군이 들어와 더욱더 어수선했다. 그러나 왜군은 별다른 것은 하지 않고, 도자기를 구우며 금강을 통해 왜로 가져갔다. 하루는 준성이 왜인 한 명을 데리고 왔다. 준성은 왜인과 며칠을 지내더니 왜구 말을 따라 하기 시작했다. 도요지 사람들은 준성에게 어떻게 조선을 배반할 수 있냐고 하니, 오히려 준성이 역정을 내며 말했다.

"왜인들이 조선을 점령한 지 1년이 넘었어요. 그런데 저들이 왜 조선을 점령했는지 아시냐고요. 저들이 하는 말을 알아야 앞으로 어떻게 할 것이고, 우리는 어떻게 살아야 하는지 방법을 모색해야지 않겠어요. 우리가 여기서 도자기를 구우며 저들이 자기 나라로 왜 가져가기만 하는지 그 이유를 아는 사람 있으면 말해 봐요?"

"······?"

"왜인들이 우리를 가만히 둔 이유는 자기들 나라에는 그릇이 없고, 우리 조선같이 질 좋은 흙이 없다고 했어요. 그래서 우리를 가만두는 것이에요. 이것도 그 왜군과 겨우 손짓, 발짓을 해가면서 알아낸 거라고요. 이런데 어떻게 왜어를 안 배워요."

준성은 말하며 자신만만하게 어깨를 크게 폈다. 삼평도 준성의 말을 듣고 왜군에게 말을 배우기 시작했다. 왜군의 이름은 쿠로나 나가마사(黑田長政)라고 했다. 그는 삼평과 준성에게 일본어를 가르치며 학봉 도요지를 정찰했다. 도공의 인원수, 가구 수, 마을 남녀노소의 인원수, 직급별 인원, 흙과 돌, 나무 등을 세세히 적어서 왜로 보냈지만, 그 누구도 알지 못했다.

어느 날 쿠로나 나가마사가 삼평에게 말했다.

"지금 네 힘으로는 조선의 짚신 티끌 하나도 어쩌지 못하잖아. 내가 너에게 일본의 힘을 실어준다면 너는 든든한 울타리가 될 것이다. 일본에 가서 네가 원하는 도공도 될 수가 있다. 어떤가?"

"······?"

"우리가 조선을 침략한 것은 너와 같은 도공이 필요했기 때문이다. 이 말은 나와 너만의 비밀이다. 만약에 다른 이가 아는 그날은 너와 네 가족은 몰살이다. 그리고 내 물음에 빠른 답을 주기 바란다."

삼평은 이 말을 듣고 며칠을 고심했다.

"나는 누구를 위해 도자기를 만들고 있는가. 조선 양반들의 눈요기나 권세를 위해서 아닌가. 조선에서 하찮고 쓸모없어서 살아갈

힘조차 없는 나 같은 사람이 과연 부를 누리며 명성을 얻을 수가 있을까.”

삼평은 심란한 마음을 잡기 위해 집으로 갔다. 집에 도착하니 미소는 어느새 어여쁜 아가씨가 되어 있었다. 저녁에 가족들과 오붓하게 저녁을 먹고 나서 삼평은 미소와 같이 평상에 앉아 있었다.

“미소야, 올해 네가 몇 살이지?”

“뭐야, 오빠. 벌써 치매 왔어. 오빠보다 내가 두 살 어리잖아.”

“그렇지. 그럼, 올해 스물한 살이네. 미소도 얼른 시집가야겠네.”

부끄러움이 가득한 얼굴로 미소가 삼평을 쳐다보며 말했다.

“오빠가 먼저 장가를 가야지. 난 아직 더 있어도 괜찮아.”하며 환하게 웃었다. 삼평은 달빛에 비친 미소의 치아가 밝은 빛을 내고 있어서 더 귀여워 보였다. 갑자기 논에서 개구리 우는 소리가 멈추었다. 삼평은 누가 오고 있다는 것을 알고 긴장했다. 왜군이 마을을 돌아다니며 여자들에게 몹쓸 짓을 한다고 했다. 아버지도 긴장해서 마루에 서서 밖의 동태를 살폈다. 어머니는 미소를 불러서 부엌과 붙은 광으로 들어갔다. 삼평은 일어나 싸리문을 열고 밖으로 나와 말했다.

“거기 사람 있어요?”

그러나 아무런 말이 없었다. 아버지도 긴장해서 밖으로 나와 삼평과 같이 논과 길을 살펴보았다. 논둑에 희미하게 사람 형태가 보였다. 그는 혼자서 삼평의 집으로 오고 있었다. 아버지도 그를 본 것 같았다. 삼평은 그 사람이 총이나 칼을 들고 오는지 자세히 살펴보았다. 그는 어떤 무기도 없이 터벅터벅 걸어오고 있었다. 달빛에 보니 조선 사람 같았다. 삼평은 다시 용기를 내 크게 말했다.

“거기 오는 사람 누구예요?”

“……. 지금 말하는 사람이 삼평이니?”

삼평은 자기 이름을 물어보아서 안심하며 말했다.

"난 삼평인데, 넌 누구야?"

"다행이다. 나 용화야." 하며 뛰어왔다. 용화는 삼평 아버지에게 인사하고, 삼평과도 가볍게 인사를 나누었다. 아버지는 방으로 들어갔고, 삼평과 용화는 평상에 앉아 이야기했다. 미소가 부엌에서 나와 찐 감자를 놓고 방으로 들어가려고 하는데 용화가 말했다.

"야, 미소 다 컸네. 내가 좋은 남자 소개를 해주어야겠는데."

미소는 그 말을 듣고 부리나케 자기 방으로 들어갔다. 그 모습을 보며 용화가 웃었다. 용화는 삼평이 도요지로 간 2년 뒤에 계룡면 하대리로 이사했다고 했다. 그곳에서 농사를 짓고 결혼해서 아들 하나를 두었다고 했다. 삼평은 축하한다며 자기가 구운 그릇을 선물로 준다고 했다. 용화는 주위를 살피며 작게 말했다.

"내, 내가 조금 전에 이현택이 만나서 이야기했거든."

삼평은 용화가 긴장하며 말하는 것에 자신도 모르게 긴장했다. 그리고 안방에서 아버지도 긴장한 듯 조용했다. 용화는 일어나 싸리문을 열고 밖을 살피고 나서 평상에 다시 앉았다. 용화는 이번 달 마지막 날에 이몽학이 거사를 한다고 했다. 이몽학은 왕족 출신으로 왜군 침입으로 나라가 황폐해지고, 흉년까지 겹치면서 백성들이 죽어가고 있어서 왜적의 침입을 막고, 민심이 극도 흉악해진 것을 바로 잡겠다며 거사를 일으키려 한다고 했다. 용화는 많은 사람이 거사를 준비한다고 했다. 그리고 모내기 철도 지나서 먹을 것도 없는데 다시 조정에서 군량미 조달을 위해 집마다 뒤지고 다닌다고 했다. 친구인 현택도 '동갑회'에 들어왔다며 삼평에게도 가입하라고 했다. 삼평이 말했다.

"내가 집에 온 것을 어떻게 알았는데."

"어? 현택이가 말했어. 논에서 일하는데 미소가 와서 말했다고."

"미소가?"

용화는 지금 동갑회에 들어와서 군사 훈련을 받으라고 했다. 삼평이 머뭇거리니 용화는 지금 동갑회에 안 들어와도 괜찮으나 나중에라도 들어오라고 했다. 삼평은 머뭇거리다가 생각해 보고 연락을 준다고 했다. 용화가 싸리문을 나서는 것을 보고, 삼평 아버지가 방에서 나와서 평상에 앉았다. 삼평은 용화와 조금 더 이야기하고 집으로 오며 생각했다.

'내가 왜어를 배운 것이 나를 위한 것이지만, 그들을 통해 얻은 정보는 조선군이 그렇게 나약하지 않고, 5년 동안 전쟁하면서 육지와 바다에서 선전하고 있다는 것을 알았다. 그래서 왜군들이 다시 정비해 침략했지만, 지금도 역부족인데 다시 충청도에서 반란이……'

아버지는 삼평이 들어오는 것을 보며 걱정으로 한숨을 크게 쉬었다. 그리고 삼평에게 평상에 앉으라고 했다. 아버지는 다정하게 삼평의 손을 잡으며 말했다. 삼평은 아버지의 말을 듣고 놀라서 입을 다물지를 못했다.

삼평의 집안은 충청도가 아닌 함경도 길주가 생활 터전이었다. 1467년에 이시애가 길주와 함흥에서 난을 일으켜 구성군 이준과 강순의 관군에게 패하고 체포되어 참형에 처해 효수되었다. 모든 난이 진압되고 나서 삼평의 집안도 이시애와 같은 씨족이라는 이유만으로 모든 관직을 내려놓고, 충청도 계룡산으로 강제 이주를 당해 친족들이 죽었는지, 살았는지 모른다고 했다. 삼평의 집안은 뼈대 있는 양반이었지만, 이시애의 난 이후 양반의 신분도 박탈당했다고 말했다.

"삼평아! 절대 나라에 반기를 들면 안 된다. 조선이 아무리 썩었어도 뭉치면 그 어떤 나라보다 강한 민족이다. 우리 할아버지에 할아버지가 조정에 반기를 들지 않았지만, 같은 길주에 살고, 육촌이라는 이유로 지금까지 숨죽이며 살았다. 삼평아, 절대 동갑회에 들어가지 마라. 이 못난 아버지의 부탁이다."

삼평은 그제야 아버지가 살아온 인생이 이해되었다. 도공도 아버지를 예사 사람으로 보지 않았다는 것을 알았다. 삼평은 혼란에 빠져버렸다. 친척이라는 이유 하나만으로 모든 삶이 파괴되고, 그 후손들까지도 끝없는 가난과 다시는 양반 신분으로 회복할 수 없다는 것에 자괴감이 들었다. 다음날 삼평은 용화와 현택을 피해 학봉 도요지로 왔다. 삼평은 공사군이 나른 흙을 고를 때 냄새를 맡고 먹어서 맛을 보았다. 손으로 흙을 쥐어 고운 흙과 돌가루 알갱이가 부드러운지 확인했다. 삼평은 도자기 굽는 일에만 몰두했다.

7월 30일에 이몽학의 반란군이 부여, 청양, 예산을 거쳐 홍주를 함락했다는 소문이 돌았다. 그런데 8월 3일에 홍주목사 홍가신의 거짓 항복 전략에 패했다는 것을 아버지가 알고 도요지로 왔다. 아버지는 삼평과 미소가 위험할 수 있으니 다른 곳으로 피신하라고 했다.

"삼평아, 용화는 홍주에 잡혔고, 현택은 청양에서 잡혔다. 지금 온천리도 난리 났다. 그러니 너도 피하고, 미소도 같이."

"아버지, 미소는 왜요?"

"……. 미소하고 현택이 가을에 혼례를 하기로 했는데, 지금 현택이 저렇게 되었으니 위험하다."

그리고 삼평이 왜어를 배운다는 것을 알고 아버지는 의아했다. 아버지는 뜨악한 얼굴로 물어보았다.

"굳이 왜어를 배워서 이 난리 통에 어떻게 하려고 그래."

"왜인 세상이니 왜어를 못 알아들어서 낭패당하는 것보다 미리 준비해서 낭패를 피하는 것이 상책이라고 생각해서 배웠습니다."

아버지는 알겠다며 미소를 부탁했다. 미소는 울면서 학봉리 동구 밖까지 나가 아버지를 배웅했다.

삼평은 도요지에서 미소와 같이 며칠을 지내고 있는데, 준성이 나갔다 와서 왜군들이 도공들을 강제로 왜로 보낸다고 말했다.

도공은 도요지 사람들을 모아 놓고 말했다.

"나도 일찍이 그 이야기를 듣고 있었다. 경기도 이천과 광주에서 왜군이 도공들을 잡아서 강제로 왜로 보낸다고 한다. 내가 이런 날이 올 줄 알고 미리 준비해 놓았다. 나는 이곳에 남을 것이다. 그러니 너희는 속히 용수천에서 배를 타고 곰나루에서 큰 배로 갈아타고 나주로 가라. 거기에 가면 강훈석 감화장이 너희를 반겨줄 것이다."

이 말에 예진을 울며 자기도 여기에 남는다고 했다. 예진 어머니는 예진을 달래서 전쟁이 끝나고 조용해지면 다시 만날 수가 있다며 예진에게 짐을 챙기리라고 했다. 삼평과 미소는 짐이라고 할 것도 없어서 봇짐만 챙겼다. 진배의 인솔하에 용수천으로 가니 배가 기다리고 있었다. 준성도 마지못해 예진을 따라 배에 올랐다. 용수천은 전날 내린 폭우로 강물이 많이 불어나 있었다. 예진은 울며 아버지와 어머니에게 손을 흔들며 다시 만나자고 말했다. 삼평과 미소도 고향 온천리 방향을 보며 아버지와 어머니가 나와 있는지 살펴보았지만, 그 어디에도 보이지 않았다. 배가 떠나는 것을 회심에 미소를 지으며 쿠로다 나가마사가 지켜보고 있었다. 쿠로다 나가마사는 즉시 모리 히데모토(毛利秀元) 왜장에게 도공들이 학봉 도요지를 떠났다고 보고했다. 모리 히데모토는 나베시마 오시게(鍋島直茂) 번주에게 곰나루로 학봉 도공들이 도망을 친다고 보고하니, 나베시마 오시게 번주는 전원 생포해서 일본으로 보내라고 했다.

진배의 인솔하에 도공들이 탄 배 5척이 곰나루에 막 도착하는 순간에 왜 수군이 배를 포위했다. 예진과 미소를 포함해 많은 여자가 왜군에게 잡혀 끌려갔다. 삼평도 다른 곳으로 끌려가며 왜군 중에 쿠로다 나가마사를 찾았다. 그러나 삼평도 준성도 쿠로다 나가마사를 찾을 수가 없었다. 배 밑창에 갇혀 있던 삼평과 준성은 왜군에게 쿠로다 나가마사에게 연락을 부탁했다. 하루, 이틀이 지나고 더 많은 사람이 배 밑창으로 몰려들었다. 저녁에 쿠로다 나가마사가 삼평과 준성을 곰나루 선착장으로 불러냈다. 삼평이 말했다.

"우린 도망가려고 한 것이 아니라 조선군들이 진압한다고 해서 피신을 한 것입니다. 당신도 알겠지만, 이몽학하고 우리는 같은 이 씨 성입니다."

쿠로다 나가마사는 비웃으며 말했다.

"이몽학은 벌써 진압되었다. 오늘이 8월 11일이다. 너희는 8월 15일에 조선을 떠나 우리 일본에서 살게 될 것이다."

준성은 쿠로다 나가마사의 말을 듣고 주저앉아 울었다. 삼평은 쿠로다 나가마사의 눈을 보며 생각했다.

'난 왜에 가도 살 수가 있다. 그러면 미소는 어떻게 한단 말인가. 더구나 예진은. 내가 없으면 우리 부모님의 여생을 누가 모시며 살 것인가. 생각하자. 여기서 협상해서 미소를 무조건 내리게 해야 한다.'

삼평은 생각해야 하는데 준성이 쿠로다 나가마사에게 울며 살려달라며 크게 말하는 것 때문에 생각할 수가 없었다. 화가 난 쿠로다 나가마사가 왜군에게 둘을 데리고 가라고 했다. 삼평은 왜군에게 끌려가면서 마지막 히든카드를 내밀었다.

"쿠로다 나가마사! 내가 도공들을 찾는 것을 도와준다며 내 부탁을 들어 주시겠습니까?"

그 말에 쿠로다 나가마사는 왜군에게 손을 들어 제지했다. 삼평과 준성은 모리 히데모토 왜장 천막으로 갔다. 삼평은 준성에게 이곳을 벗어나게 해줄 테니 미소와 예진을 데리고 학봉리로 돌아가라고 말했다. 준성은 이곳을 벗어나게, 아니 왜로 가지 않게만 해준다면 미소와 예진을 데리고 어디든 가겠다고 말했다.

"왜어를 할 줄 아니, 저들이 속이더라도 반드시 학봉 도요지에 다시 가야 해."

"알았어. 반드시 둘을 데리고 도요지에 갈게."

사무실에서 쿠로다 나가마사의 이야기를 들은 왜장은 삼평을 쳐다보았다. 왜장이 삼평에게 네 부탁이 무엇인지 먼저 말하라고 했다.

"여기 김준성과 제 동생 이미소, 김준성의 아내 김예진을 풀어주고, 이들이 학봉 도요지에 도착할 때까지 안전을 보장해 주는 것입니다."

준성은 삼평이 예진을 자기의 아내라고 말해서 놀랐다. 그러나 삼평은 준성이 쳐다보아도 왜장만 보았다. 왜장은 잠시 생각하더니 자기가 결정할 사항이 아니라 나베시마 오시게 번주가 결정할 사항이라 보고 잠시 기다리라고 했다. 기다리는 동안 삼평이 준성에게 다시 말했다.

"준, 준성 형. 그동안 내가 형이라고 안 불러서 서운했지."

"아니, 뭐 서운한 것까지는 없고······."

"형, 어쩌면 이번에 헤어지면 난 다시는 조선에 못 올지도 몰라. 그래서 형이 내 부탁을 꼭 들어줘."

"부탁? 네 동생을 너희 집에 잘 보내달라고."

삼평은 준성을 보고 생각했다.

'나와 예진이 서로 좋아한다는 것을 준성도 알고 있다. 내가 예진을 부탁하면 예진의 앞날에 먹구름만 가득하겠지.'

"응, 그리고······."

준성이 긴장해서 삼평을 쳐다보았다.

"우리 미소가 시집갈 때 형이 옆에서 도와주면 좋겠어. 아니, 부탁해."

준성은 웃으며 고개를 끄덕였다. 번주는 왜장에게 삼평의 조건에 따르라며 대신에 50명에 1명씩 풀어주라고 했다. 준성과 예진, 미소는 풀려나서 학봉리로 향했다. 삼평은 멀리서 그 모습을 바라보며 눈에 눈물이 그렁그렁했다. 예진과 미소가 삼평을 찾기 위해 두리번거릴 때 결국 삼평의 눈에서 굵은 눈물이 볼을 타고 흘러내렸다. 삼평과 도공 148명은 조선을 떠나 일본으로 가기 위해 금강을 따라 바다로 향했다. 대한해협을 지나는 바닷길에는 많은 도공과 백성들의 눈물이 대한해협 바닷물에 스며들었다.

삼평도 저 멀리 보이는 조선의 산하를 보며 눈에서 눈물이 볼을 타고 주룩주룩 흘러내렸다.

다시 못 만날 누군가 두고 떠난다는 것에.

"아버님, 어머님, 건강하세요. 미소야. 행복하고 부모님을 부탁해. 예…… 예진아, 사랑한다. 부디, 행복하게 잘 살아."

삼평은 눈물을 닦으며 흔들리는 배에서 자세를 잡고 고향 부모님을 향해 큰절을 올렸다.[2]

---

[2] 이 소설은 동양일보 유환권 기자의 '도공 이삼평'에서 영향을 받았음을 밝힌다.

수산진성과 진안할망당

　남해안 푸른 바다 저 멀리서 불어오는 겨울바람이 갓을 쓴 사내의 수염에 고드름을 만들었다. 사내가 숨을 쉴 때마다 하얀 입김이 얼어 얼굴에 와 부딪치면서 볼이 빨갛다 못해 시퍼렇게 변해 갔다. 사내의 가슴에서는 찬바람보다 더 냉혹한 기운이 척추를 타고 올라가 머리끝까지 뻗치고 있었다. 사내는 세종 임금이 자기를 제주도 목사로 보낸 이유를 잘 알기에 더욱 더 화가 났다. 지금 세종 임금은 성균관 유생들과 그 무엇인가 비밀스럽게 하는 것을 알기에 옆에서 지켜주고 싶었는데, 임금은 자기에게 제주도에 내려가서 민생을 돌보라고 하니, 임금이 자신을 조정에 있는 사대부들과 동일하게 보는 것 같아 속상하면서도 화가 난 것이다. 사내는 멀어지는 육지를 보면서 임금이 자기를 하루빨리 불러주기를 바라며 돛대를 손바닥으로 탁,하고 쳤다.

사내는 제주도 땅이 보이면서 크게 한숨을 쉬고 뱃머리에서 내려와 선실로 들어갔다. 사내가 봇짐을 챙기며 말했다.

"춘식아, 짐을 챙겨라. 제주도에 다 왔구나."

사내는 선실을 나와 우도를 지나는 뱃머리에서 성산일출봉을 바라보며 감탄에 젖었다. 겨울 찬바람에도 끄떡없이 솟은 것이 마치 자기를 반겨주는 것처럼 반가웠다. 배가 성산포에 닻을 내리며 사내는 배에서 내렸다. 사내의 뒤를 하인인 오춘식이 따라가며 말했다.

"나리, 천천히 가십시오."

"겨울 해가 짧으니라."

춘식은 사내의 책과 짐을 어깨에 메고도 양손에 한 보따리씩 들고 사내의 뒤를 뛰다시피 따라갔다. 성산포를 벗어나서 사내는 주막으로 들어갔다. 주모는 배에서 내려 주막으로 들어오는 사내와 그의 하인을 보며 말했다.

"혼자옵서예."

그 말을 들은 춘식이 화를 내며 말했다.

"나리께서 혼자 오신 것이 아니라 나도 같이 왔네요. 참 별 시답지 않게 시리."

주모가 말하려고 하는데 사내가 말했다.

"이놈아, 제주도 말로 '혼자옵서예.'는 '어서 오세요.' 뜻이다. 너는 잔말 말고 짐이나 내려놓아라. 주모는 잠깐 이리 와 보시게."

주모는 사내의 부름에 공손하게 허리를 숙이며 다가갔다. 사내는 정의현에 가려고 하는데, 말 두 필과 안내할 사람이 필요하다고 했다. 그리고 국밥 두 그릇을 달라고 했다. 주모는 부엌으로 들어가면서 술 심부름하는 아이에게 말했다.

"…… 감방왕곱써양."

춘식이 그 말을 듣고 중얼거렸다.

"나리께서 금방 와서 곱다고."

사내는 춘식의 말을 듣고 주모가 갖다준 숟가락으로 이마를 때리며 말했다.

"넌 조용히 하고 밥이나 먹어라. 여기 사람들은 제주도 고유의 말을 사용하기 때문에 굳이 해석하려 하지 말고, 그냥 그렇구나, 라고 여기면 된다."

사내의 지청구를 들은 춘식은 숟가락을 들고 뜨거운 국밥을 정신없이 먹었다. 사내가 식사를 끝내니 밖에 나갔던 술 심부름하는 아이가 오더니 사내에게 말했다.

"말은 구했고요. 성읍 정의현까지 안내는 셋 푼이라고 합니다요."

"그래. 네가 안내하느냐?"

"아닙니다요. 소인은 주막에서 일하기 때문에 여기를 벗어날 수가 없습니다요."

사내는 고생했다며 허리춤에서 한 푼을 꺼내 아이에게 주었다. 사내가 밥값을 계산하고 밖으로 나오니 말 두 필과 턱수염이 텁수룩한 남자가 서 있었다. 남자는 사내를 보고 허리를 숙이며 말했다.

"소인이 성읍까지 안내를 맡은 칠성이라고 합니다요."

사내는 알았다며 말에 올라탔고, 춘식은 짐을 말에 실었다. 춘식과 칠성은 걸어가면서 제주도에 관해 이야기를 나누었다. 그리고 칠성은 말을 탄 사내가 새로 부임한 목사란 것을 춘식에게 듣고 더 공손하게 행동했다.

사내가 정의현에 도착하니, 문 앞까지 나와 있던 최해산은 말을 타고 오는 사내를 보고 환하게 웃으며 말했다.

"한승순, 오랜만이네."

"최해산, 그동안 고생이 많았네."

둘은 서로의 어깨를 쓰다듬어 주었다. 부임하는 한승순과 이임하는 최해산은 안으로 들어가고, 춘식과 칠성은 말을 끌고 하인을 따라 마구간으로 갔다.

한승순과 최해산은 술을 마시며 그동안의 노고와 앞으로 제주도에서 할 일들을 대해 날이 새는 줄도 모르게 이야기를 나누었다.

한승순이 제주도 부임한 지 두 달이 지났다. 그는 제주도에는 봄이 빨리 온다고 생각하고 있는데, 춘식이 헐레벌떡 뛰어 들어오며 말했다.

"나, 나리. 큰일 났습니다요. 지…… 지금 저…… 저기에."

"이놈아, 내가 다 숨이 넘어가겠다. 숨을 크게 마시고 나서 천천히 말해 보아라."

춘식은 숨을 크게 마시고 나서 말했다.

"나리. 성산포에 왜구가 나타나서 마을 사람들을 마구 죽이고, 집을 불태우고 있다고 합니다."

"뭣이, 왜구가 나타났다고?"

한승순는 놀란 것이 아니라 화가 나서 읽던 책을 탁하고 덮으며 크게 말했다.

"이방, 아니 병방은 어디에 있는가?"

"네." 하며 고승범 이방이 뛰어왔다.

"부르셨……."

"이방 말고, 이석근 병방 말이야."

"지금 왜구 쳐들어왔다고 해서 성……."

"뭣이, 나에게 보고도 없이 성산포로 포졸들과 출동했다고."

이석근 이방은 마루로 나오는 한승순 목사를 보며 속으로 생각했다.

'아니, 무슨 말도 못 하게 중간에 싹둑싹둑 잘라. 육지에서 어떻

게 배웠기에 저 모양인지, 원. 그리고 보고할 시간이 어디 있었고, 제주도 지리나 제대로 알기나 해.'

한승순 목사는 이방을 보며 말했다.

"이방은 내가 제주도 지리를 제대로 모른다고 보고하지 않고 단독결정으로 병방을 보낸 것인가?"

고승범 이방은 이승순 목사의 말을 듣고 뜨끔해서 더듬거리며 말했다.

"네? 아, 아닙니다요. 워낙 급, 급박한 상황이라 이석근 병방이 포졸들을 데리고 출동한 것입니다요. 그리고 빨리 보고드리려고 했는데, 여기 춘식이가 먼저 보고를 한 것입니다요."

한승순은 고승범 이방을 내려다보며 춘식에게 말했다.

"춘식이 너는 지금 말을 준비하고, 이방은 남은 포졸과 같이 출동할 수 있도록 준비해 주게."

한승순은 방으로 들어가서 갑옷을 챙겨 입었다. 춘식이 끌고 온 말을 타고, 포졸들과 같이 성산포로 출동했다. 성산포에 당도해서 보니, 성산포는 연기로 가득했고, 이곳저곳에서 어른아이할 것 없이 전부 울고만 있었다. 길바닥에 죽은 시체들이 성산포로 가는 길마다 쌓여 있었다. 한승순은 말에서 내려 죽은 어머니 곁에서 우는 아이를 보며 말했다.

"내가 어찌 최해산이 한 말을 귀담아듣지 않았을까. 이 수많은 백성의 억울한 죽음을 어떻게 달래주어야 하는가?"

한승순은 우는 아이를 안아 들고 양 볼로 흘러내리는 눈물을 닦아 주었다. 춘식이 다가와 아이를 달라며 말했다.

"소인이 마을 사람을 찾아서 이 아이의 친척에 보내겠습니다요."

"그래. 그렇게 하여라."

한승순은 잿더미가 된 포구로 가고 있는데, 제주도로 처음 부임해 국밥을 먹었던 주막도 왜구에게 피해를 입어 잿더미만 남았다. 그리고 술 심부름하던 아이도, 주모도 마당에 죽어 있었다. 한승순은 걸어서 포구로 가는데, 이석근 병방이 뛰어와 보고했다.

"저희가 당도했을 때 이미 왜구가 침입해서 곡식과 아녀자들을 납치해서 도망간 뒤였습니다. 왜구는 저희가 오는 것을 보고 마을에 불을 질러서 시선을 돌리고 전부 도망을……."

"알았다. 병방은 즉시 여기를 수습하고, 포졸들에게는 왜구가 다시 오는지 감시를 철저히 하도록 하게."

"알겠습니다."

한승순은 지시를 내리고 정의현으로 와 제주 관아에 보고하기 위해 붓을 들고 한참을 생각에 잠겨 있었다. 그는 피해 상황도 중요하지만, 백성을 보호하기 위해서는 방호소가 필요하다는 것을 조정에 알리고, 성 축조를 건의하기로 했다. 한승순은 먹을 갈고 한지에 제주 관아에 보고할 것을 적고 나서, 다시 한지를 깔고 붓에 먹을 듬뿍 묻힌 후 빠르게 조정에 보낼 서신을 적었다. 그는 먹물이 마르기를 기다리는 동안 춘식을 불렀다.

"춘식아! 너는 내가 주는 이 서신을 즉시 한양에 가서 병조판서 이명덕 대감댁에 드려라. 그리고 병조판서께서 읽고 나서 하신 말씀을 잘 듣고 나에게 전해라."

"네, 알겠습니다요. 대감마님."

한승순은 마른 한지를 잘 접어 봉투에 넣어서 춘식에게 주었다. 춘식이 밖으로 나가고, 한승순은 고승범 이방을 불러 피해 상황 서찰을 제주 관아에 전해주라고 했다. 그는 다시 김형길 공방을 불렀다.

"김 공방, 자네가 보기에 성산포에 성을 축성한다며 어디가 좋겠는가?"

김형길 공방은 한승순 목사가 성을 쌓는다는 말에 아연실색한 표정으로 말했다.

"대감. 지금 성을 쌓는다며 백성들이 힘들어합니다. 제주도에는 벼농사를 짓는 것도 척박하고, 봄부터 가을까지는 해녀들도 정신이 없습니다. 더구나 지금은 봄이라 벼농사를 위해 논갈이도 해야 하기에 잣대기라도 필요한 일손…….”

“김 공방. 지금 당장 하자는 게 아니라 어디가 좋은지 알아보라 는 것이야. 조정에 보고했으니, 답이 오면 그때 하면 될 것을. 벌써부터 어렵다는 말만 되풀이하면 어찌하자는 게야.”

한승순은 머리끝까지 화가 나서 손바닥으로 탁자를 내려쳤다. 김 형길 공방은 한승순의 화난 얼굴에 주눅 들어 기어들어가는 목소 리로 말했다.

“소, 소인이 아, 알아보고 나서 보, 보고하겠습니다.”

김형길 공방이 더듬거리며 말한 이유는 공방 생활을 하면서 지 금까지 서귀포 어느 지역에 성을 쌓을지 확인도 안 했다는 질책 을 들을까 봐서 조심하면 말을 한 것이다. 그러나 한승순은 공방 의 말에 이렇다 저렇다는 답변 없이 손짓으로 빨리 나가서 알아 보라고 했다. 김형길 공방이 안채에서 나오니, 이방과 병방이 불 러 세웠다. 고승범 이방이 말했다.

“대감이 무슨 일로 불렀나?”

김형길 공방은 한라산에서 불어오는 냉기가 가득한 바람을 깊숙 이 들어 마시고 나서 이방과 병방의 얼굴을 보았다. 그들은 흥미 진진한 얼굴이었다.

“대감이 성을 쌓겠다고 하네.”

“무…… 뭐, 성?”

“저 대감이 어떻게 된 것이 아니야. 성을 쌓는다는 것이 하루아 침에 도깨비방망이로 뚝딱하면 만들어지는 줄 알고 있나 보네.”

“나도 말했네. 농번기라 힘들다고. 그런데 뭐라고 할 줄 아나?”

고승범 이방이 얼른 말하라며 눈짓하고 귀를 쫑긋 세우고 김형 길 공방의 입만 보았다.

“그게 말이야. 지금이 아니고 조정에 보고하고 나서 쌓자고 하더 란 그 말이야.”

고승범 이방은 김형길 공방의 이야기를 듣고 크게 웃었다.

"하하하."

이석근 병방과 김형길 공방은 박장대소하며 웃는 고승범 이방을 보며 의아해했다.

"뭐가 좋다고 그리 웃어."라고 이석근 병방이 질책하듯 말했다.

고승범 이방은 웃음을 참지 못하고 김형길 공방의 어깨를 쳐가면 더 크게 웃었다.

"자네들, 최해산 목사를 알지?"

"알다 뿐인가. 전임 목사 아닌가."

"그래, 맞아."

고승범 이방은 한승순과 포졸이 듣지 못하게 작게 말했다.

"최해산 대감도 조정에 보고해서 성을 쌓아서 왜구로부터 백성을 보호하자고 건의했네. 그런데……."

이석근 병방은 이방이 느리게 말해서 더 이상 참지 못하고 말했다.

"그놈에 그런데, 라는 말은 빼고 말이나 좀 하게."

고승범 이방은 병방을 아니꼽게 쳐다보고 나서 말했다.

"그런데 조정에서 서신이 내려왔는데 딱 한마디로 '안 된다.'였네. 제주 관아에서도 그 사실을 알고 난리도 그런 난리가 없었네. 결국 최해산 목사가 제주 관아에 가서 머리를 조아리고 나서 겨우 무마되었다네. 이제 알겠는가?"

"그런데 우리는 왜 그 사실을 왜 몰랐지?"

"당연히 자네들은 모를 수밖에. 최해산 목사가 단독으로 결정했고, 나도 제주 관아에서 듣고 나서 알았네. 그러니 김 공방은 너무 걱정하지 말고, 우리 어디 가서 시원하게 탁배기나 마시세."

이방, 병방, 공방은 웃으며 정의현을 나와 주막에서 탁배기 항아리가 빌 때까지 마셨다.

고승범 이방의 말대로 조정에 보낸 서신도, 한양에 간 춘식도 2

개월이 넘도록 내려오지 않았다. 한승순은 춘식이 제주도에서 배를 타고 가다 사고가 났는지 확인했지만, 2개월 동안 배가 침몰했다는 보고는 없었다. 그렇다고 육지에서 사고가 났다는 보고도 없었다. 한승순은 춘식이 하루빨리 나타나길 바라며 마당을 이리 왔다 저리 갔다 하는 것을 고승범 이방이 숨어 지켜보면서 회심에 미소를 지었다.

장마도 지나고, 태풍도 제주도를 비켜 갔지만, 춘식은 나타나지 않았다. 한승순은 제주 관아에 성 축조에 대한 보고를 써서 고승범 이방을 통해 다시 보냈다. 제주 관아에서도 소식이 없기는 마찬가지였다. 한승순은 제주도에서 벼가 수확되면 다시 왜구들이 나타날 것을 대비해 군사 훈련을 시켰다. 이석근 병방은 포졸들에게 훈련하면서 투덜거렸지만, 고승범 이방이 나서서 한승순의 비위를 마쳐 주어야 성 쌓는 일을 포기할 것이라며 다독거렸다.

가을에 접어들면서 한양에 갔던 춘식이 돌아왔다. 한승순은 춘식이가 왔다는 말에 방에서 책장을 건성으로 넘기며 기다렸다.

"대감마님, 소인 춘식이 한양에 다녀왔습니다요."

한승순은 춘식을 빨리 방에 들어와 한양에서 무슨 일이 있었는지 알고 싶었지만, 헛기침을 한번하고 나서 말했다.

"그래. 고생이 많았구나. 일단 하루 쉬고 나서 내일 말하자구나."

"아닙니다요. 소인이 가지고 온 서찰도 있고 해서……."

한승순은 서찰이라는 말에 벌떡 일어섰다가 다시 앉으며 말했다.

"그래. 그럼 가지고 들어오너라."

한승순은 방문이 열리고 들어오는 춘식을 보면서 너무 반가워 일어나서 껴안아 주고 싶었지만, 오른손으로 탁자를 잡으며 마음을 진정시켰다. 춘식은 보따리를 내려놓고, 한승순 목사에게 큰절했다. 한승순은 큰절도 귀찮았지만, 춘식이 하는 예절을 가만히 지켜만 보았다. 춘식은 무릎을 꿇고 나서 말했다.

"소인이 한양으로 가다가 전주에서 그만 병이 나서 몇……."

"그래, 고생이 많았다. 일단 서찰부터."

춘식은 서찰이라는 말에 보따리를 뒤쳐 서찰을 꺼내 한승순에게 주었다. 한승순은 서찰을 보자마자 빼앗듯이 하며 뜯어 읽기 시작했다. 한승순은 읽어 내려가면서 점점 더 얼굴이 어두워졌다. 한승순은 다 읽었는지 서찰을 접어 탁자에 놓았다. 춘식은 한승순이 자기를 보는 것 같아서 말했다.

"소인이 전주에서 병이 나서 의원 댁에서 한 달간 있었습니다요. 그리고 다시 한양에 도착해서 병조판서댁에 갔는데, 이명덕 어른께서 정조사가 되시어 명나라에 갔다고 합니다요. 그래서 새 병조판서가 되신……."

한승순은 넋을 놓고 있다가 춘식이 뭐라고 떠드는 소리에 놀라 정신을 차리고 보니 춘식은 머리를 숙이고 계속해서 중얼거리고 있었다. 한승순은 춘식의 말을 낚아챘다.

"이젠 되었다. 가서 쉬고 나중에 이야기해라. 얼른 가 쉬거라." 하며 귀찮은 듯이 손을 내 저었다.

"네? 네. 대감마님."

춘식이 방을 나간 것을 보고 한승순은 다시 서찰을 펴서 읽었다. 서찰에는 지금은 때가 아니니, 조금만 기다리는 내용이었다.

춘식이 방에서 나오는 것을 보고 이석근 병방이 불렀다.

"여보게, 춘식이."

춘식이 보니 쪽문에서 병방이 손으로 오라고 손짓하고 있었다. 춘식이 병방에게 가니, 병방이 쪽문 안으로 잡아당겼다. 춘식이 당황하며 병방을 보니, 담장에 이방하고 공방이 서 있었다.

"아니, 뭔 일로 여기에 이렇게 서 있어요."

고승범 이방이 환하게 웃으며 말했다.

"그래. 한양에 갔던 일은 잘 되었는가. 아니지. 한승순 대감이 한양에 보고했던 일이 어떻게 되었는가?"

"글쎄요. 전 서찰만 전달해서 무슨 내용인지 모릅니다."

고승범 이방이 "뭐?"라고 크게 소리 질렀다. 둘의 대화를 듣던 김형길 공방이 말했다.

"허허, 고승범 이방. 춘식이 당연히 모를 수가 있지. 이보게, 춘식이. 자네가 한승순 대감에게 보고했을 때 그 상황을 좀 말해 보게나."

"상황이요?"

춘식은 눈을 깜박이며 조금 전 방에서 있었던 일을 생각했다. 춘식은 자기가 한승순 대감에게 서찰을 주었고, 한승순 대감이 다 읽고 나서 마치 넋이 나간 사람처럼 자기의 말을 듣지도 않았다고 말했다. 그 말을 들은 세 사람은 입이 찢어질 정도로 환하게 웃었다. 김형길 공방이 춘식에게 먼 길에 고생이 많았다며 사랑채에 가서 편히 쉬라며 보내주었다. 춘식이 멀어지는 것을 보고 김형길 공방이 말했다.

"한승순 대감이 넋이 나갔다고 했지?"

"그래. 춘식이 말하는데도 듣지 못하고……."

"그래서 내가 뭐라고 했나. 성곽은 아무나 쌓는 것이 아니라고 말했지, 않는가. 다들 그동안 마음고생들이 많았으니, 오늘은 내가 성읍에 나가서 한잔 쏘겠네. 하하하."

"좋지. 몇 달 동안 가슴에 쌓였던 체증이 확 내려갔네. 꺼억. 하하하."

"지금 김 공방이 트림했어. 하하하."

세 사람의 웃는 소리가 담장을 넘어 한승순 귀에까지 들렸다.

"저것들은 뭐가 저리도 좋아서 웃고 있나. 그러나저러나 어떻게 한다지. 성을 축조해야만 왜구로부터 백성을 보호할 수가 있는데."

한승순은 김형길 공방이 전해준 서귀포 지도를 며칠간 보았지만, 어디에 성을 축조해야 좋을지 알 수가 없었다. 한승순은 여름철 장마를 경험했고, 더군다나 육지에서 보지도 못했던 태풍이 서귀포 앞바다까지 휘몰아쳐 집이고, 사람이고 정신을 차리지 못했다. 비도 어찌나 많이 내리던지 성읍이 물바다가 되는 줄 알았다. 그런데 태풍이 지나고 나니, 서귀포는 언제 비가 내렸냐는 듯 물이 쫙 빠졌고, 집마다 쌓은 돌담도 무너진 곳이 없었다. 한승순는 지도를 내려다보며 중얼거렸다.

"내가 직접 다니면서 확인해야겠다. 한양에서 답변이 오려면 몇 년을 더 기다려야 하니 내가 성곽 자리를 확인하고 문서로 남겨 놓으면 후임이 오더라도 그것을 보고 성을 쌓지 않겠는가. 그래, 내일부터 성산포부터 둘러보자."

한승순은 지도를 더 자세히 살피며 어디에 성을 쌓아야 하는지 곰곰이 생각에 잠겼다.

다음날 아침부터 한승순은 김형길 공방과 춘식을 데리고 성산포로 갔다. 성산포에서 바로 본 마을은 아직까지도 왜구의 피해로부터 제대로 복구가 되지 않았다. 그래도 백성들의 얼굴에서는 작은 희망이라도 찾기 위해 열심히 거리를 오가며 하루 먹을 양식을 얻고자 부지런히 움직였다. 한승순은 백성을 보며 혼잣말했다.

"백성은 어떻게든 살아보려고 하는데, 내가 왜구로부터 저들을 지키지 못한다면 세종 임금을 어떻게 뵐 수가 있는가. 백성이 있어야 내가 있고, 태평한 조선을 만들어야 세종 임금이 편하게 나라를 다스릴 수가 있다. 백성은 등 따뜻하고 배부르면 그것이 임금의 은혜로 알지 않겠는가."

한승순은 김형길 공방에게 성곽을 쌓으면 어딘가 좋은 터인지 살펴보자고 했다. 김형길 공방은 못마땅한 표정을 감추고 건성으로 해안을 따라 시흥리, 오조리, 고성리, 신양리, 온평리로 데리고 다녔다. 한승순은 마을을 다니면서 느낀 것은 돌들이 많고, 해안가라 바람이 심해서 왜구를 방어하기가 힘들다는 것을 알았다. 한승순가 머리를 흔드는 것을 보며 김형길 공방은 속으로 쾌자를 부르며 수산리로 이동했다. 수산리 삼거리에 도착해서 한승순은 잠시 쉴 겸 해서 주막으로 들어갔다. 김형길 공방이 주모에게 술을 시키려 하는 것을 한승순이 막으며 말했다.

"지금은 공무 중이네. 술보다는 식사하고 다시 한번 둘러보자고."

주모는 정의현 목사라는 것을 알고 국밥에 고기를 듬뿍 넣어 주었다. 한승순이 식사하면서 김형길 공방에게 물었다.

"김 공방, 저 북쪽으로 가면 제주 관아로 가는 길이 아닌가."

"네, 맞습니다. 서쪽으로 쭉 가면 바로 성읍입니다."

한승순은 식사하면서 북쪽과 서쪽을 보았다. 그리고 동쪽 성산포 방향을 보며 생각에 잠겨 있었다. 그때 사내들 서넛 명이 들어오면서 주모에게 국밥과 탁배기를 시켰다. 그들이 평상에 앉으며, 제일 연장자로 보이는 사내가 말했다.

"그래도 지하수가 금방 나와서 다행이야. 저번에 노루못골에서는 얼마나 고생했는지."

"형님. 그래도 노루못골보다 지금 판 우물에는 소금기가 적어서 좋지 않아요."

"좋기만 한가. 물맛도 성읍보다 훨씬 시원해. 한라산 물줄기가 이 앞으로 지나가는 것 같더라니까."

한승순은 사내들의 말을 듣고 무릎을 '탁'치며 사내에게 말했다.

"이보게, 그 우물을 판 곳이 어딘가?"

"네?"

춘식이 일어나서 사내들에게 말했다.

"이분께서 정의현 한승순 목사님이입니다."

춘식의 말에 사내들은 평상에서 내려와 땅바닥에 엎드렸다. 한승순이 다시 말했다.

"우물이 여기서 가까운가?"

사내중에 제일 연장자가 말했다.

"네? 네. 여기서 조금만 가면 됩니다요. 소인이 지금 바로 안내하겠습니다요."

"일단 식사부터 하게나. 국밥은 내가 계산하겠네."

"대감마님, 괜찮습니다요. 어찌 소인들의 국밥……."

"아니네. 내가 긴히 알고자 한 것을 그대들이 알려주지 않았는가. 그 값이라고 생각하게나."

사내들은 주모가 준 국밥이 코로 들어가는지, 입으로 들어가는지 정신없이 먹었다. 자기들이 서귀포를 다스리는 목사를 기다리게 한다는 것에 정신을 제대로 차리지 못하고 입속으로 사정없이 넣기에만 바빴다. 제일 연장자가 식사를 다 했는지 일어나서 한승순에게 말했다.

"소인, 식사를 다 했습니다요."

"이거 괜히 나 때문에 급하게 먹어서 체하지나 않을지 걱정이네."

"괜찮습니다요."

사내가 주막을 나서자, 한승순도 주막을 나왔다. 주막에서 그리 멀지 않은 곳에 우물이 있었다. 한승순은 지형과 길을 보며 탄식했다.

"내가 어찌 이곳을 보지 못했을까. 왜구를 내륙으로 끌어들여서 바다와 멀게 하고 공격하면 왜구들은 육지에서 피할 곳이 없지 않은가."

한승순은 우물의 물을 떠서 마셔보았다. 사내들이 말한 대로 물에서는 소금기가 없었고 시원했다. 한승순이 김형길 공방에게 말했다.

"김 공방이 보기에 이곳에 성곽을 축조한다며 어떻겠는가?"

김형길 공방은 못마땅한 표정을 감추고 말했다.

"여, 여기에 성을 쌓는다면…… 그게 그러니깐, 따…… 땅 지반이 약해서 성을 쌓다 보면……."

연장자 사내가 말했다.

"아닙니다요. 여기 우물 근처는 땅이지만, 이 우물을 벗어나서는 전부 돌밭입니다요. 그래서 성을 쌓아도 무너지지 않습니다요."

한승순은 사내의 말을 듣고 자세히 말해 보라고 했다. 사내는 우물을 중심으로 해서 성곽을 쌓게 되면 근처에 현무암이 많아서 나르기가 쉬울 뿐만이 아니라 높이 쌓을 수가 있다고 말했다. 한승순은 사내의 말을 듣고 환하게 웃으며 김형길 공방에게 성 위치와 건물을 어떻게 배치할 것인지 계획을 세워서 보고하라고 했다.

한승순은 정의현으로 돌아와 제주 관아에 수산리에 성곽을 쌓기 좋은 장소가 있다는 서찰을 보냈다. 그리고 다시 춘식에게 서찰을 주며 한양에 갔다가 오라고 했다.

한편, 고승범 이방은 김형길 공방에게 수산리에 성곽을 쌓는다는 이야기를 듣고 아연실색하며 어떻게든지 막아야 한다고 생각했다. 이방은 마을을 다니며 유생들을 만나기 시작했다. 그리고 유생들에게 제주 관아와 한양에 탄원서를 보내라고 압박했다. 유생들이 정의현에 찾아와 한승순에게 서귀포에 성곽을 쌓는 것은 부당하다며 계획을 취소하라고 했다. 촌장들도 한승순에게 민심을 헤아려야 한다며 지금은 하루 먹고 살기도 힘든데 성곽을 쌓는데 백성들이 부역에 동원되면 그 많은 양식을 어떻게 할 것이냐며 상소를 올렸다. 한승순은 유생과 촌장들에게 지금 하려는 것이 아니라 차근차근 준비해서 할 것이라고 했지만, 그들은 민심을 헤아려야 한다며 꿈쩍도 하지 않았다.

며칠이 지나서 춘식이 밖에 나갔다가 들어와서 한승순에게 말했다.

"대감마님, 소인이 밖에서 들은 것이 있습니다요."

"그래. 어떤 내용을 들었기에 그러느냐?"

춘식은 유생과 촌장들을 부추긴 것이 고승범 이방이라고 했다. 고승범 이방이 오랫동안 이방을 해서 마을마다 어려운 점을 잘 알고, 민심을 잘 추슬러 신망이 높다고 말했다. 한승순은 춘식을 내보내고 깊은 시름에 잠겨 있었다. 지금 당장 이방을 불러 곤장을 때리고 싶었지만, 잘못하면 들끓는 민심에 기름 붓는 결과가 발생해서 제주 관아에 이 소식이 전해지면 자기만 곤란해질 수가 있었다. 제주 관아도 성곽을 쌓는 것을 탐탁지 않게 여기고 있어서 한승순은 어떻게 해야 할지 손가락으로 탁자만 두드리고 있었다. 저녁밥을 먹으면서 이방을 어떻게 해서든 자기 사람으로 만들어 수산리에 성곽을 쌓아야만 했다.

춘식이 들어와 밥상을 내가며 말했다.

"대감마님, 식사를 너무 적게 하셨네요. 걱정도 먹고 나서 해야 해법을 찾을 수가 있습니다요. 다 먹고 살자고 하는 것인데……."

한승순은 춘식의 말에 벌떡 일어나 마루에 있는 춘식에게 다가갔다. 춘식은 자기가 말실수한 것이 있는지 생각했지만, 어느 부분에서 말실수했는지 몰라서 엎드려 벌벌 떨며 말했다.

"소, 소인이 자, 잘못했습니다요. 주…… 죽을죄를 지었습니다요."

춘식은 너무 떨려서 말이 제대로 나오지 않았다. 한승순이 춘식의 손을 잡으며 말했다.

"아니다. 네가 나를 살렸구나. 네가 나를 구렁텅이에서 구했다."

춘식은 고개를 들어 한승순을 보니, 얼굴 가득 웃음꽃이 피어있었다. 한승순은 춘식의 어깨를 두드리며 일어나 저녁 식사를 하라고 했다. 춘식이 물러나고, 한승순은 내일 이방과 단판을 지어야겠다고 생각했다. 춘식은 자기가 무엇을 말했기에 한승순을 구렁텅이에서 구해냈는지 생각했지만, 알 수가 없었다.

다음날, 한승순은 춘식에게 이방을 불러오라고 했다.

"대감, 소인 고승범 이방입니다."

"그래. 들어오게나."

고승범 이방은 신발을 벗으며 의미심장하게 웃으며 생각했다.

'결국 우리 앞에서 포기한다는 말은 못 하고 나한테만 말하려고 하는군. 내가 이방을 한 지가 20년이야. 감히 내가 반대하는 것을 한단 말이야. 이곳 서귀포 성읍에서는 내 한마디면 유생이고, 촌장이고, 백성들이고 전부 내 앞에서 설설 긴다고. 육지에 있는 이방들과는 난 차원이 달라.'

고승범 이방이 방문을 열고 들어오는 것을 한승순은 알면서도 쳐다보지 않고, 김형길 공방이 준 수산리 지도만 보았다.

'아직도 미련이 남았군. 그러나 이미 전세는 나에게 기울어져 있어. 그만 포기하고 조용히 지내다가 여기를 떠나는 게 속 편할 거야.'

고승범 이방이 한승순 앞에 앉았는데, 이방을 쳐다보지도 않고 손가락으로 수산리를 찍어가며 고개를 끄덕끄덕만 했다. 한식경이 지나서 고개를 든 한승순이 고승범 이방을 쳐다보았다. 이방도 한승순을 보다가 자기도 모르게 고개를 숙이며 생각했다.

'아니, 지금 저 눈빛은 포기한 눈빛이 아닌데. 그럼, 나하고 한번 해보자는 거잖아.'

"고승범 이방!"

이방은 너무도 다정하게 자기 이름을 불러서 하마터면 '왜 그러는가, 한승순.'이라고 말이 입 밖으로 나오려는 것을 겨우 목에서 막았다.

"네? 네, 나리."

한승순은 고승범 이방을 따뜻한 눈빛으로 쳐다보았다. 이방은 한승순의 눈빛이 너무 뜨거워 머리를 숙였다. 한승순은 조용히 작게 말했다.

"내게 여기에 부임해 명예를 쌓자고 성곽을 쌓는 것이 아니네. 난 여기 정의현에 잠시 있다가 다른 곳으로 부임 받으면 떠나는 관리자일 뿐이네. 그러나 자네는 여기에 뿌리를 두고 사는 사람이 아닌가. 왜구가 봄, 가을에 쳐들어와 노략질에 부녀자까지 납치해 가니, 백성들이 편하겠는가? 그래서 나는 수산에 성곽을……."

이방은 그다음 말부터는 듣지 않고 속으로 울화가 치밀었다.

'그려. 난 여기서 태어나서 죽을 때까지 살 거다. 그러니 당신은 조용히 있다가 가면 돼. 성곽을 쌓는다고 왜구가 안 쳐들어와. 그리고 부역하자면 백성들 생업은 어떻게 하냐고. 성이 한두 달 만에 뚝딱하고 쌓을 수 있는 것이 아니잖아.'

"…… 그래서 말하는데 이방이 나를 도와주어야겠어."

이방은 이맛살 가득 주름을 잡았지만, 고개는 들지 않고 말했다.

"제가 무엇을?"

"이방이 부역할 때 밥집을 하는 것이네."

이방은 밥집이라는 말에 고개를 들고 한승순을 쳐다보았다. 밥집을 할 수 있다는 것은 모든 것을 할 수가 있다는 말이었다. 백성들에게서 곡식을 거두어 쌓아서 관리해 그것을 성을 쌓을 때 백성들에게 식사를 제공만 하면, 임금에게서 두둑한 포상을 받을 수 있다는 것이었다. 그런데 한승순은 한 발 더 나가 조정에 서찰을 보내 공식화했다고 했다. 이방은 귀에까지 걸린 입을 다물지 못하고 말했다.

"그럼, 공사는 언제부터 하실 생각이신지?"

"늦어도 내후년에는 해야지 않겠나. 내년에는 먹을 양식을 거두어들이고, 조정에도 어느 정도 도움을 요청한 상태네. 그리고 이것은 세종 임금의 친서네."

이방은 한승순이 건네주는 세종 임금의 친서를 두 손으로 공손히 받고 읽었다. 세종 임금은 필요한 물자가 있으면 언제든지 서찰을 보내면 아낌없이 도와 줄 것이며, 고승범 이방에게는 특별히 지역의 민심을 헤아려 왜구로부터 보호받는 성을 쌓아주길 바란다는 내용이었다. 이방은 세종 임금이 친히 자기의 이름을 쓴 것을 보며 감격해 두 눈에 눈물이 그렁그렁 맺혔다.

이방은 방에서 나와 한라산을 보며 중얼거렸다.

"임금께서 내 이름을 적어 민심을 살피라고 했다. 어느 이방이 임금께서 내린 서찰에 이름이 적힌 것을 받아 보겠는가. 이것은 나 고승범 앞날에 광명이 비추는 징조다. 하하하."

이방은 병방과 공방을 불러 수산리에 성곽을 쌓을 것이라고 말했다. 그리고 이방은 마을을 다니며 유생과 촌장을 만나 성곽을 쌓아야 하는 이유를 설명했다. 백성들은 갑자기 달라진 이방을 이해하지 못하고 있는데, 신앙포구에 다시 왜구가 나타나서 많은 사람을 죽이고 노략질했다는 것을 듣고 성곽을 쌓아서 왜구로부터 보호하자는 여론이 들끓기 시작했다. 이방은 1년 동안 양식을 준비했고, 병방은 한승순의 전술에 맞추어 포졸들 훈련 시켰다. 공방은 성을 쌓기 위해 석공과 자재들을 모았다. 그리고 공방은 마을마다 돌아다니면서 부역에 동원될 사람들을 확인해 장부에 적었다.

새해가 밝아오면서 한승순은 한양으로 올라오라는 서찰을 받았고, 정간이 새 정의현 목사로 부임한다는 소식이 성읍과 수산리에 퍼져 나갔다. 한승순은 어떻게 해야 할지 고민만 쌓여갔다.

정간은 가족을 데리고 성산포에 도착하니 날씨는 4월인데 여름 날씨같이 더워서 제주도가 신기했다. 특히, 정간의 딸 정지현은 한라산 백록담에 하얗게 쌓인 눈을 보며 감탄만 연발했다. 정간의 가족이 정의현에 도착하니, 한승순이 대문까지 나와 반겨주었다. 정간과 한승순이 이야기를 나누고 있는데 제주 관아에 갔던 춘식이 돌아왔다.

"대감마님! 소인 제주 관아에서 지금 막 도착했습니요."

"그래, 갔던 일은 잘되었느냐?"

"그것은 잘 모르겠고, 여기 서찰이 있습니다요."

한승순은 춘식이 준 서찰을 받아 읽으며 얼굴이 환해졌다. 그리고 한승순은 서찰을 정간에게 주었다. 정간은 읽다가 한승순을 쳐다보고 다시 읽었다. 다 읽은 정간이 말했다.

"아니, 대감 어쩌려고 이러십니까?"

"정간 대감. 너무 노여워하지 마시고 제 이야기를 먼저 들어 보시기 바랍니다."

한승순은 정간에게 그동안 있었던 일과 포졸들 훈련 시킨 것 등을 이야기하고 나서 자기는 정의현이 아닌 수산리에서 축성 기초 공사만 보고 장마철이 오기 전에 한양에 간다고 말했다. 정간은 제주 관아에서 한승순에게 수산리 축성 공사 때문에 늦게 가는 것을 허락한 것도 의아했지만, 한승순이 성읍 백성들에게 신망이 높은 것을 오면서 들어 알기에 정의현에 같이 있자고 했으나, 한 승순은 정의현을 떠나 수산리에 머물렀다.

한승순은 성곽 자리를 둘러보며 백성들이 다치지 않고 안전하게 성을 쌓아서 왜구로부터 보호받기를 바랐다. 두 달 동안 수산리에 서 머물며, 기초공사를 감독하고 나서 6월에 육지로 가는 배에 올랐다. 한승순은 뱃머리에서 2년 4개월 동안 지낸 서귀포 산하 를 보며 백성들이 풍요롭게 살기를 천지신명께 빌었다.

수산리는 백성들의 부역으로 성곽을 쌓아나갔다. 별 탈 없이 성 곽을 쌓아가고 있는데, 한 마을에서 부역을 나오지 않은 집이 있 었다. 김형길 공방은 포졸을 데리고 윗골에 갔다. 부역을 나오지 않은 집에 도착하니 아기 우는 소리만 요란하게 들려왔다.

김형길 공방이 말했다.

"집에 누구 있나?"

그러나 아기 울음소리만 들릴 뿐 사람의 흔적을 느낄 수가 없었 다. 김 공방이 마당에 들어서는데 한 포졸이 말했다.

"공방 어른, 이 집은 며칠째 음식을 해 먹은 흔적이 없습니다."

"……?"

"젊은 여인과 갓 태어난 아기만 살고 있습니다."

김형길 공방은 포졸의 말을 듣고 방문을 열었다. 방에는 포대기 도 없이 맨바닥에 아기가 배가 고픈지 목청껏 울고만 있었다. 공 방이 눈짓해 포졸에게 아기를 데리고 나오라고 했다. 포졸이 데리 고 나온 아기는 태어난 지 백 일도 안 되어 보였다. 공방이 포졸들에게 아기 엄마를 찾으라고 했다. 포졸들이 밖을 나간 지 얼마 되지도 않았는데 젊은 여자를 끌고 왔다. 공방이 여인을 쳐다보니, 여인도 며칠을 굶었는지 알 수가 없을 정도로 뼈만 앙상하게 남아 있었다.

"네가 이 아기의 엄마가 되느냐?"

"……."

옆에 있던 포졸이 창끝으로 여인의 허리를 찌르며 말했다.

"공방 어른께서 물어보는데 대답하지 않고……."

김형길 공방이 제지하고 다시 말했다.

"네 남편은 어디에 갔기에 너희만 있느냐?"

"…… 남편은 없어요. 저희 모녀만 이 집에서 살고 있어요."

"남편이 없다고? 그럼, 그놈은 어디로 갔느냐?"

"소인도 몰라요. 흑흑흑."

김형길 공방은 더 이상할 말을 잊지 못하고 집을 나와 정의현에 도착해 정간에게 말했다.

"…… 집에서는 밥을 해 먹은 흔적을 찾을 수가 없었고, 엄마와 아기도 며칠을 굶었는지 알 수가 없었습니다. 그래서 일단 병사에게 지키게 해서 남편이 나타나면 잡아 오게 했습니다."

"이 더운 여름에 며칠 동안 밥을 굶고 있었다고."

"네. 그것이……."

지현이 마루에서 듣고 있다가 말했다.

"아기가 얼마나 배가 고플까. 아버님! 소녀가 그 집에 먹을 양식을 갔다가 주면 안 되겠는지요."

정간은 올해 10살이 된 딸을 보며 한숨을 쉬었다. 지현이 알았으니, 어떻게 해서든 그 집에 양식을 줄 것을 알기에.

지현은 길바닥에 아픈 사람이 쓰러져 있으면 데리고 와서 치료해 주었다. 배가 고파서 울고 있는 아이들이 있으면 데리고 와서 밥을 해 먹였고, 갈 때 보리 한 되라도 주어서 보냈다.

정간은 지현을 보며 말했다.

"김 공방이 그 집에 양식을 갖다가 주게. 그리고 남편을 잡으면 나에게 즉시 알려주고 그런 놈은 단단히 맛을 봐야 정신을 차릴 거야."

"아버님, 소녀가 그 모녀를 대신하여 감사드리겠습니다."

정간은 지현을 보며 흐뭇하면서도 마음이 너무 여려서 걱정이었다.

8월에 태풍이 서귀포를 비켜 갔지만, 많은 비가 내려서 밥집에서 먹을 양식이 물에 젖어 손쓸 방법이 없었다. 부역하는 백성들에게 제때 밥을 먹어야 하는데 비에 젖어 썩어가는 곡식으로는 밥을 할 수가 없었다. 원상현 호방이 정간에게 말해서 정간이 직접 수산리에 와서 보니 창고에 있는 곡식 중 절반 이상이 물에 젖어 썩어가고 있었다. 정간은 어떻게 할 것인가를 고민하는데, 지현이 작게 말했다.

"아버님! 세종 임금님께서 친경 이후에 설렁탕을 만들어 백성들과 음식을 나누어 먹었다고 들었습니다. 저 곡식에 물고기를 넣고 끓여서 마지막에 집마다 있는 야채를 넣으면 며칠은 버틸 수 있다고 봅니다. 그동안에 제주 관아와 한양에 도움을 요청하면 될 것이라고 소녀가 감히 여쭙니다."

정간은 지현의 말을 듣고 또다시 감복하여 그대로 이행하도록 했다.

한편, 마을에서는 부역을 나가지 않은 모녀의 집에 정간 목사가 먹을 양식을 주었다는 소문이 돌면서 여론이 좋지 않았다.

"우린 뭐냐고. 아침부터 저녁까지 돌을 날라도 겨우 입에 풀칠하는데, 저 집에는 양식을 주었다고."

"내 말이 그 말이야. 우리는 집사람과 아들 두 명까지 네 식구가 나와서 부역한다고. 피곤한 몸으로 새벽에 일어나서 논에도 가고, 밭에도 가서 김매기를 하는데."

"이거 정의현에 가서 우리의 뜻을 알려야 하는 거 아냐."

포졸들도 경계 근무만 서는 것이 아니라 백성들과 같이 부역해서 성한 손이 없을 정도였다. 김형길 공방도 백성과 포졸들의 불만을 알기에 다시 모녀의 집으로 갔다. 김형길 공방이 여인에게 말했다.

"지금 마을에서 너희 집만 부역도 나오지 않고, 공출도 내지 않았다. 그러니 너라도 나와서 부역해라."

공방의 말이 떨어지기 무섭게 아기가 "으앙"하고 울기 시작했다. 여자는 우는 아기에게 젖도 물릴 생각이 없는 듯 무심하게 쳐다보고 나서 말했다.

"나리께서 주신 곡식도 공출로 냈습니다. 지금 제가 나가서 일을 하고 싶어도 산후조리를 못 해 몸이 부실합니다. 그래서……."

여자는 한참을 망설이더니 말했다.

"이 아이를 데리고 가세요. 저야 언제 죽을지 모르니, 이 아이를 데리고 가서 일을 시키든 성벽 돌로 사용하든 상관하지 않겠습니다."

김형길 공방은 여자의 말을 듣고 어처구니가 없어서 크게 화를 내었다.

"네가 그러고도 어미라고 할 수 있느냐. 자기 배로 낳은 개도 자기 새끼를 누가 데리고 가려고 하면 짖으며 이빨을 드러낸다. 넌 어찌 그리도 몰지각하게 세상을 살려고 하느냐?"

"제가 낳고 싶어서 낳은 것도 아닙니다. 지가 생긴 걸 저보고 어쩌란 말입니까?"

공방은 여자와 말씨름을 하고 싶은 생각을 접고 포졸을 데리고 '허허허' 웃으며 모녀의 집에서 나왔다.

며칠이 지나고 성곽을 쌓는데 성곽이 계속해서 무너졌다. 김형길 공방은 석공들에게 잘 쌓으라고 했지만, 아침에 보면 어김없이 무너져 내렸다. 그래서 김형길 공방은 이석근 병방에게 밤에 포졸들에게 보초를 서달라고 부탁했다. 포졸 두 명이 무너지는 성곽 근처에서 보초를 서고 있는데, 새벽에 아무런 소리도 없이 성곽이 무너져 내렸다. 그때까지 포졸들은 성곽이 무너진 것을 몰랐다. 아침 해가 떠오르면서 그제야 성곽이 무너진 것을 포졸들이 알았다. 포졸들은 언제, 누가 성곽을 무너트렸는지 몰랐다고 했지만, 이석근 병방은 포졸들이 새벽에 조른 것을 감추기 위해 거짓 진술을 한다고 생각했다. 김형길 공방은 조른 것이 아니라 포졸들이 무너트렸다고 보고 감옥에 넣었다. 포졸들은 감옥에서 자기들은 절대 성곽이 무너진 것과 관련 없다고 했지만, 공방과 병방은 믿지 않았다. 병방은 자기의 심복에게 밤에 경계 근무를 서게 했다. 병방의 심복은 다섯 명을 더 데리고 근무를 섰다. 심복은 성곽을 돌아서 근무를 선 것이 아니라 아예 성곽을 마주 보고 근무를 섰다. 새벽이 밝아오면서 심복과 포졸들은 입을 다물지 못했다. 성곽이 아무런 소리도 없이 맨 윗돌이 아래로 툭 하고 떨어지면서 무너져 내리고 있는 것이었다. 심복은 "어? 어? 어?"라고 할 뿐 그 어떤 소리도 입 밖으로 낼 수가 없었다. 포졸 중에 나약한 사람은 벌써 기절해서 땅바닥에 널브러져 있었다. 아침에 이석근 병방이 와서 성곽을 보는데, 심복은 말을 제대로 하지도 못하고, "저, 도… 도, 도깨비가, 도깨비가." 만 반복할 뿐이었다. 병방은 공방을 볼 면목이 없어서 심복과 경계를 섰던 포졸들을 감옥에 넣어 버렸다. 그리고 그날 저녁에 병방이 포졸 열 명을 데리고 직접 근무를 선다고 했다. 그리고 자정에 김형길 공방도 와서 근무를 섰다. 새벽이 다가오면서 공방과 병방은 눈알이 앞으로 튀어나올 정도로 놀라서 입을 다물지 못했다. 성곽의 맨 윗돌이 바람이 불어서 밀친 것처럼 밑으로 떨어졌다. 그리고 연이어 그 무거운 돌들이 땅바닥으로 떨어졌지만, 그 어떤 소리도 들리지 않았다. 이석근 병방은 너무 떨려서 아무 말도 못 하고 있는데 김형길 공방이 말했다.

"이…… 이런 것을 보고 귀신이 곡할 노릇이라고 하는 것이구나. 도대체 무슨 일이 있었기에 이런 일이?"

그때까지 떨고 있던 이석근 병방이 말했다.

"내, 내가 지금 무엇을 본 거야. 아니, 바람이 불었다면 이해하겠어. 바람도 불지도 않았고, 더군다나……."

"나도……. 아니, 어찌 저 무거운 돌이 떨어지면서 '툭'하는 소리도 나지 않을 수가 있단 말인가?"

그들은 성곽에 다가가지 못하고 멀찍이 떨어져 성곽 돌이 무너지는 것을 하염없이 지켜볼 뿐이었다. 정간도 성곽이 다시 무너져 내렸다는 소리를 듣고 와서 보니, 성곽 근처에 사람의 발자국은 없었다. 정간은 성곽과 열 보 정도 떨어진 곳에 사람의 발자국을 보니 포졸들이 근무를 섰던 자리였다. 정간이 병사에게 창을 달라고 해서 근무를 섰던 자리에서 창으로 성곽의 돌을 밀어보았지만, 수박만 한 돌은 꿈적도 하지 않았다. 정간도 이것을 설명할 길이 없는데, 마을 주민 한 사람이 온평리에 용한 무당이 있다고 말했다. 김형길 공방이 그 무당을 데려다가 굿을 하자고 했다. 마을 사람들도 굿을 하는 것이 좋다고 했다. 수산리 촌장도 제주도는 바다로 나가기 전에 용왕에게 굿을 하고, 봄에도 올해 농사가 풍년이 되길 바라는 농사 굿도 한다며 성곽을 쌓는데 제주도 토신에게 보고하지 않아 토신이 노해서 그렇다고 했다. 정간은 이방에게 넌지시 자신은 모르는 일로 하고, 온평리 무당에게 굿을 하게 했다. 무당은 사흘 동안 치성을 드리며 굿을 했다. 다음날 무너진 성곽에 돌을 쌓으며 석공들은 더 이상 무너지지 않게 정성껏 쌓았다. 그런데 다음 날 아침에 석공들, 포졸들, 마을 사람들은 무너진 성곽을 보고 더 이상 일할 기분이 나지 않았다. 정간도 다시 성곽이 무너졌다는 말을 듣고 어떻게 할 것인지 결정을 내려야 했다. 무너진 성곽을 지나쳐 쌓을 것인지, 아니면 성곽을 더 넓히던지, 좁히던지 결정해야 했다. 정간은 성곽이 그려진 도면만 볼 뿐 그 어떤 결정을 내리지 못했다.

하루는 한라산에서 있던 효명 스님이 무너진 성곽을 지나다 유심히 보았다. 수산리 촌장이 효명 스님에게 다가가서 말했다.

"효명 스님! 글쎄 며칠째 이곳 성곽이 무너져 내리고 있습니다. 누가 건드린 것도 아닌데 성곽 돌이 위에서부터 차례로 무너져 내려서 굿도 했지만, 소용이 없었습니다. 스님께서 보시기에 이곳에……."

효명 스님은 합장하고 나서 말했다.

"나무아미타불 관세음보살. 이 마을에서 한 여인이 원숭이 띠 아기를 바친다고 하지 않았소. 그 여인의 딸을 제물로 바치면 이 성곽은 다시는 무너지지 않을 것이오."

이 말을 들은 촌장과 마을 사람들은 김형길 공방을 찾아가 말했다. 정간도 김형길 공방의 말을 듣고, 모녀의 집에 가서 여자 아기를 데려다가 제물로 바치라고 했다.

지현이 그 말을 듣고 말했다.

"아버님, 지금 무슨 말씀을 하고 계십니까? 하찮은 미물도 생명을 존중하는데, 태어난 지 일 년도 안 된 아기를 제물로 바친다니요. 그리고 스님께서 그렇게 말한 뜻이 따로 있다고 소녀는 생각됩니다. 아버님! 소녀에게 나흘만 시간을 주시기 청합니다. 만약에 소녀가 해답을 차지 못한다면 스님의 말씀대로 하여도 무방하다고 여기겠습니다."

지현이 정간을 애절한 눈빛으로 쳐다보았다. 정간은 지현의 현명함을 알고 있지만, 가을이 오기 전에 성곽을 완성하려면 하루라도 더 이상 소비할 수가 없었다.

"내 너의 뜻을 알겠지만, 나흘은 무리다."

정간이 무리라는 말을 듣고 지현의 눈에서는 지금이라도 눈물이 떨어질 듯 눈물이 그렁그렁했다.

"그래서 내가 너에게 이틀만 시간을 주겠다. 이틀 후에 스님의 말씀대로 아기를 제물로 바칠 수밖에 없구나."

"아버님, 감사합니다. 소녀가 반드시 스님의 뜻을 헤아려 그 해답을 찾아오겠습니다."

정간은 방을 나서는 지현의 뒷모습을 보며 중얼거렸다.

"스님이 말한 것은 아기를 제물로 바쳐야 성곽 공사가 아무런 사고 없이 마무리된다는 뜻인 게야. 신라 때 에밀레종도 어린아이를 제물로 해서 만든 종인데……."

지현은 자기 방에 와서 이리저리 거닐며 스님이 말한 것을 생각했다.

"원숭이 띠? 여자 아기? 제물?"

지현이 다시 방을 왔다 갔다 하니, 삼월이가 말했다.

"아가씨가 왔다리 갔다리 하니 소인이 다 정신이 없네요. 자리에 앉아서 생각해도 되는데."

"응? 그래."라고 말하며 지현이 자리에 앉았다.

"제물? 아기를 제물로 바친다? 스님이 왜 그 말을 했을까?"

삼월이 '아기를 제물로 바친다.'라는 말을 듣고 놀라서 말했다.

"그 스님이 미쳤나. 아니, 부처님의 가르침이 생명을 존중한다고 말하고선 살아있는 아기를 제물로 바친다고. 아가씨, 그 중은 따져보나 마나 땡중이네요."

지현은 삼월의 말을 듣고 환하게 웃었다.

"그래, 네 말이 맞아. 스님이 아기를 제물로 바치라고 한 것은 어떤 것을 비유적으로 표현하신 거야. 삼월아, 지금 밖으로 나갈 채비해라."

지현과 삼월이는 정의현을 나와 수산리로 향했다. 수산리에 도착해서 촌장에게 모녀가 사는 집이 어디인지 묻고, 윗골 모녀의 집으로 갔다. 모녀의 집에 도착해서 지현은 다 쓰러져 가는 집을 보고 가슴이 아팠다. 지현이 싸리문도 뼈대만 남아 있는 것을 밀고 들어갔다. 방에서는 아기가 울다가 지쳤는지 "으앙"도 희미하게 들렸다. 지현이 방문을 여니 엄마는 쓰러져 있고, 아기는 엄마의 젖을 빨려고 윗옷을 올리려고 했지만, 기운이 없어서 그런지 옷만 잡고 작게 울고 있었다.

"삼월아, 너는 빨리 부엌으로 가서 가지고 온 쌀로 죽을 만들어라."

지현은 아기를 안아서 마당 항아리에 있는 물을 바가지로 떠 와 마루에 앉았다. 아기는 지현이 손가락으로 묻혀서 주는 물을 젖 빨듯이 손가락을 빨았다. 삼월이가 불린 쌀로 끓인 멀건 죽을 아기 엄마의 입에 조금씩 넣어주었다. 아기 엄마는 입을 벌려서 겨우 죽을 먹기 시작했다. 죽 한 그릇을 다 먹은 아기 엄마는 정신이 드는지 벽에 기대어 앉았다. 삼월이는 죽을 더 묽게 암죽을 만들어 아기에게 먹였다. 지현은 정신이 든 여자를 보았다. 못 먹어서 마르긴 했지만, 어디선가 본 듯한 여자였다.

"혹시 저를 보신 적이 있나요?"

아기 엄마가 눈을 뜨고 지현을 보더니 고개를 끄덕였다. 지현이 놀라서 말했다.

"언제 우리가 만나는지요?"

"그게……."

아기 엄마는 힘이든지 말을 제대로 못 했다. 그래도 지현은 끈기를 가지고 끝까지 듣기 위해 여자에게 다가가 손을 잡으며 말했다.

"천천히 말하세요. 그리고 제가 양식을 더 보낼 테니 걱정하지 마세요."

아기 엄마는 지현의 말을 듣고 살포시 웃으며 말했다.

"아…… 아가씨가 부모님과 같이 여기에 오실 때 봤잖아요. 삼거리에서 배고파 쓰러진 저를 데리고 주막으로 가서 국밥도 사주고……."

그제야 지현은 기억이 났다. 아버지 정간이 제주도로 부임하던 날 수산리 삼거리에 쓰러진 여자를 보고 어머니가 가서 여자의 상태를 살펴보니 임신이었다. 지현과 어머니는 여자를 주막으로 옮겨서 주모에게 돈을 주고 잘 챙겨주라고 했다. 지현도 여자에게 힘내라고 말하고 정의현으로 향했다.

"맞다. 그 임신한 여자."

"네, 맞아요. 그 여자가 저였어요."

지현은 측은한 마음으로 아기 엄마를 보았다. 아기 엄마가 지현을 보며 말했다.

"아가씨가 저를 두 번이나 살려주네요. 제가 뭐 그리 대단하다고 두 번씩이나…… 가…… 강간을 당해서 쫓겨난 주제에."

"네에?"

지현은 너무 놀라서 말도 못 하고 아기 엄마만 보았다. 그리고 더 자세한 이야기를 듣게 되었다.

여자는 삼달리에서 부모님과 살았다. 18살이 되는 생일날에 혼인한다는 말을 듣고 기쁘면서도 부모님과 헤어지는 것이 아쉬웠다. 어머니는 여자가 결혼하기 전에 자기의 고향에 같이 다녀오자는 말을 듣고 기뻤다. 여자는 외갓집에 자주 가지는 못했지만, 웃음이 많은 외할머니가 너무 보고 싶었던 적이 많았다. 외할머니는 외손녀가 오면 귤도 주고, 말린 생선을 양념해서 밥반찬으로 해주었다.

며칠이 지나 어머니와 같이 외할머니의 집이 있는 종달리 마을로 갔다. 난산리를 지나 산으로 접어드는데 산적 두 명이 나타나서 어머니가 가지고 있던 음식을 빼앗고, 여자에게는 몹쓸 짓을 했다. 그런데 산적들이 증거를 남기면 안 된다고 하면서 어머니를 죽였고, 여자는 겨우 산적에게 벗어나 마을을 헤매었다가 수산리까지 오게 된 것이다. 수산리에서는 다 쓰러져 가는 빈집에서 겨우겨우 생활하면서 살았다. 몇 달이 지나고 자기가 임신한 것을 알고 아기를 지우려고 각종 약초를 먹었던 그날, 뜻밖에 지현을 만난 것이었다.

지현은 아기 엄마의 이야기를 듣고 산적의 얼굴을 아는지 물었지만, 아기 엄마는 기억나지 않는다고 했다. 그리고 아기의 띠가 원숭이띠가 맞다, 며 마을에 떠도는 소문을 자기도 들었다고 했다. 지현은 아기 엄마의 말을 듣고 어떠한 확신이 있었지만, 그것이 어떤 것인지 현재로서는 알지 못했다. 지현이 아기 엄마에게 절대 아기를 포기하지 말라고 말하고, 삼월이와 같이 정의현으로 왔다. 지현은 아버지가 말한 이틀 중에 오늘 하루가 서서히 저물어 가고 있었다. 저녁을 먹고 마당을 서성이며 밤하늘에 별을 보니 너무 아름답고 평화로워 보였다.

지현은 밝게 빛나는 달님에게 기도했다.

"달님! 달님은 그 엄마가 당한 것을 알고 있잖아요. 그리고 성곽이 무너져 내린 것도. 그런데 저는 스님이 말씀하신 것이 이해가 안 되어서 이렇게 기도합니다. 부처님은 살아있는 모든 것들이 소중하다고 했잖아요. 제가 어떻게 해야 효명 스님을 만나 답을 들을 수가 있을까요? 내일 효명 스님을 만나러 가려고 했어요. 그런데 효명 스님이 다른 절로 가셨는데 어디로 갔는지 모른다고 하네요. 달님! 저 좀 도와주세요."

지현이 달을 향해 간절하게 기도했다.

다음날 지현은 아침부터 수산리 성곽 쌓는 곳에 갔다. 무너진 성곽을 보고 또 보아도 성곽이 왜 무너졌는지 알 수가 없었다. 석공에게 물어보아도 그도 알 수가 없다만 했다. 지현은 혹시 다른 방법으로 쌓았는지 성곽을 일일이 확인했지만, 성곽은 특별하게 다른 곳을 찾지 못했다. 실망만 간직한 채 정의현으로 향하는 지현의 발걸음은 무겁기만 했다. 삼월이 지현의 뒷모습을 보니 풀이 죽어서 털레털레 걷는 것이 안쓰러웠다. 잘 가던 지현이 갈림길에서 멍하니 서 있었다. 삼월이 다가가 말했다.

"아가씨, 가지 않고……."

삼월이 지현의 얼굴을 보니 지현은 울고 있었다. 그것도 눈물과 콧물을 흘려가며 눈물이 쉼 없이 양 볼을 타고 흘러내렸다.

"아가씨, 왜 그러세요?"

"내가 이 길로 가면 끝이잖아. 저 윗골길로 가서 모녀에게 말하고 싶었는데. 나 이제 어떻게 해. 삼월아, 나 어떻게 하면 좋니?"

지현은 갈림길에 서서 서럽게 울었다. 삼월은 알고 있었다. 지현이 저렇게 우는 것은 가식이 아닌, 진정으로 백성을 걱정하고, 백성을 사랑하고, 백성을 내 목숨같이 소중하게 생각한다는 것을.

그때 뒤에서 사람의 말소리가 들렸다.

"뭐가 그렇게 슬퍼서 우시는가?"

지현이 뒤를 보니 스님이었다. 지현이 합장하며 말했다.

"소녀에게 큰 고민이 있는데 그 해답을 알지 못해서 그만."

"고민이 있다면 찾는 답이 있다는 것이 아니겠습니까? 제가 비록 보잘것없는 지나가는 땡중이지만, 아가씨의 고민을 듣고 답을 알 수도 있지 않겠습니까?"

지현은 스님을 한번 쳐다보고 이틀 동안 고민한 것을 말했다. 스님은 이야기를 다 듣고 나서 "껄껄껄" 하며 웃었다. 그리고 지현의 눈을 보며 말했다.

"내가 선한 사람을 찾으러 팔도강산을 몇십 년을 다녔지만, 아가씨처럼 아름다운 마음씨를 가진 분을 만나지 못했습니다. 제가 옛날이야기를 하나 해 드리겠습니다."

옛날이야기라는 말에 삼월이 말했다.

"스님! 고민을 해결해달라고 했더니 옛날이야기라니요."

스님은 삼월에게 말했다.

"자네가 아가씨를 잘 보필하시게. 그러면 자네에게 부처님이 오실 거야."

스님이 옛날이야기를 해주었다.

한 고을에 모녀가 살고 있었는데, 앞집에 사는 홀아비가 그 어

머니를 짝사랑했다. 홀아비가 어머니에게 갖은 방법으로 애원하여
도 어머니는 들은 척도 하지 않았다. 하루는 친구에게 자기 속마
음을 털어놓았다. 그런데 그 친구가 그 어머니는 절대 홀아비의
사랑을 받아주지 않을 것이라고 했다. 홀아비가 어찌 그러냐고 물
으니, 어머니가 진심으로 사랑하는 사람이 있어서 그런다고 했다.
홀아비는 그가 누군지 아느냐고 물으니, 친구가 고개를 가로저었
다. 홀아비가 그 사람이 누구냐고 계속해서 물어도 친구가 대답하
지 않았다. 홀아비가 친구에게 술을 사 주겠다고 하니, 그제서야
말했다.

"그 여자가 사랑하는 사람은 어린 딸이네. 그 딸만 없으면 자네
에게 올 것이야. 알겠나."

홀아비는 어머니가 잔치 때문에 윗마을에 간 사이에 딸을 죽여
서 묻었다. 잔칫집에서 돌아온 여자는 딸을 찾았지만, 그 어디에
도 없었다. 홀아비도 딸을 찾는 척하며 어머니를 위로했다. 딸 때
문에 식음 전폐하는 어머니에게 홀아비는 가출한 것 같다며 매일
같이 위로했다. 몇 달이 지나고 어머니는 가출한 딸이 어디에서
잘 살기를 바라며 홀아비와 같이 살았다. 몇 년이 지나 마을에서
건물을 짓는다고 땅을 파는데 그곳에서 뼈가 나왔다. 그리고 어머
니는 그 뼈가 자기 딸이라는 걸 알아보고 대성통곡하며 울었다.

"제 이야기는 여기서 끝입니다."

"네? 네에?"

스님은 갈림길도 아니고 걸어온 길도 아닌 한라산을 향해 길도
없는 숲속으로 성큼성큼 걸어 올라갔다. 스님의 등짐이 작게 보일
때 지현은 무엇인가를 깨닫고 양손을 입에 대고 크게 말했다.

"스님! 스님이 효명 스님이세요?"

스님은 가던 발걸음을 멈추고 오른손을 높이 쳐들어 흔들었다.

"효명 스님! 원숭이띠는 무엇을 말하는 거예요?"

스님은 뒤돌아서서 말했다.

"공수래공수거!"

스님은 그 말을 하고 한라산을 향해 걸음을 옮겼다.

지현은 스님이 보이지 않을 때까지 합장했다. 지현은 정의현에 도착해 아버지 정간에게 말했다.

"아버님! 소녀가 성곽이 왜 무너졌는지 알았습니다."

"원인을 알아냈다고."

"네, 아버님. 아버님! 지금 원숭이띠를 가진 남자를 찾아주세요. 그런데 올해 24살이 아닌 36살입니다. 그 남자를 잡아야 합니다. 그리고 그 남자와 살고 있는 여자도 잡아서 데리고 와야 합니다."

"남자가 36살? 같이 사는 여자면 아내인데. 그리고."

"공출과 부역을 하지 못한 모녀도 데리고 와야 합니다. 그 대신에 이곳이 아니고 수산진성이 무너진 곳에서 이들 모두가 모여 있어야 합니다."

"수산진성? 지현아, 도대체 무엇을 하려고?"

"아버님! 12년 전에 억울하게 죽은 영혼을 달래고 합니다."

정간은 지현의 얼굴에서 단호한 표정을 보고, 고승범 이방을 불러서 올해 36살이 된 남자를 찾으라고 지시했다. 그리고 이석근 병방에게 포졸들을 무너진 성곽에 경계 근무를 철저하게 서라고도 지시했다. 이방은 마을을 돌아다니며, 올해 36살 된 남자 열 명을 찾아 수산진성으로 왔다. 김형길 공방도 모녀를 데리고 수산진성으로 왔다. 정간은 무너진 성곽에 남자 열 명과 그들의 아내도 서 있도록 했다. 열 명 중에 부인이 없는 두 사람은 풀려났다. 정간의 바로 옆에 정지현이 서 있었다. 지현이 모녀를 보니 살이 조금 붙어나 있었다. 지현이 모녀를 보고 나서 말했다.

"여기 여덟 가족 중에 어린 딸이 죽은 사람이 있으면 앞으로 나와 주세요."

그러나 아무도 나오지 않았다. 지현이 아버지에게 작게 말했다.

"아버님! 지금 경계가 너무 허술합니다."

그 말을 들은 정간이 이석근 병방을 불러 경계를 강화하라고 말했다. 지현은 포졸들이 움직이는 것을 보고 다시 말했다.

"재혼하기 전에 죽은 딸이 있는 어머니는 앞으로 나오세요."

지현의 말이 떨어지자마자 한 여자가 슬픔이 가득한 얼굴로 앞으로 나왔다. 그 여자가 앞으로 나가자, 한 남자가 도망가려고 하는 것을 정간이 보고 말했다.

"당장, 저놈을 잡아라."

포졸들이 도망가려고 한 남자에게 창으로 겨누어 도망가지 못하게 했다. 지현이 정간에게 말했다.

"아버님, 저 사람을 포박해야 합니다."

정간이 이석근 병방에게 지시해 남자를 포박하라고 했다. 단단히 포박한 것을 본 지현이 여인에게 다가가서 말했다.

"죽은 딸이 원숭이띠에요?"

"네? 네. 살아있으면 올해 12살이에요."

지현은 고개를 끄덕이고, 포박된 남자에게 다가가서 말했다.

"아저씨는 저 아기를 안고 있는 여인을 아세요?"

그는 아기 엄마를 보고 고개를 흔들었다.

"모른다고. 작년에 숯골에서 산적을 하였던 것은 알고 있겠지요?"

그는 얼굴이 노랗다 못해 하얗게 되어서 말을 더듬었다.

"저…… 저 그게." 하며 그는 포졸 옆에 서 있는 남자를 쳐다보았다. 그 남자가 뒷걸음질하는 것을 보고 포졸이 잡았다. 그리고 포박된 남자 옆에 강제로 꿇어앉혔다.

그 남자가 말했다.

"소인은 죄가 없습니다. 여기 영철이가 처자의 어머니도 죽였고, 처자에게도 몹쓸 짓을 했습니다요. 저는 아무 죄도 없습니다요."

여기저기서 웅성거리는 소리와 "나쁜 놈" "인간의 탈을 쓴 도깨비 같은 놈"하는 소리가 들렸다. 지현은 그 남자에게 말했다.

"그럼, 아저씨는 저 여인을 아세요?"

남자는 여자를 보더니 고개를 끄덕이며 말했다.

"영철이 놈이……."

"필성이 이놈. 네가 저 여인의 어머니를 죽였잖아. 그리고 음식도 빼앗고."

"내게 언제? 네가 다 했잖아."

영철은 무릎걸음으로 가서 어깨로 필성을 밀고, 필성은 포박된 영철의 멱살을 잡고 싸웠다. 이석근 병방이 포졸들에게 지시해서 둘을 떼어 놓았다.

지현은 영철에게 말했다.

"아저씨가 12년 전에 아기를 죽여서 여기에 묻지 않았는지요?"

지현의 말에 영철의 아내가 대성통곡했고, 영철은 아니라고 했다. 필성이 영철을 표독스럽게 뜬 눈으로 쳐다보며 말했다.

"영철이가 저 과부를 데리고 살려고, 과부의 어린 딸을 죽였습니다요. 그 딸이 묻힌 곳이 저 무너진 성곽 근처입니다요."

"필성이 이놈이 실성했구나. 내가 왜 딸을 죽여."

영철이 무릎걸음으로 가는 것을 포졸들이 창으로 위협했다. 지현은 아버지에게 고개를 끄덕였다. 정간은 김형길 공방에게 지시해 성곽의 땅을 파라고 했다. 포졸들이 삽으로 땅을 파니 얼마 지나지 않아 섞은 새끼줄에 묶인 뼈가 나왔다. 여인은 포졸이 들어 올린 옷을 보며 말했다.

"진안아, 내 딸 진안아! 내가 너의 원수와 한 이불을 덮고 살았다니. 이제 이 어미는 어떻게 살아가야 한단 말이냐."

여인이 딸의 뼈를 보며 울다가 기절했다. 아기의 엄마도 옆에서 서럽게 울었다. 정간은 고승범 이방에게 지시했다.

"이방은 저 두 놈을 포박하여 당장 감옥에 가두어라."

지현이 정간에게 귓속말했다.

"아버님! 죽은 저 아기가 억울해서 저 여인의 딸로 태어난 것입니다. 죽은 아기의 한을 풀어주었으니, 성대에게 음식을 장만해 제사를 지내면 다시는 성곽이 무너지지 않을 것입니다."

지현의 말대로 제사를 지내고 돌을 쌓으니, 성곽은 무너지지 않았다.

그날 밤에 지현의 방으로 푸르스름한 안개가 피어오르더니, 아기 보살이 지현의 머리맡에 누워있었다. 지현은 서늘하면서도 향긋한 냄새에 잠이 깨어 일어났다. 그리고 자기 옆에 누운 아기보살을 보니 아기보살이 환하게 웃고 있었다.

지현은 아기보살의 손을 잡으며 말했다.

"진안님! 부디 이 작은 가슴에 남은 원한을 이제 잊어주세요. 그리고 수산리와 제주도민들에게 복을 전해주시기 바랍니다. 소녀가 절에 극락왕생을 비는 재를 올리겠어요."

아기보살은 지현의 말귀를 알아들은 듯 지현이 잡은 손을 꽉 쥐며 환하게 웃었다. 그리고 아기보살은 안개와 함께 지현의 방에서 사라졌다. 지현은 아기보살이 누워있던 자리를 보고, 무릎을 꿇고 합장했다.

지현은 정간의 허락을 받아 수산리 대왕사에 머물고 있다는 효명 스님을 찾아갔지만, 또다시 효명 스님은 다른 절에 갔다며 대왕사 스님이 지현에게 말했다.

"효명 스님께서 지현 아가씨가 찾아올 거라며 저에게 진안 아기의 극락왕생을 비는 의식을 지내라고 했습니다."

지현의 효명 스님의 선견지명에 감탄하며 대왕사에서 재를 올렸다. 마을 사람들이 이곳에 억울하게 죽은 아이를 위해 나무를 심어 재를 지내면서 영험하다는 소문이 퍼졌다. 그래서 이곳을 '진안할망'이라고 불렀고, 지금도 자녀의 학업과 사업의 번창을 위해 재를 지낸다고 한다. 서귀포에서는 '할망'이 '여신'이라는 뜻이다.

수산진성의 성곽 둘레는 352.72m이고, 높이는 4.84m, 폭은 3~7m이다. 동쪽과 서쪽에 각각 문이 있어서 왜구가 노략질하기 위해 바닷가에 나타나면 성으로 피신해 왜구와 싸웠고, 서쪽 문을 통해 물자와 군사 등을 지원받아 장기전도 가능한 제주도 3성 9진 중 하나다.[3)]

---

3)제주일보 2023년 7월 18일 수산진성 '진안할망당'에서 영감을 얻어 쓴 것입니다.

밀항자와 오키나와

1922년, 구정을 지난 초봄.

선대부터 방지만은 아산군 염치면 옥정리에서 살았다. 방지만은 나라의 주인이 누구인지 전혀 관심도 없었고, 하루 세 끼를 먹고, 하루 편히 자는 것에만 관심을 두며 살았다. 하루는 방지만의 아버지 방서산이 아산군 읍내리로 가서 아가씨를 만나 그녀를 데리고 왔다. 그리고 그녀를 방지만과 반강제로 혼인시켰다. 혼인이라고 거창한 것도 아니고, 뚜껑 있는 항아리 위에 석정리 용샘에서 떠온 물을 사기대접에 붓고 나서 방서산이 말했다.

"방지만과 유구 댁은 오늘부터 부부다."

그리고 방서산은 유구 댁이라는 여인에게 말했다.

"너는 오늘부터 우리 집 귀신이며, 내가 네 시아버지다. 이것저 것 따질 것 없이 아들, 딸 다섯 명만 낳아라."

그날 밤에 지만과 유구 댁은 한 이불을 덮고 잤다. 유구 댁은 아침 일찍 일어나서 부엌 항아리에서 보리 한 종지를 꺼내 씻고 죽을 끓였다. 그리고 시아버지와 남편 지만과 함께 아침을 먹었 다. 먹었다, 라기보다는 멀건 보리죽을 마셨다는 것이 맞을 것이 다. 지만은 아침을 먹고, 곡교천을 건너 실옥리 싸전 옆 우시장으 로 갔다. 오늘은 우시장이 서는 날도 아니어서 소가 별로 없었다. 지만은 소들을 둘러보면서 일거리를 찾고 있었다. 그때 지만의 친 구가 다가와서 어깨를 '툭'하고 쳤다.

"지만아! 너 어제 색시 드렸다면서."

지만은 얼굴이 빨개지며 대답했다.

"어제 아부지가 유구 댁을 데리고 왔어. 하루 벌어 하루 먹기도 힘든데 입이 하나 늘어서 걱정이 크구먼."

지만은 한숨을 쉬며 친구 김영철을 보았다. 영철이도 한숨만 내 쉴 뿐 대책이 없기는 매한가지였다. 영철이는 큰아들이 세 살이 고, 백일이 지난 둘째 아들이 있어서 더 걱정이었다. 그들은 흥정 하는 소 주인들을 보고 있었다. 작은 일거리를 얻어서 품삯으로 보리 한 되라도 받아야 가족들의 목에 풀칠이라도 할 수가 있었 다. 지만은 영철과 헤어져 반대쪽으로 갔다. 지만은 이곳저곳을 둘러보고 소의 등허리도 만져가면서 소들 주위를 서성거렸다. 그 때 누가 지만을 불렀다.

"이봐?"

지만은 소 등허리 넘어 열 걸음 정도 떨어진 곳에 서 있는 남자 를 보았다. 그가 지만을 손짓으로 부르고 있었다. 지만은 그 남자 에게 뛰어갔다.

"부르셨습니까? 어르신."

"그래. 여기 이 소를 저놈과 같이 냉정리 웃골에 사시는 김 초시 댁에 전해주고 주막으로 오게."

"알겠습니다. 어르신."

지만은 인사하고, 10살 정도로 보이는 아이와 같이 웃골로 갔다. 논, 밭둑을 걸으면서 소는 배가 고픈지 마른 풀을 먹으려고 했다. 지만이 고삐로 소의 엉덩이를 때리면서 한눈을 팔지 못하도록 했다. 남자아이가 말했다.

"아저씨, 저 산으로 넘어가면 되구먼유."

"그런데 김 초시 어른은 어디 가셨어?"

"읍내리 일본 헌병대에 갔다고 해유."

지만은 고개를 끄덕이며 밭둑을 지나 산길로 들어섰다. 지만과 아이는 말이 없었지만, 소는 산길을 걸으며 "음매"하고 영인산 산신령에게 인사하는 것 같았다. 웃골에 도착해서 김 초시 댁 머슴에게 소를 건네주고 지만은 싸전으로 왔다. 그리고 주막으로 들어가니 채 이방이 앉아서 술을 마시고 있었다. 채 이방은 읍내리에서 이방을 했다고 해서 이방이라고 불렀다.

"이방 어른. 웃골에 전해드렸습니다요."

채 이방은 주막집 주인에게 손짓하니 주인이 지만에게 보리 반 되를 주었다. 지만은 그것을 받아서 집으로 왔다. 보리 반 되면 세 식구가 하루는 먹을 수 있었다. 집에 도착하니, 방서산이 분당골에서 나무를 해 왔다. 지만은 보리를 유구 댁에 주고, 나무를 받아서 처마 밑에 두었다. 유구 댁은 보리를 받아서 죽이 아닌 시래기를 넣고 보리밥을 했다. 그리고 낮에 들에서 캔 냉이를 씻어 묽은 된장국을 끓였다. 그들은 밥상에 앉아 저녁을 먹어가며 올봄 농사를 어떻게 할 것인지 이야기를 나누었다.

"땅도 없으니, 멀리라도 가서 품앗지를 해야지 않겠슈?"

유구 댁 말에 방서산은 아무 말이 없었다. 지만은 아버지의 얼굴을 보고 말했다.

"자네는 텃밭이나 해. 내가 다 알아서 할 테니."

다음날 지만은 우시장에 가고 없을 때 유구 댁은 들을 돌아다녔다. 철이 지난 들에서 나락 벼라도 줍기 위해서였다. 이미 많은 사람이 석정리 들판과 송곡리 들판을 뒤지고 있었다. 그래서 유구 댁은 천수답이 있는 방현리로 가서 나락 벼를 줍기로 했다. 여기 저기 들판을 돌아다니면서 한 주먹 정도의 벼를 훑어 왔다. 유구 댁은 집에 와서 나락 벼를 까기 시작했다. 산에서 나무를 해온 방서산은 유구 댁을 보며 말했다.

"새아가! 날도 추운데 들판에서 나락 벼를 줍지 마라. 짐승 같은 왜놈들이 보면 큰일 난다."

유구 댁은 대꾸했다.

"야, 알게씨유."

방서산은 유구 댁이 벼 까는 것을 보며 해온 나무 짐을 처마 밑에 세워 놓았다. 유구 댁은 쌀을 선반 찬장 종지에 넣어 놓았다. 저녁에 지만이 보리 반 되를 가지고 왔다. 유구 댁은 낮에 들에서 캔 냉이와 보리를 썩어서 쌀이 조금 들어간 밥을 했다. 그들은 냉이가 들어간 보리쌀 밥에 조선간장을 비벼서 저녁을 먹었다.

1923년에 유구 댁은 아들을 낳았다. 지만은 아들이 낳고 기뻐서 채 이방을 찾아갔다.

"어르신! 소인이 아들을 낳았습니다요. 그래서 이름을 짓고 싶은데 부탁드립니다요."

"네 성이 방가니……. 그래. 방전안으로 좋겠구나. 돈 전(錢)자에 편안할 안(安)자. 돈이 있어 편안하다. 어떠냐?"

"소인 무엇을 알겠습니까요? 이방 어른께서 지어주시고 설명까지 해주시니, 전안이라는 이름이 매우 좋습니다요."

지만은 집으로 와서 싸리 울타리에 새끼는 외로 꼬여 숯과 붉은 고추를 낀 금줄을 걸었다. 다음날 지만은 실옥리 우시장에 도착해서 일거리를 찾으려고 했으나 다른 사람들이 벌써 다 차지했다. 그래서 지만은 집으로 왔다. 유구 댁이 낮에 염치 양조장에서 일하면서 얻은 술지게미를 끓여 먹으며 허기진 배를 채웠다. 다음날은 우시장이 열려서 지만은 새벽부터 나왔다. 그는 선장과 탕정에서 오는 소보다는 인주와 둔포에서 오는 소를 보았다. 그리고 달려가서 소의 등허리와 엉덩이를 만져주며 진정시켰다. 지만의 이 모습을 채 이방과 거간꾼이 보고 있었다.

"이방 어른! 지만이가 만지고 있는 저 소는 어떻습니까?"

"저놈이 소는 잘 본다는 말이야. 자네가 소 주인과 협상해 보게. 난 다른 소들을 둘러보겠네."

채 이방은 다른 소를 보러 가고, 거간꾼은 지만에게 다가갔다.

"형님. 오셨습니까?"

"그래, 그동안 잘 지냈는가?"

거간꾼과 소 주인은 흥정하기 시작했다. 지만은 소를 진정시키며 소 등긁개로 소의 등을 긁어주었다. 그 모습을 소 주인의 어깨너머로 거간꾼이 유심히 보았다. 채 이방이 와서 거간꾼에게 돈을 주면서 흥정이 끝났다. 지만은 소를 끌고 가 채 이방의 소몰이꾼에게 주었다. 저 멀리서 거간꾼이 "지만아, 이리로 와봐."라는 말소리를 듣고, 지만은 거간꾼에게 달려갔다.

"형님, 불렀습니까요."

"너, 저 소 진정시켜라. 그래야 우리가 흥정할 수 있어."

지만은 미쳐 날뛰는 소에게 다가갔다. 소 주인도 자기 소를 진정시키려고 고삐를 세게 당겼지만, 오히려 더 흥분하게 만들었다. 지만은 소 앞으로 가서 소에 눈을 보았다. 그리고 천천히 오른손을 소의 입에 대었다. 우시장에 있던 사람들과 소 주인도 그 모습을 지켜만 보았다. 소는 날뛰다가 지만의 손을 보고 혀로 핥기 시작했다. 지만은 소 옆으로 가서 등허리를 쓰다듬어 주었다. 그리고 허리춤에서 소 등긁개를 꺼내 긁어주었다. 소는 시원한지 진정하면서 "음매" 했다. 그 사이 거간꾼과 소 주인은 흥정했다. 채 이방이 와서 돈을 지급하고 지만은 소를 소몰이꾼에게 넘겼다. 지만은 소 열 마리를 거간꾼 앞에서 진정시켜 소를 제대로 볼 수 있도록 해 주어서 보리 두 말을 품삯으로 받았다.

1925년에는 유구 댁이 딸을 낳았다. 지만은 채 이방에게 또 작명을 부탁했다. 지만의 딸 이름은 아름다운 미(美)와 자식 자(子)로 방미자였다. 지만은 입이 하나 더 늘었다고 해서 더 열심히 우시장에서 일했다.

1930년에 방서산이 노환으로 죽었다. 방서산은 하루 만에 관도 없이 멍석에 돌돌 말려 분당골 언덕에 묻혔다.

열 살이 된 방전안은 우시장에서 일하는 아버지가 싫었다. 하루는 방전안이 염치 파출소로 지나가다가 일본 순경을 쳐다보았다. 그 순경이 방전안을 보고 들어오라고 손짓했다. 순경이 방전안에게 일본말로 말하는데 알아들을 수가 없었다. 그때 사무 보는 여자가 와서 통역해 주었다.

"너 지금 어디 가냐고 묻고 계신다."

방전안은 어떻게 말해야 하는지 생각하며 공손하게 말했다.

"배가 고파서 먹을 것을 찾아다녀요."

그 여자가 순경에게 통역하고 둘이 같이 일본말로 대화했다.

"너 여기 파출소에서 일할 생각이 있냐고 물으신다."

"어떤 일을 하는데요."

여자는 다시 일본 순경과 대화했다. 그리고 그녀가 말했다.

"여기서 료타 순경의 구두하고 파출소 안에 청소하면 된다. 그 대신에 일본말을 배워야 한다고 말씀하신다."

방전안은 할 수 있다고 말하고 그날부터 파출소에서 소사로 일하기 시작했다. 파출소에서 일하는 여자 이름이 이미지란 것을 알았다. 그래서 방전안은 미지에게 시간 날 때마다 일본어를 배웠다. 그리고 방전안은 파출소에서 소사 일하면서 식사를 해결할 수가 있었다. 일본 순경들이 먹다가 남은 음식을 방전안이 먹은 것이다. 방전안은 일 년 만에 일본어를 할 수가 있었다. 그리고 파출소 료타 순경하고, 이미지가 1934년에 결혼했다. 그해에 방지만이 우시장에서 일하다가 소의 뒷발질에 가슴을 맞고 앓다가 사흘 만에 죽었다. 지만도 그의 부모가 묻힌 분당골 언덕에 묻혔다. 이제 방전안이 집에서 실질적인 가장이 되었다. 그래서 방전안은 소사로 일하며 약간의 돈을 받은 것을 어머니 유구 댁에게 주었다. 그리고 방전안은 동생 방미자를 염치면 면장실 소사로 일할 수 있게 료타 순경에게 부탁했다.

"료타 순경님! 제 여동생이 면장실에서 일할 수 있도록 도와주세요. 지금 면장실에 일할 사람이 없다고 해요."

료타 순경은 면장실에 전화해서 방미자가 소사로 일할 수 있도록 주선했다. 그리고 방전안은 감사하는 마음으로 료타가 타고 다니는 자전거를 수시로 기름칠하고 정비해 주었다. 1936년 료타는 일본 오키나와로 발령받았다. 료타의 가족과 방전안은 트럭에 짐을 싣고 천안역으로 갔다. 방전안은 료타 가족의 짐을 기차에 실으며 말했다.

"료타 순경님! 짐을 다 실어서 저는 집으로 가겠습니다. 그동안 고마웠습니다."

황당한 표정으로 료타 순경이 말했다.

"지금 집에 가면 어떻게 하나? 부산항에서 짐은 누가 내리고. 부산항까지 같이 가자."

그래서 방전안은 료타의 가족과 같이 부산행 기차를 탔다. 방전안은 트럭도 처음 타보았지만, 기차도 처음 타보는 것이라 설레었다. 기차가 역을 들어설 때마다 기적 소리가 너무 크게 들려서 방전안은 놀랐다. 그리고 터널을 지날 때 기차 안에 깜박깜박하며 전등불이 들어오는 것을 신기하게 바라보았다. 부산역에 도착해서 짐을 트럭에 싣고, 부산항으로 갔다. 부산항에 도착해서 방전안은 트럭에 앉아 있는 여자들을 보았다. 그녀들 중의 한 명이 방전안을 빤히 쳐다보고 있었다. 방전안이 그녀에게 말했다.

"너희들은 어디에 가니?"

"우린 일본 본토 공장에서 일한다고 해서 가는 길이야."

방전안보다 더 어려 보이는 여자애가 말했다.

"내는 집 앞 냇가에서 놀다가 잡혀가는 길이에요. 우리 집에 연락해 주세요."

"내도 잡혀서 집에 갈 수가 없다 아이가. 우리 다리를 봐라. 이게 어디 공장에 일하러 가는 기 맞기나 한기가?"

방전안은 그녀를 보았다. 그녀의 말대로 전부 다리와 다리 사이에 수갑이 채워져 있었다. 그는 이미지에게 그녀들에 관해 말했다. 그러나 이미지는 아무런 말이 없었다. 료타 순경도 그녀들을 보고 인상만 찡그렸다. 그리고 료타와 이미지 그리고 외아들 다이치가 일본으로 가는 배에 탔다. 방전안은 료타의 짐을 싣고 내려야 했는데 너무 피곤해서 료타의 짐 위에 잠시 쉬었다. 피곤해서라기보다는 기차를 처음 타봐서 기차 안에서 토하기를 여러 번 했기에 기운이 없었다. 방전안은 잠시 쉰다는 것이 그만 잠이 들었다. 속이 다시 울렁거려서 일어나 바닥에 또 토했다. 몇 번을 더 토하고 나서 더 이상 나올 것도 없는데 계속해서 속이 울렁거렸다. 방전안은 밖으로 나가고 싶었지만, 나갈 기운도 없었다. 방전안은 그냥 그 상태로 잠이 들었다. 그리고 사람들의 목소리와 기계 소리의 잠에서 깨어났다. 겨우 정신을 차리고 밖으로 나왔는데 그곳은 부산항이 아니었다. 방전안은 후쿠오카 항에 도착한 것이었다. 방전안은 배에서 내리는 료타를 보고 소리를 질렀다.

"료타 순경님! 료타 순경님!"

료타와 이미지는 뒤를 돌아보며 목소리가 들리는 곳을 보았다. 그곳에는 방전안이 선원에게 잡혀 있었다. 료타는 배에 올라가서 방전안 앞에 서며 말했다.

"네가 어떻게 여기까지 왔어?"

"료타 순경님의 짐을 싣고 나서 내리려고 했는데 배가 출발해서 내릴 수가 없었어요."

료타는 선원들에게 방전안을 놓아주라고 하면서 그를 데리고 선장실로 갔다. 료타는 선장에게 방전안을 조선으로 돌려보내라고 했는데, 선장은 배가 다시 출항하려면 2개월이 지나야 한다고 했다. 료타는 어쩔 수 없이 선장에게 임시 거주 허가증을 받아서 방전안과 배에서 내렸다. 그리고 그들은 후쿠오카항 근처 여인숙에서 하루를 묵고, 아침 일찍 배를 타고 오키나와로 출발했다. 오키나와항에서도 방전안 때문에 작은 실랑이가 있었지만, 료타가 일본 경찰청 소속이라서 쉽게 배에서 내릴 수 있었다. 오키나와 항구에서 내린 료타는 가족을 데리고 그의 형이 살고 있는 가데나시로 트럭을 빌려서 출발했다. 료타의 형은 요나하라 타로였다. 타로는 부인 하나코와 아들 뮤지와 준이 있었다. 타로가 살고 있는 곳은 무츠미 거리 2층 집이었지만, 12평도 안 되는 작은 집이었다. 료타는 형의 집 1층에서 생활하기로 했고, 집에서 가데나 경찰서까지는 자전거로 10분 거리였다. 그리고 방전안은 타로가 일하는 가리유시 거리 토쿠치 차 정비소에서 생활하기로 했다. 그리고 타로는 정비소에서 일하다가 죽은 노리오로 방전안을 개명해 주었다. 그리고 료타가 근무하는 가데나 경찰서와는 5분 거리도 안 되었다. 방전안, 아니 노리오는 토쿠치 정비소에서 아침 6시부터 저녁 8시까지 일했다. 그곳에서 노리오는 한 평 남짓 흙방에서 생활했다. 방이라고 하기에는 그렇지만, 어쨌든 방이었다. 날씨는 언제나 한여름이라 뒷간에서 나는 구린내가 방과 한 보거리여서 감내해야 했다. 지붕에는 거리 어디에나 있는 갈대로 얹혀 있었고, 방바닥은 대나무로 엮어서 그 위에 흙을 발랐고, 벽도 갈대로 안쪽에만 살짝 흙을 발라서 했지만, 어쨌든 집이었다.

노리오는 이곳에서도 눈썰미가 있어서 트럭 고치는 것을 어깨너머로 배웠다.

며칠이 지나 이미지가 방전안을 찾아왔다.

"이미지 누나!"

이미지는 방전안을 보며 손을 흔들었다.

"잘 있었니?"

이미지도 이곳에서 마유로 개명했다고 알려주었다. 방전안도 노리오로 이름을 바꾸었다며 서로가 조선의 이름이 아닌 일본의 이름을 불러야 한다고 했다. 마유는 집에서 안 입는 남자 옷을 노리오에게 주고 걸어서 집으로 갔다.

1941년 토쿠치 정비소는 오키나와 전쟁이 시작되면서 군수품을 정비하는 곳으로 바뀌었다. 이때부터 오키나와는 보리와 감자 등을 살 돈도 없고, 입을 옷도 없었다. 더구나 일본 본토에서 싣고 와 항만에 쌓여 있던 쌀과 콩, 밀 등의 곡물이 미군 대공습에 모두 불타면서 오키나와에서는 아사자가 속출했다. 노리오는 배가 너무 고파서 바다에서 먹을 수 있는 생선이면 무조건 잡아먹고 싶었지만, 어부들이 시신을 뜯어 먹은 것들이라며 못하게 막았다.

미군이 오키나와를 점령하면서 토쿠치 정비소는 미군 트럭을 정비하게 되었다. 하루에 한 대는 기본으로 정비소에 들어와서 노리오는 자연스럽게 미군에게 영어를 배웠다. 노리오는 자기보다 열살이 많은 흑인 스미스 트럭 운전병을 알게 되었다. 1944년 늦가을에 스미스는 조선에 가서 쌀을 가지고 온다고 했다. 노리오는 스미스에게 자기는 조선 사람이라며 같이 갈 수 있는지 물어보았다. 스미스는 트럭에 타고 가면, 문제없다고 했다. 그래서 노리오는 1944년 12월에 오키나와에서 트럭에 숨어 배를 타고 평택항에 도착했다. 평택항에 도착해서 노리오가 아닌 방전안은 스미스와 헤어지고, 걸어서 고향인 아산으로 오는데 한결같았다. 아니, 조선은 더 낙후되어 있었다.

집에 도착하니 어머니는 아직도 정정했다. 그러나 집은 더 가난해져 있었고, 변한 것은 여동생 방미자가 아름다운 처녀로 자란 것뿐이었다. 방전안은 무슨 일이든지 하려고 돌아다녔지만, 조선의 분위기가 심상치 않았다. 그리고 그 어느 곳에서도 일자리를 구할 수가 없었다. 일자리라고 구한 것이 일본인 집의 화장실 오물 처리였다.

하루는 방전안이 곡교리 논을 보는데 꽃상여로 사람들이 모여들고 있었다. 방전안이 그곳에 가니 꽃상여 발판에 서 있는 사람이 요령을 흔들면 상여꾼들이 복창하며 염치면사무소와 파출소를 돌았다.

"이제 가면 언제든지 오지 마라. 어허, 어하."

"어허, 어하."

"다신 오실 날을 일러 주지도 마라. 어허, 어하."

"어허, 어하."

"억울하게 죽은 조선인이여! 북망산천에서 팔도강산 굽어살피시어 조선을 부강하게 해주오. 어허, 어하."

"어허, 어하."

상여를 따르며 평상복을 입은 사람들이 덩실덩실 춤을 추었고, 어떤 사람들은 환호성을 지르며 따라다녔다. 방전안이 옆에 있는 사람에게 물었다.

"아니, 누가 죽은 것이기에 저런 말들을 하오."

"저 안에 36년 동안 일본 앞잡이 한 놈들이 들어가 있소."

방전안이 보니, 그 많던 일본 수사도 보이지 않았고, 몇몇 사람들은 흰 천에 급하게 만든 태극기를 흔들며 만세를 불렀다. 방전안이 오늘 날짜를 헤아려 보니 1945년 8월 17일이었다. 며칠 후 영인산에 철모를 쓴 미군이 나타나기 시작했다. 미군은 영인산 깃대봉에 미군 캠프를 세우고, 신선봉에 레이더기지를 설치한다고 했다. 방전안은 영인산에 미군이 있다는 말을 듣고 영인산으로 갔다. 영인산에 도착해서 보니 미군들이 영인산 정상까지 길을 내려고 하는데 트럭이 고장이 나서 난감해하고 있었다. 방전안은 미군들에게 자기가 트럭을 고칠 수 있다고 하니, 미군들은 두 번을 놀랬다. 첫째는 방전안이 영어를 할 줄 알았고, 둘째는 방전안이 트럭을 멀쩡하게 고친 것이다. 방전안은 트럭을 고치기 위해 영인산 아래에 트럭 정비소를 차렸다. 그리고 방전안은 영인산 정상까지 각종 군 장비 하역과 길을 만들기 위해 사람들이 필요하다는 것을 미군 장교에게 듣고 돈 많은 사람을 수소문한 끝에 탕정에서 일제 강점기에 사업했던 김순식을 알게 되었다.

김순식은 방전안에게 자기에게 사업할 수 있도록 주선만 해준다면 자기 딸과 혼인은 물론 동생 방미자까지 혼인을 시켜준다고 했다. 방전안은 김순식의 제안을 받아들여서 1947년 김순식의 딸 김민숙과 혼례를 올렸다. 1948년에 방미자도 백석포리에서 50마지기 벼농사를 짓는 박기영과 혼례를 올렸다. 1948년에 방전안은 초등학교를 나온 김민숙 사이에 딸을 낳았고, 1949년에는 아들을 낳았다.

방전안은 미군과 일하면서 썩은 냄새와 낮디낮은 초가지붕들이 줄줄이 이어진 초라한 집들의 굴뚝에서 연기가 피어오르지 않는 것을 보고 웃으며 말했다.

"앞으로 십 년만 요렇게 먹고 살게만 해다오. 재작년에 고친 집을 내년 가을에 새로 짓고, 정비소도 깨끗하게 늘려서 조수를 두, 세 명만 두면 우리 인정과 다정이 학교도 서울로 보낼 것이다. 아버지! 하늘에서 저를 보시라고요. 우시장에서 잡일을 해서는 이렇게까지는 죽어도, 아니 다시 태어나도 못 살았을 것입니다. 영철이도 제 조수라고요."

그런데, 1950년에 625전쟁이 일어났다. 라디오를 통해서 북한군이 삼팔선에서 공격했다는 것을 사람들은 알고 있었다. 그러나 사람들은 흔히 있는 국지전으로 생각했다. 그리고 지난번처럼 국군이 잘 싸우고 있다는 라디오를 듣고 안심했다. 그러나 아산군

1959년 9월 추석을 일주일 앞두고 사라 태풍으로 전국이 물난리가 났다. 아산 곡교천도 논과 마을에 물난리가 났다. 논에는 고개를 숙이려 했던 벼들이 물에 잠기고, 가옥들과 가축들이 곡교천을 따라 서해안으로 떠내려갔다. 곡교천 근처 옥정리에 살고 방전안의 가족은 겨우 피해 염치초등학교로 피신했다. 방전안이 피신해서 보니 어머니 유구 댁이 보이지 않았다. 방전안은 어머니도 무사히 피했을 거라고 믿고, 태풍이 빨리 지나가길 빌었다. 그러나 유구 댁은 다 무너진 집 기둥에 깔려 죽어 있었다. 방전안은 장사를 지내고, 살길이 막막해 있던 시기에 영인면 시내에서 우연히 미군 스미스를 다시 만났다. 스미스는 영인산에 있던 미군 장비와 같이 오키나와로 돌아갔다고 했다. 방전안은 스미스에게 다시 도움을 청했다. 스미스가 11월에 오키나와로 돌아간다며 오키나와에서는 일본 엔화가 아닌 미국 달러를 사용한다고 알려주었다. 방전안은 아산 전통시장에서 포목점하는 아내 김민숙에게 가서 돈을 달라고 했다. 김민숙은 자기와 같이 포목점을 하면 먹고 살 수가 있다고 했더니 욕과 폭행하며 돈을 달라고 했다. 김민숙은 맞지 않기 위해 금고에 있던 육만 원 전부를 주니, 방전안이 암시장에서 달러로 바꾸었다. 떠나기 전날 방전안은 수철리로 가서 여동생 내외를 만났다. 그리고 매제 남주호에게 말했다.

"매제. 내 부탁하나만 들어 주게나. 나라가 하는 것들을 믿지 않기를 바라네. 나라가 무엇을 하든 반드시 무너진 한강 다리만을 생각하게."

방전안은 남주호의 손을 잡아주고 나서 방미자에게도 말했다.

"내가 일본에 가면 돈 벌어서 보내줄 테니 힘들어도 조금만 참아. 그리고 내가 네 올케언니한테 미안한 짓 많이 했지만, 가끔 찾아가서 말벗이 되어다오. 건강하고 행복하게 살아."

방전안은 집으로 오면서 중얼거렸다.

"일본이라는 나라는 부자지만 일본인들은 가난하다. 그러나 조선이란 나라는 가난해서 조선인들을 더 속일 것이다. 그것도 가장 악랄한 방법으로."

　11월에 방전안은 큰딸 방인정과 아들 방다정을 데리고 오키나와로 밀항했다. 그러나 오키나와에서도 방전안이 오기만을 기다리는 일거리는 없었다. 방전안은 오키나와가 일순간 낯설어지는 느낌을 받았다. 오키나와도 미국의 영향을 받아 자동차 정비사에게 자격증이 필요했는데, 방전안은 영어와 일본어는 할 수는 있었지만, 영문과 일본 글자를 읽을 수가 없었다. 몇 달을 남매와 고생하던 방전안은 타로의 아들 뮤지가 사준 낡은 트럭에서 살았다. 일거리가 있으면 트럭을 운전해 이곳저곳을 돌아다니며 지냈다. 운전으로 며칠을 닦지도 못해서 강이 나타나면 들어가서 목욕하고 옷을 빨아서 입었다. 트럭에서 생활한다는 것이 다정은 괜찮았지만, 인정은 10대 소녀라 어려웠다. 트럭 생활 고생이란 것이 이루 말할 수가 없었다. 언제나 푹푹 찌는 폭염 날씨에도 트럭에서 아이들과 지냈고, 비와 태풍이 와도 트럭에서 생활하며 먹고 자고 했다. 2년 동안 아껴가며 모은 돈으로 오키나와 변두리에 작은 하꼬방을 얻어서 정착 생활을 하게 되었다. 방전안은 조선 사람인지라 일본에 대한 적개심이 있었지만, 하루 한 끼가 더 중요했다. 방전안이라는 한국인으로서의 자부심보다는 노리오로 일본에서 살아남는 것이 더 중요했다. 자랑스러운 한글보다는 지금 당장 서류에 서명하는 일본 글자를 아는 자식들이 중요해서 학교에 보내려고 했지만, 불법 이민자에, 국적도 없어서 결국 학교를 포기했다. 다행히 방인정은 머리가 좋아서 어깨너머로 일본 글을 배워서 동생 방다정에게 가르쳤다. 1968년 베트남 전쟁으로 오키나와는 새 시대가 열렸다. 제2의 전쟁 특수가 시작된 것이다. 방전안은 쉴 틈도 없이 일을 했다. 그러나 손에 쥐는 돈은 언제나 날개가 달린 듯 소리도 없이 사라져 겨우 목에 풀칠할 정도였다.

　방인정은 옷 가게에서 만난 재봉 기사로 일하던 문태풍과 21살에 결혼했다. 동갑인 문태풍은 중학교를 나와서 옷 가게 뒤편에서 4년째 일하고 있었다. 방인정은 판매 사원으로 일하면서 고모 방미자와 서신을 주고받았다. 방인정은 한글도 문태풍에게 배웠다.

방다정은 단무지 생산 공장에서 만난 김지숙과 21살에 결혼했다. 김지숙도 중학교를 졸업하고 단무지 생산 공장에 입사해 7년째 일하고 있었다. 김지숙은 방다정보다 다섯 살이 많았고, 두 살된 딸이 있는 이혼녀였다.

두 남매는 아이도 낳고, 그런대로 자리를 잡아서 살림도 불러가며 형제끼리 오순도순하며 살았다.

격동의 세월을 보낸 방전안은 1975년 52세 나이에 교통사고로 병원에 입원했다. 남매가 병원에 도착해서 방전안을 보니 상태가 심각했다. 다정이 아버지의 손을 잡으니, 그제야 눈을 뜨며 방전안이 말했다.

"미, 미안하다. 다정아, 정말 미안하다. 그리고 내 손을 따뜻하게 잡아주어서 고맙다."

다정은 말도 못 하고 울기만 했다. 인정은 아버지를 보며 말했다.

"아빠가 내 아빠라서 좋았어요."

그 말에 방전안 눈에서 눈물이 주루룩 흘러내리며, 마지막 힘을 내며 겨우 말했다.

"나…… 나도 너, 너희들의 아…… 아빠여서 행복하고 좋았다."

방전안은 이 말을 하고 행복한 웃음을 지으며 눈을 감았다. 남매는 한국에 있는 고모에게 장례식 참석을 위해 동분서주했는데 고모는 참석할 수가 없다고 했고, 어머니 김민숙에게는 부음을 알려준다고 했다.

방인정은 영안실에 있는 아버지가 고모를 그리워했다고 했지만, 고모는 절대 갈 수가 없다고만 했다. 이때까지도 방인정은 대한민국의 반공주의를 몰랐다.

남매도 15년 만에 어머니를 만난다고 생각하니 가슴이 설렜다. 한국을 떠날 때도 어머니를 만나지 못했다. 아니, 어머니가 쫓겨나고 나서부터는 전혀 만나질 못했다.

김민숙은 김포공항을 통해 동경 공항에 도착해 오키나와 공항으로 가는 비행기를 타면서 자신을 감시하는 눈이 있다는 것을 전혀 알아채지 못했다.

드디어 가족 상봉이 오키나와 공항에서 이루어졌을 때 공항은 울음바다였다. 남매는 그동안 고생하며 자란 이야기를 하랴, 남편도 없이 홀로 늙은 어머니를 위로하랴, 사위, 며느리, 손자, 손녀들을 한 번씩 안아주랴, 서로가 흘린 눈물을 닦아주느라 정신이 없었다.

공항을 빠져나와 장례식장으로 가려고 택시에 타려는데 한 남자가 김민숙을 불러 세웠다.

"이보시오. 할망구!"

"……?"

"당신의 아들, 딸들이 빨갱이 집안하고 결혼했어. 저것들이 전부 다 빨갱이야. 할망구도 물들기 전에 빨리 한국으로 돌아가."

이 사람은 도쿄 대사관의 영사로 중앙정보부에서 파견 나와 있는 윤종일이었다.

"몇십 년 만에 어미와 자식이 만난 거예요. 한 번만 봐주세요."

"야, 완전히 빨갱이 집안이구만. 자꾸 이러면 재미없어. 한국에 있는 친척들도 얘들을 알고 있는 빨갱이잖아. 할망구, 혼 좀 나봐야겠어."

"……?"

"서울에서 손봐줄까. 응. 할망구! 당장 한국으로 안 가면 지금부터 넌 빨갱이야!"

중앙정보부 윤종일 요원은 김민숙에게 빨갱이라고 계속 말했다. 이에 화가 난 인정과 다정이 따지자, 윤종일이 화를 내며 말했다.

"너희들도 문세광하고 한패잖아. 특히, 뒤에 너 문태풍. 넌 문세광하고 육촌지간이잖아."

김민숙과 남매는 알고 있었다. 1974년 8월 15일에 재일교포 문세광의 쏜 총에 대한민국 대통령의 부인이 사망했다는 것을.

"나…… 난 그와 친척이지만 일면식도 없소. 생사람 잡지 마시오."

"할멈. 우리가 당신의 시누이도 감시하고 있어. 남주호가 625 때 인민군으로 참전해서 우리 군인이 쏜 총에 맞은 것도 알고 있다고. 아산에서 시누이와 아주 친하더구먼. 혹시 남주호한테 지령받고 일본에 입국한 거 아니겠지?"

"아…… 아니, 무슨 말, 말도……."

윤종일은 김민숙을 째려보며 의미심장한 미소를 지었다.

"맞구만. 알았어. 내가 정부에 보고해서 문태풍과 남주호, 당신, 김민숙을 말하지. 아주 그림이 좋아. 문세광의 육촌에, 인민군 출신의 시누이 남편. 그리고 시누이 방미자의 지령을 받고, 남편 장례식 핑계로 북한 자금을 받아 일본에 입국해서 북으로 가는 밀항선을 타려 했다. 그것을 우리 중정이 미리 알아내서 조사 중이다. 아주 대단한 걸작이야. 하하하."

결국 남편의 장례식과 남매와 하룻밤도 보내지 못하고 김민숙은 피눈물을 마시는 괴로움으로 대한민국행 비행기를 탔다.

좌익이니, 우익이니, 조총련이니, 빨갱이니 하는 것을 김민숙이 무엇을 알겠는가? 김민숙은 이 일로 포목점도 접었고, 무엇을 밝히고 할 것도 없이 쥐 죽은 듯 조용히 살아야만 했다. 한국 사회에서는 김민숙, 자기의 이념과 정체성 문제를 연관 짓지 않아야만 했다. 그래서 아들, 딸과 연락도 하지 않았다. 김민숙에게 오는 편지는 늘 누가 먼저 뜯어보았고, 편지를 건네주는 사람은 우체부가 아니었다. 김민숙이 화병으로 병원에 입원해 죽어가는 그 순간에 편지를 건네주었던 중정 요원 김현서가 병문안을 왔다.

"당신의 몸에는 더러운 빨갱이 피가 흐르고 있소. 당신의 부모, 형제가 인민군에게 죽은 것도 우린, 알고 있소. 그럼, 일본에 있는 빨갱이 물을 먹은 년놈들과 서신 교환을 하지 않아야 했소. 빨갱이들은 천륜을 이용해 공산화에 전력을 쏟고 있는데, 그까짓 것에 자유 대한민국을 버리다니, 쫏. 난 당신과 악한 감정은 없소. 부디, 편안히 가시오."

이 말을 듣고, 김민숙은 한마디 하며 영원히 눈을 감았다.

"나는…… 아니, 내 피는 뜨, 뜨겁고도 뜨거운 빨간색이에요."

김민숙은 이장에게 자기가 죽으면 화장해서 곡교천에 뿌려달라고 했다. 이장은 죽은 김민숙의 재를 충무교 아래에서 뿌렸다. 재는 곡교천 물결 따라 서해안으로 흘러 흘러서 오키나와로 흘러갔다.

의용소방대원

햇볕이 따사하게 내리쬐는 초봄.

신영배는 논에 트랙터로 로터리로 치고 있었다. 사흘 동안 100 마지기를 하다 보니, 허리도 아프고 어깨도 아팠다. 저 멀리서 이남규도 논을 갈고 있었다. 영배는 클랙슨을 짧게 두 번 그리고 길게 한 번을 울렸다. 남규도 그 소리를 들었는지 길게 한 번을 울렸다. 그리고 남규가 트랙터 라이트를 두 번 번쩍번쩍해서 열심히 하라고 격려했다. 영배는 웃으며 혼잣말했다.

"남규 형 때문에 고향에 정착했지만, 아직도 농사가 서툴고 힘들어."

영배는 몇 주 동안 비가 내리지 않아서 빠짝 마른 논에서 로터리 때문에 피어오르는 흙먼지 속을 오가며 작년을 생각했다.

영배는 3월에 제대하고 농사가 싫어서 군산에 사는 큰누나 영미한테 내려갔다. 말년휴가 나와서 큰 매형한테 말했기에 현대중공업에 납품하는 협력업체에 쉽게 취직했다. 주야간 2교대로 12시간씩 근무했지만, 기계가 철판을 절단하고, 로봇이 용접해서 큰 어려움은 없었다. 영미의 집에서 생활해서 자취나 하숙보다 편했다. 입사해 기숙사에서 지내려고 했는데 매형이 자기와는 근무가 반대 조라며 같이 지내자고 했다. 방이 세 개인데, 외동딸인 김혜정은 서울 예술 중학교 1학년을 다녀서 영미도 혼자 지내기에 적적하다며 같이 지내면 좋겠다고 말했다. 영배는 대신에 같이 살면 생활비를 달라고 하지 말라고 했다. 영미는 어이가 없다는 듯 말했다.

"야, 너한테 생활비를 받지 않는 대신에 돈 관리는 내가 한다. 너 결혼하려면 여기서 아파트도 사야 하는데, 아산보다 물가가 훨씬 비싸. 적금도 들고, 고향 부모님께 다달이 용돈은 아니더라도 명절과 생신 때 선물은 해 드려야 할 것이 아니야."

"누나가 내 월급을 관리한다고?"

"그래. 내가 알아서 다 할 테니, 넌 회사만 착실하게 다녀."

"그건, 아니지. 나도 쓸 곳……."

매형이 영배의 말을 자르며 말했다.

"처남, 누나 말 들어. 내가 살아봐서 아는데 한 번 저렇게 통보하면 끝이야. 괜히 얻어맞지나 말고."

영미는 남편에게 눈을 흘기며 말했다.

"당신은 조용히 있어. 영배, 넌 내가 하라는 대로 하며 절대 손해는 없어. 내가 네 돈 가지고 도망을 가겠니. 아니면, 해외여행을 가겠니. 누나 말만 잘 들으면 저녁상에 갈비찜이 올라가는 거야."

영배는 반강제적으로 월급 통장을 뺏겼고, 한 달 용도를 타 쓰는 처지가 되었다. 그렇다고 영미한테 불만은 없었다. 회사를 삼 개월째 접어드는 6월 초에 아버지가 이앙기로 모내기를 끝내고, 저녁에 논 주인과 술을 마시고 집에 오다가 동네 냇가로 오토바이와 떨어져 병원에 입원했다는 연락을 어머니한테 받았다. 다음날 영배와 영미는 자가용을 타고 아산충무병원에 도착해 입원실로 갔다. 입원실에는 어머니가 보호자용 간이침대에 앉아 있었다. 영배가 아버지를 보니, 오른쪽 다리와 오른쪽 팔에 깁스하고 있었다. 가까이 가서 아버지의 얼굴을 보니, 얼굴도 까져서 약을 발라서 보기가 흉했다. 영미는 어머니의 손을 잡고 어떻게 된 것인지 확인하는데, 아버지가 왼손으로 영배를 더 가까이 오라고 했다. 영배가 아버지에게 다가가니 말했다.

"너 이앙기 할 줄 알지. 지금 급하다. 네가 대신 해줘야겠다."

"예?"

"작년에도 휴가 나와서도 했잖아. 지금 동네에 이앙기 할 사람이 없어."

"전 회사 다녀요. 오늘은 월차지만, 내일은 출근해야 해요."

아버지는 화를 내며 강압적으로 모내기하라고 했다. 영배가 싫다고 하니, 아버지는 영배를 살살 달래보았지만, 영배는 계속 싫다고만 말했다. 아버지는 하루 품값을 회사의 두세 배를 준다고 해도 영배는 꿈쩍하지 않았다. 아버지는 화가 많이 나서 침대에서 내려오며 말했다.

"당신은 내 옷 가지고 와. 지금 한시가 급한 것이 모내기야. 저 자식이 저렇게 싫다고 하니 어쩔 수 없지. 영미, 너는 병원비 계산해라. 나, 지금 퇴원한다."

"아니, 아버지. 이 몸으로 무슨 농사일을 한다고요."

"그럼, 네 남편한테 하라고 해. 그놈은 이앙기를 할 줄도 모르잖

아. 내가 아들 하나를 더 낳았어야 했는데. 당신, 뭐해. 얼른 내 옷 줘."

어머니는 영배의 얼굴을 한 번 쳐다보더니 말했다.

"저 영배…… 아니다. 당신 그러지 말고 남규한테 다 줘요. 그 럼……."

"뭐, 남규한테. 그놈은 지 혼자 800마지기를 하잖아. 내 것 350마지를 하려면 6월 중순이나 가능해. 남들은 농약을 뿌리고 있는데, 모내기하자고. 농사도 철이 있는 거야. 빨리 옷이나 꺼내."

영배는 아버지가 왼팔로 커튼치고, 환자복 바지 벗는 것을 보기만 했다. 어머니와 영미는 영배에게 아버지를 말리라고 했지만, 영배는 가만히 서 있기만 했다. 영배는 이러지도 저러지도 못하는 복잡한 마음으로 병원 창문 넘어 논을 보았다. 논에는 군데군데 모내기했는지 푸릇했고, 모내기하지 않은 논에서는 논물이 햇볕을 받아 반짝반짝 빛나고 있었다. 그때 커튼 뒤에서 쿵, 하는 소리와 "어이쿠" 하는 소리가 들렸다. 어머니가 커튼을 젖히니, 아버지가 바닥에 쓰러져 있었다. 아버지는 왼발에 바지를 입다가 침대에서 떨어진 것이었다. 영미가 아버지를 부축해서 침대에 앉도록 했지만, 아버지는 퇴원하겠다며 성질을 부렸다.

"아이고, 이 몸으로 어떻게 일한다고요. 영배야, 네 아버지 좀 말려."

아버지의 옆에 누워 있던 환자가 말했다.

"아드님이 아버지의 말 새겨들어. 아버지가 3주도 아니고 4주래. 어제 의사가 다리뼈가 부러지고 금도 가서 안정을 취하라고 말했어. 300마지기면 이앙기로 삼사일이면 충분하잖아. 그리고 회사에 출근하면 되고."

영배는 아버지와 어머니 그리고 영미의 얼굴을 보고, 오른손으로 머리카락을 거칠게 넘기며 말했다.

"제가 할게요. 그러니 입원해 계세요. 그리고 아저씨. 삼사일이 아니라 일주일 동안 해야 합니다. 저희 논은 산지사방에 흩어져 있고요."

영배는 그 말을 하고 병실을 나와 복도 벽에 기대어 서서 한숨을 쉬었다. 어머니가 따라 나와서 영배의 손을 잡으며 말했다.

"고맙다. 네 아버지가 모내기 때문에 맘고생이 이만저만 아니었어."

"알았어. 그 대신에 나 모내기만 끝나면 다시 회사에 출근할 거야."

아버지가 영배를 불러서 말했다.

"이앙기는 숫골 논에 있어. 거기부터 다 끝내고, 안골로 가. 키는 꽂혀있고."

"알았어요. 그리고 이젠 더 이상 도지는 하지 마세요."

영배는 영미와 같이 시골집으로 갔다. 영배는 자기 방에서 운동복으로 갈아입고, 영미가 운전하는 차를 타고 논으로 갔다.

"누나가 매형한테 말 잘해줘. 나 진짜 농사가 싫은데. 회사에서 친구도 사귀고, 회사 작업에도 적응하며 지냈는데, 이게 뭐야. 진짜 외국으로 나가든지 해야지."

영미는 운전하면서 영배의 넋두리를 가만히 듣고만 있었다. 영미와 영희 그리고 영숙은 여상을 졸업하고 고향을 떠나 취직했다. 그러나 영배는 초등학생부터 아버지를 따라 논농사와 밭농사를 하면서 자랐다. 영미는 큰딸이라고 가끔 농사일을 도왔지만, 밑에 동생들은 농사일에 전혀 관심도 없었다. 동생들 초등학생 때 아버지가 "내일 아침에 밭에 가서 붉은 고추를 따자."고 했더니, 영희와 영숙이 그날 밤에 가출했다. 영희는 초등학교 3학년, 영숙은 초등학교 1학년이라 금방 들어올 줄 알았는데, 이틀 동안 들어오지 않아 그제야 찾으러 다녔다. 반 친구들 집에 찾아가서 물어보니 모른다는 답변을 듣고, 집에 도착해 영배가 울면서 하는 말을 듣고 아버지가 아산경찰서에 직접 신고했다.

"내 돼지저금통에 돈이 하나도 없어. 엉엉엉."

나흘째 되는 날 여관 주인의 신고로 데리고 와서 자초지종을 물으니, 영희도 아니고 영숙이 꼬셔서 가출한 것이었다. 아버지가 영숙에게 따끔하게 혼을 내니, 영숙은 울지도 않고 아버지를 똑바로 올려다보며 말했다.

"햇볕에서 일하면 엄마처럼 시꺼메지고, 피부도 안 좋아진다는 말이에요. 지금도 반 친구들이 나보고 아프리카에서 왔냐고 놀리는데, 어쩐란 말이에요. 저보고 밭에서 일하자고 하면 또 나갈 거예요."

그 뒤로 아버지는 딸들에게는 농사일을 도와달라고 하지 않았다. 영미는 영배의 얼굴을 보며 미안한 마음이 들어서 말했다.

"누나가 너한테 미안하다. 네가 어릴 적부터 고생한 것 우리가 다 알아. 그리고 아빠, 엄마에게 큰 버팀목이 된 것도 알고. 영배야, 모내기 끝내고 내려오면 누나가 네가 좋아하는 회 풀코스로 사줄게. 알았지."

"저 앞에 차 세워."

영배는 차에서 내려 울먹이듯 말했다.

"그리고 누나! 나, 다…… 다시는 구…… 군산에 못 내려가. 왜? 모내기 끝나면 고추밭에 소독해야지. 그것이 끝나면 마늘과 하지 감자도 캐고, 다시 벼에 비료도 주고 소독하고……. 이게 농사일이야. 고구마 줄기처럼 농사일은 끝도 없이 이어지는 고달픈 막노동이라고. 나 진짜 농사가……."

영배는 차 문을 닫고 논둑을 따라 이앙기가 있는 논으로 걸어갔다. 영미는 영배의 축 처진 뒷모습을 보며 눈가에 고인 눈물을 엄지와 검지도 찍으며 혼잣말했다.

"그랬구나. 네가 어느새 다 컸어. 난 병원에서 너를 보며 모내기 빨리 끝내고 오면 되는데, 왜 저렇게 고집을 부릴까, 하며 원망했거든. 그런데 너는 모내기뿐만 아니라 일 년 농사 전체를 보았던 거였어. 영배야, 이 못난 큰누나가 미안하다. 토요일에 매형하고 올게. 그때 네가 먹고 싶은 다 사줄게."

영미는 차를 돌려 군산으로 출발했다.

영배는 자기의 말대로 모내기 끝내고, 마늘, 양파, 감자를 캐고, 어머니와 들깨 모종도 했다.

초복 날 남규가 영배를 찾아왔다. 그들은 아산 시내로 가서 삼계탕을 먹으며 올해 벼농사 수매와 겨울에 파, 양파, 마늘 모종에 관해 이야기했다. 식사를 끝내고, 근처 커피숍에서 냉커피를 마시고 있었다. 남규가 영배에게 말했다.

"너, 우리 의용소방대에 들어와라."

"응? 의용…… 의용소방대? 그게 뭐야?"

남규는 목소리를 가다듬으며 말했다.

"의용소방대가 무엇이냐고 하면, 자기 지역에 살면서 화재가 발생하면 즉시 출동하는 비상근 소방대원이야. 우리 동네만 봐도 알잖아. 소방차가 아무리 빨리 와도 5분을 넘어. 그런데 우리는 동네에 살면서 주택화재가 발생했다면 그 즉시 출동할 수가 있잖아. 그렇다고 우리가 불을 끄고 하지는 못하지만, 소화기로 초기 진압은 할 수가 있잖아. 만약 너희 윗동네 진석의 집에 불이 나서 소방차가 온다고 가정을 해보자. 넌 어디로 소방차가 올라가면 빨리 가는지 길을 알고, 안내할 수 있잖아. 그리고 진석의 집에 도착하는 길에 농기계나 트럭이 있으면 미리 치울 수도 있고. 안 그래."

"남규 형, 그렇기는 하지만 굳이 들어가서 뭐 하러 고생해. 농사일도 고단해서 미치겠구먼. 그리고 나 같은 스물셋에 들어가며 어리다고 막 부려서 개고생이지."

"야, 나하고 너하고 8살 차이잖아. 나도 들어간 지 이제 막 2년이 지났어. 회사 다니는 사람도 있지만, 대부분 의용소방대 형들이 농사일해. 그래서 서로 정보교환도 하고, 농기계가 고장 나면 와서 고쳐주거나, 자기 것을 사용하라고 빌려줘. 하여튼, 생각해

보고 사진 두 장만 준비해 놔.”

영배와 남규는 몇 마디를 더 나누고 헤어졌다. 그러나 영배는 남규가 말한 의용소방대를 까맣게 잊어버렸다. 그런데 8월에 태풍이 대한민국을 지나면서 엄청나게 비를 뿌렸다. 비뿐만이 아니라 바람까지 불면서 길 곳곳에 나무가 부러지고, 지하차도도 물이 잠겼고, 하천도 물이 넘쳐서 논 전부가 물바다가 되었다. 영배는 태풍이 지나가고 읍사무소에 볼일이 있어서 갔다. 읍사무소에 도착해서 차를 주차하려고 했지만, 읍사무소에 이장들 모임이 있는지 주차할 곳을 찾지 못해 보건소에 주차하고 읍사무소로 걸어갔다. 그런데 읍사무소에 남자 직원들은 없고, 여자 직원 두 명만이 자리를 지키고 있었다. 영배는 평소에 앞면이 있는 복지과 직원에게 말했다.

“누나, 다들이 어디 갔어요?”

“태풍으로 한우 거리에 물난리가 났잖아. 지금 거기로 모두 나갔어.”

“그래요.” 하며 영배는 필요한 서류를 받고 읍사무소를 나왔다. 차를 타고 한우 거리로 가려고 하다가 주차장이 복잡할 것 같아서 걸어서 갔다. 걸어서 가며 영배는 많은 사람이 정신없이 움직이는 것을 보았다. 특히, 주황색 조끼를 입은 사람들이 분주하게 움직이며, 1톤 소방차로 가게와 도로 바닥을 물청소하는 것을 보았다. 주황색 옷을 입은 여자들은 식당의 그릇을 꺼내 닦으며, 옆에 식당 주인 듯한 사람에게 용기를 내라며 말도 걸고, 웃긴 이야기하면서 힘을 주고 있었다. 적십자 회원들도 같이 봉사하는데 얼굴에 힘든 기색이 가득했다. 영배는 소방차로 도로 청소하는 사람들과 남규가 포터 트럭에 실려 있는 소독장비로 가게 건물과 유리창을 세척 하는 것을 보고 인사하며 말했다.

“남규 형. 고생이 많네.”

“왔어. 너 내 뒤에서 호스 좀 당기고 잡아줘라.”

영배는 남규의 지시에 따라 호스를 잡고 건물 벽을 청소했다. 그리고 탱크에 물이 떨어져서 영배는 집에 가려고 하는데 남규가 말했다.

"영배야, 저기 소방차 옆에 있는 형한테 가서 렌치 달라고 해."

"렌치?"

영배는 남규가 말한 사람한테 가는데, 남규는 포터 트럭을 운전해 소화전과 연결한 호스 옆에 차를 세웠다. 영배는 오십 대로 보이는 남자에게 말했다.

"저, 남규 형이 렌치 달라고 하는데요."

그 남자는 영배를 한 번 쳐다보고 소방차 옆에 있는 작은 문을 열어서 쇳덩어리를 주었다. 영배는 그 남자가 준 쇳덩어리를 보며 생각했다.

'내 발음이 좋지 않나? 틀림없이 렌치라고 말했는데 왜 쇳덩어리를 주지?'

"저기요. 이게 아니고, 렌치인데요?"

그 남자는 한심한 듯 쳐다보며 말했다.

"그게 소방용 렌치야. 갔다가 주면 남규가 알아서 해."

영배는 걸어가면서 쇳덩어리를 자세히 살펴보았다. 쇠에는 빨갛게 색칠이 되어 있고, 한쪽 끝은 갈고리같이 굽어 있었으며, 다른 쪽에는 네모나게 구멍이 뚫려 있었다. 영배가 남규에게 주니, 남규는 받으며 영배에게 말했다.

"영배야, 내가 이 소화전 풀 테니, 넌 소방호스를 잡아서 내 차에 물 받아. 그런데 영배야. 소방호스를 단단히 잡아야 해."

"참나, 알았어."

남규는 영배가 미덥지 않은지 주황색 조끼를 입은 사람을 불러서 같이 해달라고 했다. 영배는 남규가 자신을 업신여기는 같아서 기분이 나빴다. 그 남자가 트럭에 올라가 남규에게 오른손을 머리 위로 하며 "방수 개시"라고 하니, 남규가 렌치로 소화전을 풀면서

65밀리 호스로 물이 차오는 것이 보였다. 영배는 한 손으로 호스를 잡고 있는데, 트럭 짐칸에 탄 사람은 호스를 두 손으로 꽉 잡은 것도 모자라 옆구리로 호스를 다시 잡고 있었다. 영배는 그 모습에 웃음이 나오는 것을 겨우 참으며, 호스에 물이 차오면서 호스가 빳빳해지는 것을 보았다. 영배가 잡은 호스에 물이 차면서 호스가 영배의 허리를 탁, 하고 쳤다. 영배는 순간 휘청하면서 너무 놀라서 쓰러지지 않으려고 중심을 잡았다. 그리고 통에서 쏴악, 하며 힘차게 물이 차는 소리를 들었다.

"뭐야, 지금 호스가 이렇게나 힘이 세다고."

영배는 호스를 보면서 남규와 트럭에 있는 남자를 보았다. 남자는 영배에게 신경 쓰지도 않고, 오직 통에 물이 차는 것만 보았다. 그 남자가 주먹을 쥐고 오른손을 옆으로 뻗으니, 남규가 렌치로 소화전을 잠갔다. 영배는 한마디도 하지 않고, 오직 손짓만으로 대화하는 것을 보고 어안이 벙벙해서 중얼거렸다.

"뭐야, 이 사람들. 도대체 얼마나 연습했기에 손짓만으로도 알고 저렇게 딱딱 행동으로 옮겨."

남자가 주먹 쥔 오른손을 돌리자, 남규가 호스를 들고 접고 있었다. 영배는 호스 끝을 잡고 걸어가며 또다시 중얼거렸다.

"이 사람들 진짜 연습 많이 했구나. 남규 형이 나한테 호스……"

그때 남규가 크게 말했다.

"영배야, 그것 잡지 말고 바닥에 놔. 그래야 물이 빠져."

"어? 어. 그런데 다시 쓸 것이 아니야. 호스 안에 물을 왜……"

"길게 놔두면 도로로 차가 다녀서 안 돼. 이렇게 잘 접어놓으면 저 소방차도 쉽게 쓸 수가 있잖아. 대교 형, 수고했어요."

영배는 대교 형이라는 사람을 보니 그는 다시 도로에서 차량을 통제하고 있었다. 남규가 차를 다시 운전해 식당으로 갔다. 거기는 강에서 내려온 흙과 나무가 쌓여 있었다. 남규는 호스로 식당 벽에 붙은 흙을 쓸어내며 말했다.

"여기 몇 명만 남아 있고, 다른 대원들은 수색에 동원되었어."

"수색?"

"응. 어제 논에 갔다며 나갔던 어르신이 강물에 휩쓸려 사라졌어. 아무래도 살아계시긴 힘들겠고. 시, 시신이라도 찾아야지."

"아니, 그런 것도 의용소방대원이 해?"

"응? 그럼, 다하지. 너는 화재진압만 하는 줄 알았구나. 소방관들 진짜 고생이 많아. 우리야 보조 역할이지만. 애완견도 찾아주고, 벌집도 제거하고, 현관문도 따주고, 치매로 길을 잃은 노인도 찾고, 겨울에는 고드름도 제거해 주고, 교통사고 나면 누구보다 먼저 출동해서 인명구조……"

"잠깐만, 개도 찾아준다고?"

"응. 소방관은 만능이야. 그리고 소방관들은 자살하는 사람도 구해. 너 몰랐지?"

영배는 남규의 말이 현실감으로 다가오지 않았다. 소방서에서 일하는 소방관들이 화재진압은 당연하게 알고 있었지만, 벌집도 제거하고, 더군다나 현관문도 열어준다는 말에 남규가 거짓말을 하는 것 같았다. 남규가 물로 담장을 세척 하는데 사람들이 식사 시간이라고 말하는 것이 들렸다.

영배와 남규는 식당에서 차려 준 점심을 먹었다. 그 자리에서 남규는 렌치를 준 사람에게 영배를 소개했고, 영배는 그 남자가 의용소방대 한영진 총무부장이라는 것을 알았다. 총무부장은 영배에게 이력서와 등본 그리고 사진 두 장을 준비하라고 했다. 영배는 얼떨결에 "네"라고 대답했다. 총무부장은 20대가 들어와서 좋다며 내일 곡교천으로 수색을 나간다며 아침 7시까지 나오라고 했다. 영배는 알겠다고 대답하고, 총무부장과 헤어져 남규에게 갔다. 남규는 호스로 건물과 담장을 세척하고 있었다. 영배는 남규에게 집에 일이 있어서 먼저 간다고 말하고, 내일 곡교천으로 나오라고 했다며 준비할 것이 따로 있냐고 물으니, 남규는 장화는 가지고 오지 말라고 했다. 영배는 알겠다고 말하고 주차한 차로 갔다. 영배는 차에 시동을 켜며 혼잣말했다.

"아니, 내일 곡교천에서 수색한다며. 그럼 당연히 장화를 신어야지. 참나, 정신이 없어서 말을 잘못했네."

영배는 주차장을 나와 읍사무소에 주차한 차를 보며 저 많은 차 주인들이 수해를 당한 이웃을 위해 봉사한다는 것에 뿌듯한 마음이 들었다.

다음날, 영배는 트럭에 장화와 목장갑을 싣고, 곡교천으로 갔다. 곡교천에 도착하니 많은 사람이 모여 있었다. 영배가 사람들을 보니 공무원, 군인, 방범대, 소방대 등 백여 명이 넘는 사람이 모여 있었다. 영배가 남규에게 전화하려고 하는데 누가 영배의 어깨를 잡으며 말했다.

"장화 벗어."

"네?"라고 대답하며 그 사람을 보니, 총무부장이었다.

그가 다시 말했다.

"강에서 수색할 때는 장화를 신는 것이 아니야. 지금 같이 저렇게 물살이 빠를 때는 위험해. 장화 속에 물이 차며 벗기도 힘들지만, 급류가 장화를 끌고 가서 익사할 수 있어. 지금 수색하는 사람도 장화를 신고 논에 나갔다가 실종된 거야. 논에서는 괜찮지만, 얇지만 물살이 빠른 급류에서는 장화가 제일 위험한 거야. 운동화로 바꿔 신어."

총무부장은 영배에게 차에 있는 운동화를 신으라고 했다. 영배는 운동화로 바꾸어 신으며, 어제 남규가 말한 것이 정신이 없어서가 아니라 그동안 철저하게 교육을 받았기 때문인 것을 알았다.

영배는 총무부장을 따라 모여 있는 사람들에게 가니, 총무부장은 주황색을 입은 사람 중에 Y읍 의용소방대를 찾아갔다. 영배가 그들이 모여 있는 곳으로 가니, 남규가 손을 들어 자기에게 오라고 했다. 영배가 남규 옆에 서니, 남규가 말했다.

"형님들! 오늘부터 우리 의소대에 들어오기로 한 신영배예요. 얘 아버지가 신기중 씨이고요."

"그래. 기중이 형 막내 아들이군. 어려 보이는데 몇 살이야?"

"네. 저는 올해 스물셋 살이고, 3월에 제대했습니다."

영배의 말에 Y읍 의소대원들이 손뼉을 치며 좋아했다.

"쟤, 지금 며…… 몇 살이라 했어?"

"스물셋 살이라고 말했잖아."

그 말에 다시 Y읍 의소대는 박수와 함성, 그리고 "야, 스물셋이란다." "야, 햇병아리 중 가장 햇병아리가 우리 의소대에 들어왔다."라고 크게 말하니 옆에 있던 모든 의소대원이 영배를 쳐다보았다. 스물셋 살이라는 말은 달리는 말보다 더 빠르게 사람들 입을 통해 옆으로, 옆으로 퍼져나갔다. 금띠가 있는 모자를 쓴 남자가 영배에게 악수하며 껴안고 잘 들어왔다며 얼굴 가득 함박 웃음꽃이 피었다. 그 남자 뒤쪽에서 똑같은 모자를 쓴 사람이 다가오며 말했다.

"야, 남 대장. 능력 있어. 우리 아들도 의소대에 들어오라고 해도 안 들어오는데, 스물셋에 새파란 대원이 들어왔네. 야, 이거 축하를 해야 하는 것인데, 내 배가 너무 아프네. 우리는 아파트 단지도 많은데 들어오는 사람이 없어. 우린 전부 사, 오십 대야. 우리 막내가 올해 마흔여섯 살이니 딱 반이네, 반가워요. 아주 야무지게 생겼네."

"이 대장, 어때. 이 정도는 해야 우리 의소대가 발전하는 것이 아니겠어."

남 대장의 말에 사람들은 웃었고, 영배는 하루아침에 스타가 되었다. 남자들뿐이 아니라 여자들. 정확히 말하면 아버지와 어머니뻘 되는 사람들이 영배에게 "축하한다." "반갑다." "열심히 해라." 하면서 친구가 있으면 자기네 의소대에 소개해달라며 영배를 놓아주지 않았다. 한바탕 영배로 인해 야단법석이 끝나고, 남형기

대장이 전달 사항이 있다며 말했다.

"어제 급류에 휩쓸려 떠내려가는 것을 본 사람이 있다고 합니다. 우리는 강청교부터 선인교까지 수색합니다. 3인 1조로 하고, 강 중간에는 드론으로 수색한다고 하니, 강 주변을 잘 살피며 이동하기를 바랍니다. 그리고 여러 번 말하지만, 첫째도 안전, 둘째도 안전입니다. 지금 바로 강청교로 출발해서 부장들이 조를 인솔하기를 바랍니다."

남규가 영배에게 자기를 따라오라며 트럭이 있는 곳으로 갔다. 트럭과 SUV차량에 의소대원들이 탑승해서 강청교로 출발했다. 트럭 조수석에서는 총무부장이 대원들을 나누며 조장을 부대장과 부장으로 하고, 남은 세 명은 김세출 반장이 조장으로 통솔하기로 했다. 강청교에 도착해서 영배와 남규는 김세출 반장의 지시 따르며 수색했다. 영배는 김 반장과 조금 떨어져 수색하며 남규에게 말했다.

"형, 그런데 조금 전에 사람들이 왜 그런 거야."

"응? 아, 요새는 의소대에 들어오려고 하는 사람들이 없어. B읍 이승욱 대장이 말했잖아. 자기네는 아파트 단지도 많은데 들어오려고 하는 사람이 없다고. 그리고 너 같은 이십 대는 전국에 몇백 명 아니지, 몇십 명도 안 될 거야. 그 정도로 의소대에 젊은 사람이 없어. 도시에는 삼십 대도 많다고 하지만, 우리 같은 읍면 단위에서 찾기가 힘들지. 너희 동네도 봐라. 아기 우는 소리 들어봤어. 없잖아. 너희 동네에 네 손위에 있는 사람이 진석의 아버지잖아. 그 아저씨도 내일모레가 육십이라고."

"아니, 그래도 자기 고향에서 봉사하면……."

남규가 영배의 말을 듣지 않고 대답했다.

"너도 처음에는 미적미적했잖아. 자기 생업도 있고, 밤낮으로 문자 알림이 뜨고 하니, 누가 들어오려고 하겠어. 그런데 다르게 생각해야 해. 우리 같은 읍면 단위는 주택화재가 발생하면 소방차가

10분도 더 걸려. 불은 골든타임이 5분이야. 그런데 소방차가 오다가 길에서 시간 다 보내. 그리고 더 중요한 것은 집들이 전부가 불에 취약하다는 거야. 너 꼭대기 집 중구 할아버지네 집에 불이 났다고 생각해 봐. 10분, 어림도 없어. 그 집은 5분이면 끝이야. 만약에 새벽에 불이 나서 119에 전화하고 소방차만 오기를 기다린다고 생각해 봐. 너, 어떨 것 같니. 그게 우리가 해야 할 일이야. 불은 끌 수가 없더라도 집주인을 대피시키고, 소방차가 빠르게 올 수 있도록 길 안내하고, 소방차에 물이 부족하면, 우리가 소화전 위치를 알려줘서 신속하게 보충하고 진압할 수 있게 해주는 것이 바로 우리 의소대가 해야 할 일인 거야. 별거 아닌 것 같지만, 나도 이것을 몇 번이나 교육받아서 머리보다 몸이 알아서 먼저 행동해."

영배는 남규의 이야기를 듣고, 의소대가 만만치가 않다는 것을 알았다. 영배는 자기가 사는 마을 길가에 농기계뿐만이 아니라 차를 아무렇게나 주차해 놓아서 걱정되었지만, 별일이 없을 거라는 생각으로 실종자 수색을 계속했다. 그러나 영배는 남규가 말한 것이 불씨가 될 줄도 몰랐고, 이후에 영배의 삶이 180도 변하게 되어서 이장에 도전하는 계기가 되었다.

오전에 수색했지만, 드론도, 해병대의 고무보트도, 강둑을 따라 수색했던 많은 사람은 실종자의 흔적을 찾지 못했다. 영배와 대원들은 여성 의소대원들이 나누어 주는 도시락으로 점심을 해결하고 오후에 다시 수색했다. 저녁 늦게까지 수색했지만, 성과는 없었다. 실종자의 가족들은 소방대원과 방범대 그리고 공무원들에게 고생했다며 허리를 숙여가며 인사했다. 영배는 그 모습에 하루라도 빨리 찾아 가족들 품에 시신이라도 전해주어야겠다고 생각하고 집으로 갔다. 저녁 9시에 단체 카톡으로 내일은 7시에 강청교로 집합하라는 알림이 왔다. 영배는 어머니가 차려 준 저녁을 먹고 낮에 강을 따라 걸으며 억새에 쓸린 팔에 피부약을 바르고 바로 잠이 들었다. 영배는 꿈속에서 알람이 울린 것을 알았지만, 너무 피곤해서 일어나지 못했다. 아침에 어머니가 깨워서 세수하고, 식사하면서 새벽에 온 카톡을 보았다. 카톡에는 새벽 3시 28분에 S면에서 낚시하던 사람이 실종자를 발견해 상황이 종료되었다는 단체 문자였다. 영배는 문자를 보며 혼잣말했다.

"몇 킬로미터를 떠내려간 거야. 물의 힘이 정말 무섭구나. 어제 나는 풀 때문에 미끄러진 것을 김세출 반장이 구해주었는데. 진정한 의소대원이 되려면 기초 체력부터 키워야겠구나."

며칠 후에 날이 좋아서 남규가 있는 논으로 갔다. 남규는 드론으로 농약을 살포한다며 테스트하고 있었다. 영배는 남규가 드론 조작하는 것을 보며 농약을 준비했다. 드론에 농약을 넣고, 남규가 농약을 살포했다. 영배는 옆에서 드론이 농약 살포하는 것을 보았다.

"영배야, 너도 올겨울에 드론 자격증 따라."

"드론 자격증? 형, 이젠 나보고 드론으로 실종자 수색하라고 하는 거야. 됐어. 드론으로 무슨……."

"너 지금 무슨 말 하는 거야. 야, 나 이거 돈 받고 소독하는 거야. 너희 논도 하고, 하여튼 전부 다 한다고. 이것 끝나면 다시 서산으로 가서 일주일 동안 소독해야 해."

"이걸 돈 받고 하는 것이라고. 논은 누가 주는데. 논 주인들이."

남규는 영배를 한참 동안 쳐다보았다. 그러나 영배는 드론이 땅으로 떨어질까봐 남규의 드론을 보는데 드론은 마치 로봇청소기처럼 스스로 알아서 농약을 살포하고 있었다.

"드론은 안 봐도 괜찮아. 좌표만 찍어 주면, 지가 알아서 소독하고 처음에 날린 장소에 다소곳이 내려앉아. 배터리가 부족하면 이빨간불로 알려줘. 영배야, 논에 소독하는 것은 농어촌공사에 알려주고, 평당 사십 원씩 받아. 얼마 안 되는 것 같지. 그런데 저 드론이 천육백만 원짜리다. 저놈을 뽑고도 남아. 알겠냐?"

"허…… 형, 진짜야? 와, 대박. 그동안 난 왜 몰랐지. 나 당장 자격증 따야겠네."

"넌 3월에 제대했잖아. 남들이 들으면 몇십 년 농사한 줄 알겠다."

남규의 말에 영배는 벼들이 놀랄 정도로 크게 웃었다. 영배는 남규의 말대로 겨울에 드론 자격증을 따기로 결심했다.

며칠이 지나 영배는 초등학교 선배의 권유로 방범대에 들어가려고 했는데, 남규가 의소대원은 방범대에 들어갈 수 없다고 해서 포기했다. 영배는 이력서와 사진 2매를 소방서에 제출하고, 면접을 보고, 드디어 의소대원으로 임용이 되었다. 임용된 날 의소대원에 옷과 구두를 받았다. 그리고 여름에 보았던 주황색 조끼도 받았다. 남형기 대장이 임용을 축하한다며 비상 신호봉을 선물로 주었고, 구급대 김세출 반장이 호루라기를 주었다. 남규는 진압 장갑을 선물이라며 주었는데, 한영진 총무부장이 대원들에게 지급되는 장갑이라고 말해서 영배는 남규가 찌릿할 정도로 쳐다보았다.

영배는 날이 더워 집에서 쉬고 있는데, 남규한테 전화가 왔다. 남규는 학정골로 빨리 오라는 말만 하고 전화를 끊었다. 영배는 차를 운전해 학정골에 도착하니, 김세출 반장과 남규가 하얀 방충복을 입고 있었다. 영배는 주차하고, 그들에게 가니 남규가 말했다.

"영배야, 넌 저기 마을 사람들 못 오게 해. 이 담장에 큰 말벌집이 있어."

남규의 말을 듣고 보니, 담장으로 수많은 벌이 날아다니고 있었다. 김세출 반장이 크게 말했다.

"은철 형, 집에 창문 다 닫아."

"다 닫았어."

"남규야, 시작할 테니 옷을 다시 점검해."

김세출 반장과 남규는 방충복을 다시 점검했고, 서로가 고개를 끄덕이고, 남규는 영배가 멀리 떨어져 있는지와 마을 사람들을 잘 통제하는지 확인 후 담장에서 돌을 빼내기 시작했다. 남규의 움직임에 따라 김세출 반장은 소독하며 남규를 보호했다. 영배가 멀리서 보니, 김 반장과 남규 주변으로 수많은 벌이 날아다니고 있었다. 드디어 남규가 벌집을 봉지에 넣고, 봉지 입구를 묶었다. 그리고 김 반장이 담장 주변을 소독했다. 몇 분간 소독하니 그 많던 말벌이 사라졌다. 남규는 벌집이 든 봉지를 차 보닛 위에 올려놓았는데, 벌들이 안에서 밖으로 나오려고 발버둥을 치고 있었다. 영배는 방충복을 벗는 김 대장을 도와주며 말했다.

"저 살아있는 벌들 어떻게 해요?"

남규가 방충복을 개며 말했다.

"조금만 기다려 보면 알아."

영배가 벌들을 보는데 벌들의 움직임이 점점 잦아들고 있었다. 김 반장과 남규는 차에 방충복을 넣고, 김 반장이 SUV차량으로 다가왔다. 이제 벌들의 움직임이 전혀 없었다. 김 반장이 말했다.

"날이 더워서 이렇게 차 보닛에 놓으면 잠시 기절해. 그런데 묶은 것을 열며 신선한 공기가 들어가서 벌들이 깨어나. 그러니 절대 묶은 것을 풀면 안 돼."

남규가 다가와 벌집이 든 봉지를 마대에 담아서 발로 마구 짓이겼다. 영배는 좀 잔인하다고 생각하고 있는데 남규가 말했다.

"말벌 때문에 꿀벌들이 더 많이 죽어. 그리고 이놈들한테 쏘이면 쇼크로 사망할 수 있어."

김 반장이 떠나는 것을 보고, 영배가 말했다.

"진짜, 별것 다 하네. 난 형이 말했을 때 실감을 못했는데, 오늘 보니 알겠어."

"우리는 마을 주변에 신고가 들어오면 하지만, 소방관들은 산과 높은 건물도 한다고. 너 차에 있는 저 옷 한 번 입어 볼래."

영배는 아직도 남규의 얼굴에 흘러내리는 땀을 보며 고개를 살래살래 흔들었다.

추석을 며칠 앞둔 날에 영배는 의소대 소집이 있다는 문자를 받고 의소대 사무실로 갔다. 사무실에 도착해서 먼저 온 대원들에게 인사하고, 남형기 대장, 한영진 총무부장, 직속상관인 김세출 반장에게 인사했다. 오후 2시가 되면서 급한 볼일이 있는 대원 두 명을 제외하고, 28명이 참석했다. 2층 회의실에 모여 있으니, 한영진 총무부장의 사회로 남형기 대장의 전달 사항을 듣고 오후 2시 30분에 소방 안전센터에서 나와 심폐소생술을 가르친다고 했다. 영배는 "군대에서 셀 수도 없이 했던 것을 또, 하네."라고 혼잣말하면서 불만이었다. 그리고 김대교 대응반장의 직접 소방차로 방수하는 것을 가르친다고 했다. 영배는 또다시 이번에는 괜찮은 것을 배운다고 중얼거렸다. 1층에서 사람의 목소리가 들리고 소방관 2명이 올라왔다. 총무부장의 지시에 따라 애니를 놓고, 소방관이 시범을 보이려고 하는데, 총무부장이 조금 전에 영배의 불만 소리를 들었는지 말했다.

"군대에서 셀 수도 없이 보았다고 하니, 우리 신영배 신입대원이 시범을 보여주겠습니다."

영배는 자기 이름이 불려서 깜짝 놀라며 엉거주춤하니, 총무부장이 빨리 나와서 시범을 보이라고 했다. 영배는 나가자니 부끄럽고, 싫다고 하자니 막내라 이러지도 저러지도 못하고 있는데, 남규가 어깨를 툭툭, 치며 나가라고 했다. 영배가 일어나서 앞으로 나가니, 대원들의 우레와 같은 박수와 환호성을 보냈다. 영배는 대장에게 인사하고, 애니 옆에 앉아 가슴압박을 했다. 군에서 보고 배운 대로 열심히 하는데, 앉아 있는 대원들이 수군거렸다.

"쟤, 지금 뭐 하는 거야?"

"저 자식, 지금 장난하는 거야."

"쟤가 아직 어려서 그래. 군대에서 어떻게 배웠기에 가슴압박이 저렇게 엉성하게 해. 백일 지난 내 손자가 쟤보다 더 세게 압박하겠다."

한 총무부장이 그만하라고 했다. 119안전센터에서 나온 의소대 담당 팀장이 말했다.

"고생했어요. 들어가지 말고 옆에 서서 우리 소방관을 도와주세요."

영배는 대원들과 센터에서 나온 소방관을 보며, 이마에 흐른 땀을 닦으며 생각했다.

'내가 뭘 잘못했기에 얼굴들이 다 똥 씹은 표정이야. 난 제대로 했는데 이상하네. 아저씨들은 얼마나 잘하는지 두고 볼 거야.'

의소대 팀장이 말했다.

"저희가 상, 하반기에 나와서 매번 교육하지만, 이것은 한 사람의 생명을 구한다는 것을 알아야 합니다. 쓰러진 환자가 내 가족, 지인이라면 당황해서 심폐소생술도 생각나지 않고, 발만 동동 구르며 119구급차가 오기만 기다리다가……. 여하튼, 여러 번 말하지만, 실전 같은 연습으로 임해주시면 좋겠습니다."

팀장의 말이 끝나자, 모든 대원이 크게 대답했다.

"네, 알겠습니다."

센터에서 나온 소방관은 영배에게 자기 옆이 아닌 환자(애니) 반대편에 가서 앉으라고 했다. 그는 환자의 어깨를 두드리며 의식을 확인하고, 한 사람을 가리키며 119에 전화 요청과 다른 사람에게는 제세동기를 가지고 오라고 했다. 그는 환자가 입은 조끼의 지퍼를 내리고, 가슴 중앙에 깍지를 껴서 강하게 눌렀다. 그는 초당 2회의 속도로 팔꿈치를 수직으로 펴고 멈추지 않고 눌렀다. 다른 사람이 제세동기를 가지고 오니, 영배에게 심폐소생술을 대신 시켰다. 그는 제세동기를 열고 전선을 연결하고 기계의 음성지시에 따라 하는데 김세출 반장이 나오더니 영배에게 말했다.

"자네는 일어나서 내가 하는 잘 보게. 집에서 점심도 안 먹고 나왔나. 그렇게 맥알이가 없어서 어떻게 해. 가슴뼈를 콱 눌러 5cm가 들어가도록 눌러야 해. 팔과 어깨는 수직. 하나, 둘, 셋……."

영배는 나이가 오십도 넘은 반장이 애니를 누르는 것을 보고 입을 다물지 못했다. 김 반장은 애니 가슴이 푹 꺼지도록 누르며 세는데, 이십 숫자를 세기 전에 얼굴이 시뻘게져 있어도 멈추지 않고 초당 두 번씩 힘껏 누르고 있었다. 그때 소방관이 패드를 붙였고, 환자로부터 떨어지라,는 음성메시지가 나오자, 김 반장과 소방관은 주변을 둘러보며 "환자에게서 모두 떨어져 있습니다."라고 말했다. 제세동기는 환자의 심장박동 리듬을 분석하고, 기계에서 "제세동기가 필요합니다."라는 말을 듣고, 김 반장은 다시 가슴압박을 했다. 조금 있으니, 기계에서 "환자로부터 떨어지세요."라는 말에 조금 전과 똑같이 주변을 살피며 말했다. 기계의 버튼이 깜박이자, 소방관이 버튼을 눌렀다. 그리고 다시 김 반장이 가슴압박하고, 조금 전과 똑같이 기계의 지시에 따라 행동하며 가슴압박을 계속했다.

의소대 팀장이 말했다.

"제세동기와 가슴압박을 구급차가 올 때까지 해 주면 되고, 도중에 의식이 돌아왔으며, 안정을 취하도록 하고, 저희 구급대원에게 인계하면 됩니다."

영배는 김 반장의 얼굴에 맺힌 땀을 보며 생각했다.

'아니, 저분은 얼마나 연습했기에 이렇게 잘하지?'

영배는 119안전센터에서 나와 교육했던 소방관들이 갔지만, 김세출 반장한테 교육을 다시 받았다. 영배가 심하게 꾸중을 들은 것은 애니의 가슴을 심하게 누르지 않을 때였다.

"영배야, 가슴이 5cm 정도 푹 꺼지도록 강하게 누르라고."

"저, 그게……."

"말해봐. 뭔데?"

"가슴을 너무 세게 누르며 갈비뼈 때문에 죽거나 갈비뼈가 부러진다고 했어요."

반장은 영배의 떨떠름한 표정을 보고 나서 다독거리듯 말했다.

"영배야, 사람의 정중앙에 있는 가슴뼈는 물렁뼈야. 이 뼈는 부러져도 환자가 의식을 돌아오면, 지가 알아서 아물어. 대신에 가슴 정중앙을 어설프게 누르는 것이 오히려 환자를 두 번 죽이는 거야. 팔과 어깨는 수직. 일 초에 두 번. 엉덩이만 들쑥날쑥하는 것이 아니라 온몸에 체중을 깍지 낀 손바닥에 집중하면서 환자를 힘껏 눌러야 하는 거야."

영배는 김 반장과 30분 동안 심폐소생술을 연습했다. 영배는 거의 기진맥진한 상태로 다음 교육을 받기 위해 2층 회의실에서 내려가려고 하는데, 남규가 냉장고에서 시원한 음료수를 꺼내 주며 말했다.

"고생했다. 너 진짜 정석대로 잘 배운 거야."

"형, 진짜 죽는 줄 알았어. 내 팔이 지금 지가 알아서 덜덜 떨릴 정도야. 진짜 김 반장님은 에누리도 없이 가르치네."

영배는 음료수를 마시며 남규의 말을 듣고 입을 다물지 못했다. 여성 의소대에는 심폐소생술 강사가 다섯 명이 있고, 모든 의소대원은 심폐소생술 교육을 반드시 받는다고 했다. 그리고 김세출 반장의 아픔을 알게 되었다. 몇 개월 전에 C시에 살고 있었던 김세출 반장의 동생이 의식을 잃고 쓰러졌는데, 그 누구도 심폐소생술을 해 주지 않았다. 사람들은 술에 취해 쓰러진 줄로만 알고 비켜 다니기만 했다. 고등학생이 지나다가 119에 전화했지만, 그때는 이미 사망한 뒤였다. 김 반장은 지금도 술을 마시면 넋두리처럼 하는 말이 있다고 했다.

"심폐소생술을 할 줄 아는 사람만 옆에 있어도 살 수가 있었는데, 아니 내 옆에서만 쓰러졌어도. 걔가 쓰러진 장소가 번화가라 많은 사람이 다니는 인도 한복판에서 어떻게 그럴 수가 있냐고?"

영배는 남규의 이야기를 듣고 심폐소생술이 얼마나 중요하고, 위

급상황에서 당황하지 않고 환자를 구하기 위해 철저하게 교육하는 소방관들과 싫다는 기색도 없이 교육받는 의소대원이 믿음직해 보였다.

의소대 사무실 앞에서는 소방차를 꺼내서 교육이 한창이었다. 김대교 반장은 차의 시동을 켜고, 메인 스위치 ON, PTO 버튼에 노란 불이 들어오게 누르고, 초크를 당겼다. 그리고 뒤로 가서 시동키의 전원을 넣고, 콤프레샤가 파란색 불이 들어오도록 버튼을 누르고, 밸브를 열고, 호스를 전개해 불이 난 곳에 뿌렸다. 모든 대원이 두 번씩 연습하고, 영배에게는 또다시 특별 교육을 받았다. 모든 교육이 끝나고, 영배가 막내라 소방차를 차고에 넣으려고 하는데 한영진 총무부장이 말했다.

"그 차는 1종 대형만 운전할 수가 있어. 그리고 운전 교육도 따로 받아야 해. 우리 의소대는 무엇을 하든지 교육은 필수야. 남규야, 네가 운전해."

영배는 남규가 운전하는 것을 보고 1종 대형 면허도 도전해서 따야겠다고 결심했다.

콤바인으로 벼 수확이 모두 끝마치고 나서, 11월에 의소대 사무실에 소집이 있었다. 남형기 대장의 지시에 따라 마을마다 있는 화목보일러 일제 점검을 나갔다. 석유가 비싸서 Y읍에는 화목보일러로 난방하는 집이 많았다. 대부분 집에는 젊은 사람보다는 연세가 칠십을 넘은 분들이 많아서 보일러 가까이에 장작을 쌓아 놓았다. 더구나 집에서 나오는 생활 쓰레기를 불쏘시개로 이용해서 더 위험했다. 대원들은 집마다 방문해서 화목보일러 근처를 청소하고 소화기와 물통을 준비해 놓았다. 장작도 보일러 가까이에 있으면 옮겨 놓았고, 생활 쓰레기는 종량제봉투에 버리도록 지도하고, 20리터 종량제봉투 3개씩 나누어 주었다.

크리스마스를 며칠 앞둔 날.

영배는 밤에 소변이 마려워 일어나 화장실로 갔다. 화장실 창문에 환하게 비추는 빛을 보고 의아해 창문을 열어보니, 중구 할아버지의 집에서 불길이 솟구치고 있었다. 영배는 119에 전화하고, 집에 있는 소화기를 들고 뛰어나갔다. 영배의 부모님도 중구 할아버지의 집으로 뛰어갔다. 영배가 중구 할아버지의 집에 도착해서 불길을 보니, 화목보일러에서 불길이 매섭게 피어오르고 있었다. 영배는 집으로 들어가서 중구 할아버지를 깨워서 업고 나왔다. 영배의 아버지가 소화기를 뿌렸고, 영배의 어머니도 물을 뿌렸지만, 불길을 잡기가 힘들었다. 그때 남규가 차를 타고 와서 영배에게 말했다.

"영배야, 지금 진석의 집 앞에 있는 트럭을 치워야 소방 펌프차가 올라올 수가 있어. 아저씨는 중구 할아버지를 잡고 계세요."

남규는 그 말을 하고 자기 차에 경광등을 달고 신작로로 가서 소방차가 올 수 있도록 길 안내를 위해 출발했다. 영배는 진석의 집에 가서 차를 치워달라고 했다. 진석의 어머니가 말했다.

"아이고, 어떻게 하니? 진석 아부지가 차 열쇠를 가지고 저녁에 나가서 아직도 안 들어왔어."

영배는 트럭으로 가서 소방차가 지날 수 있는지 폭을 재보니 1톤 트럭도 겨우 지날 수가 있는 폭이었다. 영배는 어떻게 할지 생각하는데 동네 입구에서 소방차가 올라오고 있었다. 영배는 진석의 어머니에게 말해 트랙터 열쇠를 달라고 해서 트랙터로 트럭을 밀어버렸다. 그리고 영배는 소방차가 무사히 지나간 것을 보고 중구 할아버지의 집으로 올라갔다. 남형기 의용소방대장도 와서 즉시 지시를 내렸다.

"화재 현장에 집주인을 막아. 그리고 주민들이 가까이 오지 못하게 보호는 현장관리반이 해. 대응반은 즉시 소방관의 호스를 도와줘."

소방 펌프차에서 물을 뿌리고 있는데, 중구 할아버지가 집으로 뛰어 들어가려고 하며 말했다.

"우리 덕칠이가 나오지 않았어?"

그 말에 물을 뿌리던 소방관들이 놀라서 할아버지에게 말했다.

"집에서 빠져나오지 못한 분이 계세요."

"그려. 우리 덕칠이가 못 나왔어."

그 말에 소방관들은 장비를 챙겨서 들어가려고 하니 영배의 어머니가 말했다.

"사람이 아니고, 개예요. 큰 개."

그 말을 들은 남형기 대장이 할아버지에게 덕칠을 묶어놨냐고 물으니, 덕칠은 마루에서 잠을 자기 때문에 묶어놓지 않았다는 말을 듣고 의소대원에게 찾으라고 했다. 대장은 할아버지가 불길이 거세진 집으로 들어가지 못하게 막으며 대원들이 찾는다며 안심을 시켰다. 한편, 영배는 뒷담으로 넘어가서 가스를 잠그고, 가스통을 메고 화재 현장에서 멀리 떨어진 곳에 두었다. 소방 펌프차는 쉴 새 없이 물을 뿌리며 불길을 잡았지만, 중구 할아버지의 집은 완전히 전소되었다. 소방관들이 잔불 정리를 하는데, 김세출 반장이 덕칠을 데리고 나타났다. 덕칠은 다친 곳 없이 깨끗했고, 할아버지를 보자 달려가서 손을 핥았다.

"글쎄, 이놈이 저 감나무 밑에서 벌벌 떨며 불난 집을 보고 있지 않겠어. 그래서 혹시나 해서 '덕칠아!' 했더니 꼬리를 살랑살랑 흔들어서 데리고 온 거야. 쟤도 화재에 놀란 모양이야."

소방관들이 잔불 제거를 끝냈고, 화재가 어떻게 발생했는지 조사했다. 영배는 자기가 본 것을 말했다. 화목보일러를 검시하던 소방관이 연통을 들고 와서 말했다.

"연통이 끄름으로 막혀 있어서 연기를 내보내지 못했고, 화목보일러를 보니 장작을 넣고 문에 잠금장치를 하지 않았어요. 연기와 장작불의 힘으로 문이 열면서 신선한 공기를 만나 불길이 거세지면서 근처에 있던 장작에 옮겨붙은 것 같습니다. 더 조사해 봐야하겠지만, 일단……."

중구 할아버지가 덜덜 떨면서 소방관의 말을 낚아챘다.

"내가 밤에 장작을 넣고, 아침에 불쏘시개 하려고 종이상자를 갖다가 놓았어. 그게 이렇게 될 줄은 나도 몰랐어."

중구 할아버지는 아직도 놀라서 눈에 초점이 없었다. 여성 의소대원들이 할아버지를 데리고 마을회관으로 가서 안심시켰다. 그리고 여성 대원들이 준비한 물과 음료수를 고생한 소방관들에게 나누어 주었다. 헬멧을 벗은 소방관들의 얼굴에는 땀방울이 뚝뚝 떨어졌고, 차가운 겨울바람을 맞으며 물을 시원하게 마셨다. 영배는 남규와 같이 소방관이 호스 접는 것을 도와주고 있었다.

"영배야, 이게 수커플링이고, 요것이 암커플링이야. 불이 나서 호스를 끌고 가게 되면 이 수커플링을 잡고 가야 방수할 수가 있어. 잘못해서 암커플링이 끌고 가잖아. 그럼, 이 관창에 연결할 수가 없어서 화재진압을 더디게 만드는 거야. 그리고 불 속에서는 이 호스가 밖으로 나오는 생명 줄이고."

"알았어. 형." 하며 영배는 호스의 수컷플링을 보고 물을 제거하면서 호스를 소방관에게 건네주었다.

화재진압을 끝낸 소방차가 떠나고, 남형기 대장이 의소대 소방차로 잔불이 있는지 재차 확인하라고 지시했다.

다음날, 날이 밝아오면서 회관에 모인 마을 사람들이 중구 할아버지를 안심시키고, 아침 식사를 준비해 차려 주었다. 중구 할아버지는 화재로 살 곳이 없어서 걱정했지만, 남규의 제안으로 마을회관 2층에 비어 있는 방을 할아버지에게 월세로 전환해서 당분간 살 수 있게 하자고 제안했다.

며칠이 지나서 의소대 남형기 대장하고, 한영진 총무부장이 영배의 마을회관에 방문했다. 의소대 대장은 중구 할아버지에게 힘내시라며 가스레인지와 밥솥을 선물했다. 그 전에 여성 의소대 공숙희 대장과 강민희 부대장이 방문해서 옷과 이불을 전해주었다. 남규는 쌀을, 영배의 집에서는 밑반찬을 전해주었다.

영배는 트랙터로 진석 아버지의 차를 밀어서 소방차가 지날 수 있도록 했던 것 때문에 차 수리비가 이백만 원이 나와 화가 나서 고쳐주며, 연말 이장 선거에 출마하기로 결심했다.

연말에 이장 선거에서 현 이장을 압도적인 표 차로 이겨서 영배가 당선되었다. 영배는 당선 다음 날, 각 집을 방문해서 차고지를 정하는 일을 했다. 몇몇 집은 불만을 나타냈지만, 중구 할아버지의 주택화재를 알기에 큰 소동은 없었다. 영배는 흰색 페인트와 다용도 끈을 사 와서 시멘트 마당에는 종이테이프를 붙여가며 주차선에 색칠해서 만들었고, 흙 땅인 마당에는 다용도 끈으로 주차선을 해 놓았다. 그리고 마을 소화전 앞에 있던 생활 쓰레기를 전부 치웠고, 마을 입구에 쓰레기를 버릴 수 있도록 읍사무소에 건의하여 예산이 잡히는 대로 쓰레기 분리수거장을 만들기로 했다. 영배는 매일 마을을 순찰했고, 화목보일러가 있는 집은 수시로 방문해서 안전 점검을 했다. 마을 가로등이 나간 곳이 있으면 한전에 전화했고, 독거노인 가정은 여성 의소대에 말해 가정방문을 수시로 해 건강 상태를 살폈다.

영배는 트랙터로 논갈이 끝내고, 다른 논으로 가기 위해 논길로 나오는데 문자 알림이 울렸다. 핸드폰을 터치해 확인하니, Y읍에 산불이 발생했다는 소방서의 문자였다. 영배는 즉시 시동을 끄고 남규를 보니, 남규도 트랙터에서 내려 트럭이 있는 곳에 뛰어가고 있었다. 영배는 트랙터를 타고 논에 왔기에 남규에게 같이 출동하자고 전화하며 119안전센터장이 말했던 것이 생각났다.

"…… 우리 소방관들은 사람을 살리는 의술은 없습니다. 그러나 119에 전화한 그 순간, 위험에 처한 분이 계신 곳이 지옥이라도 사람을 구해야 한다는 불굴의 의지로 오늘도 제 자리에서 우린 임무를 수행할 뿐입니다."

영배는 가까워지는 사이렌 소리를 들으며 화마를 이기기 위해 노력하는 소방관들과 지역의 안녕을 위해 솔선수범하는 한 사람의 의용소방대원으로서 힘차게 달려갔다.

작가의 말.

며칠 전부터 키보드로 글자를 쓸 수가 없었다. 아니, 내 이름조차도 키보드로 칠 수가 없을 정도로 심신이 피폐해져 있었다.

며칠을 고민한 끝에 글을 놓아주면서 "정년퇴직할 때까지 회사나 열심히 다니자. 내 주제에 소설은……." 하며 스스로 자책했다.

소리 없는 몸부림 속에서 혹시나 가족들이 내 심정을 알까 봐서 "산업안전기사" 시험을 본다며 공부한다,고 했다.

산업안전기사를 공부하면서 글을 잊어서 좋았지만, 내 가슴속에는 고립으로만 가득 메워져만 갔다.

스터디카페에서 산업안전기사 공부하려고 나왔다. 그때 누가 뒤에서 빵,하는 경적에 놀라서 룸미러로 보니 개인택시가 너무 느리게 가고 있으니, 나에게 경고한 것이다. 그런데 그 기사는 나를 앞질러 가지 않고, 뭔가 이상한지 나와 나란히 달리고 있지 않은가. 그제야 나는 이곳이 어디인지 알았다.

인천대교고속도로.

나는 나 자신도 모르게 인천대교를 달리고 있었고, "오른쪽으로 꺾으면 멋지게 바다로 추락하겠지." 하면 바다만 보며 서행 운전한 것이다.

택시 기사에게 가볍게 목례하고, 가속페달을 밟았다.

이날부터 혼자서 서해안을 따라 여행을 시작했다. 대부도, 서산, 목포, 땅끝마을까지 갔다가 올라오는 길에 새만금 방조제 도로를 달리던 중에 웅장한 것을 보았다. 그 순간에 어떤 영감이 떠올라 새만금 방조제 도롯가에 잠시 차를 정차하고 그것. 즉, 골리앗(겐트리 크레인)을 넋 놓고 보았다. 난 골리앗을 가까이에서 보기 위해 외항로 도롯가에 주차하려고 하는데, 주차하고 쉬고 있던 화물트럭에서 "송대관의 딱 좋아"의 노래가 흘러나왔다.

"~ 눈물도 흘렸다. 원망도 해봤다
삶에 지쳐 쓰러져도 봤다.
이 나이에 못할 게 뭐가 있을까.
더도 말고 덜도 말고 지금이 딱 좋아.
지난 일을 생각 말자. 후회를 말자 ~"

이 노래가 내 마음의 문을 열어주며 가슴속에 뭉쳐 있던 응어리를 쏟아 내듯 아이처럼 울었다. 그리고 나는 다시 글을 잡고, 변산반도 한 호텔에서 "골리앗, 다시 일어서다."를 썼다.

누구에게나 힘든 시기가 오기 마련이다. 혼자 고민에 고민을 해봐야 자괴감만 들 뿐이다. 주변에 말하던지, 그도 아니면 잠시 모든 걸 내려놓고, 여행을 떠나 휴식하는 것을 추천하고 싶다.

집으로 오는 길에 회사에 들러 셧다운 공사 현장을 보았다.
오늘도 사람들이 자기만의 인생 그림을 열심히 그리며 채워가고 있다는 것을 공장에 쌓인 땀방울을 보며 생각했다.
"후회를 말자. 더도 말고 덜도 말고 지금이 시작이다."
나 자신에게 "잘하고 있어. 나는 잘하고 있어."라고 마법의 주문을 말하면서 하루를 시작한다.

이 소설집을 읽고 재미있다고 느꼈다면 작가로서 큰 보람입니다.
앞으로 더 좋은 작품을 출간하기 위해 끊임없이 고군분투할 수 있도록 많은 격려를 부탁드립니다.
마지막으로 끝까지 힘이 되어준 가족들에게 고마움을 전합니다.

2024년 5월 4일에 산업안전기사 1회 시험을 끝마치고.
서원균.